beck'sche
reihe

b'ing sr

Nach 1945 kehrte ein kleiner Teil der nach 1933 ins Exil Getriebenen in das zerstörte und geteilte Deutschland zurück –, vor allem Vertreter der verfemten linken Eliten der zwanziger Jahre. Die meisten als Juden Verfolgten hingegen blieben in den Exilländern. Zu den Remigranten gehörten neben vielen weniger bekannten Personen auch Sozialdemokraten wie Willy Brandt, Herbert Wehner und Max Brauer, Kommunisten wie Walter Ulbricht und Wilhelm Pieck, Literaten wie Carl Zuckmayer, Bert Brecht oder Anna Seghers, Wissenschaftler wie Max Horkheimer, Theodor W. Adorno, Ernst Bloch, Hans Mayer.

Welche Erfahrungen hatten sie auf dem Weg ins Exil und in der Emigration gemacht, welche Verletzungen und Traumata begleiteten sie? Wie erlebten sie die Heimkehr in das ihnen fremd gewordene Land, und wie begegneten ihnen die in Deutschland Gebliebenen? Konnten die ehemals Verfemten die Nachkriegsjahre mitgestalten?

Die Autorin betrachtet Einzelschicksale und beschreibt subjektive Perspektiven, sie erläutert Schwierigkeiten und Erfolge von Remigranten wie Remigrantinnen aus Politik, Wissenschaft und Kunst und zieht Verbindungslinien zu den politischen und gesellschaftlichen Entwicklungen der Zeit. Damit legt sie erstmals einen zusammenfassenden Überblick über einen noch wenig bekannten Bereich deutscher Nachkriegsgeschichte vor.

Marita Krauss ist Hochschullehrerin für Sozial- und Wirtschaftsgeschichte des 19. und 20. Jahrhunderts an der Universität Bremen. Sie veröffentlichte zahlreiche Arbeiten zu Migration und Integration, zur vergleichenden Stadt- und Regionalgeschichte, zur Frauen- und Geschlechtergeschichte. Im Verlag C.H.Beck gab sie heraus ‚München – Musenstadt mit Hinterhöfen. Die Prinzregentenzeit 1886–1912‘ (zusammen mit Friedrich Prinz).

Marita Krauss

Heimkehr in ein fremdes Land

Geschichte der Remigration
nach 1945

Verlag C.H.Beck

Mit 18 Abbildungen im Text

Die Deutsche Bibliothek – CIP-Einheitsaufnahme

Krauss, Marita:
Heimkehr in ein fremdes Land : Geschichte der
Remigration nach 1945 / Marita Krauss. - Orig.-Ausg.
- München : Beck, 2001
   (Beck'sche Reihe ; 1436)
   ISBN 3-406-47562-0

Originalausgabe
ISBN 3 406 47562 0

Umschlagentwurf: + malsy, Bremen
© Verlag C.H. Beck oHG, München 2001
Satz: Fotosatz Reinhard Amann, Aichstetten
Druck und Bindung: Druckerei C.H. Beck, Nördlingen
Printed in Germany

www.beck.de

Inhalt

Einleitung
Heimkehr in ein fremdes Land

Die Geschichte der Remigration steckt voller Brüche und Widersprüche. Es bleibt aber vor allem die Geschichte von Einzelschicksalen. Untrennbar ist mit ihr die Vorgeschichte verbunden: die Emigration. Ohne die Vertreibung von Sozialdemokraten, Kommunisten, Pazifisten und sonstigen Andersdenkenden, vor allem aber von Menschen jüdischen Glaubens oder Familienhintergrundes nach 1933 hätte es auch keine Remigration gegeben, keine mühsamen Versuche, die trennende Vergangenheit zu bearbeiten und neu anzufangen in einem Land, das zur Fremde geworden war.[1]

Die Rückkehr aus dem Exil war stets eine eigenständige Entscheidung zur Migration. Kein Erleben, keine Veränderung, die durch das Exil eingetreten war, ließ sich durch eine Rückkehr ungeschehen machen. Zu diesen Erfahrungen des Exils gehörte auch die Erkenntnis über die Vernichtung der Juden durch den nationalsozialistischen deutschen Staat. Der remigrierte Kölner Soziologe René König schrieb: „Ich bin also nicht im eigentlichen Sinne heimgekehrt: dieses Erlebnis hatte ich einzig bei Begegnungen mit Menschen, die wie ich ins Exil gegangen waren und nun hoffnungsvoll nach Deutschland zurückkehrten. Klar ist aber wohl, daß ich als ein anderer Mensch nach Deutschland gekommen bin. Ein anderer Mensch kehrt aber nicht zurück, sondern er geht voran, und er kommt voran und muß sehen, daß er akzeptiert wird. Das geschieht aber nicht ohne Belastungen. Denn die vielen jüdischen Freunde, die ermordet wurden, kann ich nicht vergessen; ich kann bestenfalls unter Vorbehalt verzeihen."[2]

Diesen Blick des Fremden, den Blick von außen – René König schreibt sogar an anderer Stelle, er habe seinen „jüdischen Blick entdeckt" –, verloren viele Rückkehrer ihr ganzes Leben lang nicht mehr. Das selbstverständliche Heimatgefühl war ihnen abhanden gekommen. Sie fühlten sich entweder in mehreren Ländern oder aber nirgends mehr „zu Hause". Und der „Vorbehalt", den René König benennt, war ebenfalls ein Teil ihrer Lebensgeschichte geworden. Als Überlebende des Holocaust, als ehemals Verstoßene und Verfemte blieb ihr Verhältnis zu Deutschland zwangsläufig zwiespältig und krisenanfällig. Das Leben in Deutschland unterwarf sie vielerlei Zumutungen: Diejenigen, die alles geduldet und alles betrieben hatten, lebten gewissermaßen Tür an Tür. Da konnte sich Heimatgefühl nur schwer einstellen. Daran änderten oft auch ein langer Deutschlandaufenthalt und ein großes Wirkungsfeld nichts mehr.

Lebensgeschichtlich war die Emigration ein dramatischer Einschnitt. Zerbrochene Biographien wurden im Exil neu zusammengesetzt, anders ausgerichtet, umdefiniert. Ganz ähnliches erfolgte bei der Remigration: Das Exil erschien jetzt nur noch als eine mehr oder weniger folgenreiche Episode der eigenen Lebensgeschichte. Es gibt genügend Beispiele von Remigranten, die das Exil so schnell wie möglich zu vergessen suchten. Von dem Politikwissenschaftler Siegfried Landshut ist beispielsweise überliefert, daß keiner seiner vielen Schüler nach dem Krieg von ihm etwas zu diesem Lebensabschnitt oder zu diesem Thema hörte. Viele wußten nicht einmal, daß Landshut Jahre im Exil verbracht hatte.[3]

Auch für andere war es schwierig, diesen Lebensabschnitt in die eigene Geschichte zu integrieren. Nach der Rückkehr mußte er erst einmal als ein Irrweg, als ein zwecklos vergangenes Stück Leben gelten: Familien waren in alle Erdteile zerstreut, Berufsausbildung und Karriere hatten tiefe Einschnitte erfahren oder waren ganz abgebrochen, Besitz nicht mehr aufzufinden. Der mit dem Exil verbundene Teil des Lebens wurde daher neu gedeutet und zugeordnet, um nicht über seiner Sinnlosigkeit zu verzweifeln. Als einzig greifbare Ergebnisse des Exils blieben dann oft nur die Erfahrung des ganz Anderen, erzwungene Lernprozesse und Neuorientierungen. Das konnte eine wirkliche Bereicherung bedeuten, es wurde jedoch vielfach zunächst als Rückschritt und Einbruch empfunden.

Das Verschweigen des Exils erhält vor diesem Hintergrund eine neue Bedeutung. Es mag zwar auch der Furcht vor den abwehrenden Reaktionen der Dagebliebenen entsprungen sein, die sich bald gegen die Rückkehrer stellten. Doch für viele Remigranten war das Exil eben keine Erfolgsgeschichte, über die man gerne berichtete. Es ist daher nicht auszuschließen, daß sich manche Emigranten dafür schämten, im Exil gewesen zu sein oder aber im Exil nicht mehr erreicht zu haben. Bestätigt sich auch für andere Berufsgruppen die an

Wissenschaftlerschicksalen erkennbare Tendenz, daß überwiegend diejenigen aus dem Exil zurückkehrten, die in Zufluchtsländern wie der Türkei, China und auch in Palästina bzw. Israel nicht hatten Fuß fassen können,[4] so kamen viele Rückkehrer nicht als strahlende Sieger aus der Emigration wieder nach Deutschland. Manche mögen diesen Weg vielmehr als Scheitern erlebt haben. So vermuten auch meist diejenigen, die im Exil blieben, abwehrend und abwertend, die Rückkehrer hätten sicherlich „wirtschaftliche Gründe" gehabt. Die triumphale Rückkehr der Sozialwissenschaftler Max Horkheimer und Theodor W. Adorno aus Amerika nach Frankfurt am Main ist die Ausnahme. Sie bestätigt eher den Gedanken, daß gute Bedingungen einfordern konnte und sie auch erhielt, wer keinem Zwang unterlag, nach Deutschland zurückzukehren, um dessen Anwesenheit vielmehr geworben wurde. Das Verfolgungsschicksal und die moralische Integrität während der NS-Zeit allein waren es jedenfalls nicht, die von den Dagebliebenen honoriert wurden. Das gilt auch für politische Remigranten, denen es ansonsten in vieler Hinsicht leichter fiel, an ihre frühere Tätigkeit anzuknüpfen.

Das Exil betraf ein breites Spektrum unterschiedlichster Menschen. Nur ein kleiner Teil von ihnen ist namentlich faßbar und in seinen Lebenswegen nachzuvollziehen.[5] Die gesamte deutschsprachige Emigration wird auf ungefähr 500 000 Menschen aus Deutschland, Österreich und dem deutschsprachigen Teil der Tschechoslowakei geschätzt. Davon ging etwa ein Viertel in die USA.[6] Der weit überwiegende Teil dieser Emigranten waren Juden oder von den Nationalsozialisten wegen ihres Familienhintergrundes zu Juden erklärte Menschen. Die Zahlenangaben schwanken, doch diese Gruppe machte wohl 85 bis 95 Prozent der Emigration aus. Die Ungenauigkeit der Angaben ist auch darauf zurückzuführen, daß die Grenzen nicht immer eindeutig zu ziehen sind, gab es doch viele politische Emigranten, die von den Nationalsozialisten auch aus ‚rassischen' Gründen verfolgt wurden.

Ähnliche Näherungswerte bieten die Zahlen für die Remigration: Von den politisch Verfolgten kehrten etwa fünfzig Prozent zurück, das waren bei den Sozialdemokraten rund 4000 Personen,[7] bei den Kommunisten wohl an die 3000.[8] Die wenigen Vertreter konservativer Parteien, die im Exil gewesen waren, fielen dagegen quantitativ kaum ins Gewicht. Von den ‚rassisch' Verfolgten kamen nur vier bis fünf Prozent;[9] 12 000 bis 15 000 von ihren waren jüdischen Glau-

Zusammenarbeit zwischen ‚außen‘ und ‚innen‘.
Carl Zuckmayer (links) und Gustav Gründgens bei einer
Theaterprobe zum ‚Kalten Licht‘ in Hamburg, 1955

bens und meldeten sich bei den wieder erstehenden jüdischen Gemeinden. Diejenigen als Juden verfolgten Rückkehrer, die nicht zu einer der bisher genannten Gruppen gehörten, sind nur schwer zu quantifizieren. Für einzelne Berufsgruppen geht man von Zahlen in der Größenordnung von zehn bis 25 Prozent aus.[10] Nach einer höchst vorläufigen Schätzung könnte man also die Gesamtzahl der Remigranten mit rund 30 000 angeben.

Im Vergleich zur Emigration war die Remigration jedenfalls kein Massenphänomen. Die Forschung muß sich vielmehr stets bemühen, sie nicht zu sehr als Elitenphänomen zu beschreiben. Die ‚Remigration der kleinen Leute‘ nachzuzeichnen gelingt kaum, obwohl hier in den letzten Jahren einige Anstrengungen unternommen wurden.[11] Dabei handelt es sich meist um ausgewertete Interviews mit Betroffenen, vor allem aus dem Kreis der jüdischen Rückkehrer. Es wird ein Spektrum an Lebensschicksalen sichtbar, in die das Exil zerstörerisch eingegriffen hatte. Die Haltung zur Rückkehr, zu den Deutschen und zu Deutschland blieb bei den meisten dieser Remigranten und Remigrantinnen ambivalent. Einige hatten sich sehr gut in Deutschland integriert, andere fühlten sich nach wie vor heimatlos. Neben der Art der Erfahrungen mit Nazi-Deutschland entschieden wohl vor allem Persönlichkeitsstruktur und individuelles Menschenbild über das neue Leben in der fremden alten Heimat. Die Verletzungen und Irritationen dieser nicht prominenten Rückkehrer decken sich in vieler Hinsicht mit denen der bekannteren Personen.

Das wichtigste Untersuchungsfeld bilden bisher diese benennbaren Remigranten. Wer nicht vor oder nach dem Exil Ämter und Funktionen innehatte, über seine Erfahrungen schrieb oder in quantitativ faßbaren Berufen tätig war – dazu gehören z. B. Wissenschaftler –, blieb auch für die Forschung meist im dunkeln.[12] Doch so lassen sich wenigstens in einigen Bereichen Aussagen treffen, die vor allem auch unter dem Aspekt der Wirkungsgeschichte von Exil und Remigration interessant werden können. In jedem Falle bleibt die Quantifizierung der Remigration eine höchst schwierige und stets der Korrektur unterliegende Angelegenheit.[13]

Wer waren nun diese Rückkehrer? Was waren das für Menschen, die trotz der Erfahrung der Vertreibung und des Exils wieder zurück gingen in das Land ihrer Kindheit, das gleichzeitig das Land der Mörder geworden war? Als eine Faustregel kann gelten: Je ‚politischer‘ der Emigrationsgrund, desto größer der Rückkehrwunsch. Zunächst wollten vor allem politisch engagierte Emigranten ganz nach Deutschland zurückkehren, deren Ziel es war, am deutschen Wiederaufbau im Lande mitzuarbeiten. Sie drängten daher auf eine baldige Rückkehr. Es kamen aber auch solche, die berufliche oder wirtschaftliche Gründe hatten – sei es die Rückkehr zur deutschen Sprache bei Schriftstellern, Journalisten oder Theaterleuten, sei es die Wiedergewinnung entzogenen Besitzes bei Geschäftsleuten oder verlorener Pensionsansprüche bei ehemaligen Beamten. Weit größer, wenn auch noch schwerer faßbar, ist der Anteil derer, die niemals ganz zurückkamen, die jedoch mit Korrespondententätigkeit, mit

Beteiligungen an Anwaltskanzleien, als Gastdozenten oder Vortragsreisende wieder in Deutschland aktiv wurden.[14] Diese „Sojourners",[15] also Rückkehrer auf Zeit, bilden einen wichtigen Teil der Wirkung des Exils, ohne Remigranten im eigentlichen Sinne zu sein.

Ein Umzug nach Deutschland bedeutete jedenfalls noch nicht die Integration. So konnten anfangs vor allem diejenigen in Deutschland wieder Fuß fassen, die jede Kollektivschuld der Daheimgebliebenen ablehnten und keine grundlegenden Schuldeingeständnisse erwarteten. Wer bereit war, den bestehenden Zustand zu akzeptieren, war willkommen. Carl Zuckmayers Theaterstück ‚Des Teufels General' wurde mit großer Zustimmung aufgenommen, konnte man es doch als Schilderung der eigenen Situation annehmen:[16] Ohne Schuldzuweisung zeigte es menschliche Verstrickung in einem menschenverachtenden System. Dies hatte jeder erlebt. Den weitergehenden moralischen Ansprüchen anderer Emigranten oder Verfolgter wollte sich kaum jemand aussetzen.[17] Die als amerikanische Offiziere in Deutschland tätigen emigrierten Schriftsteller Klaus Mann, Georg Stefan Troller, Hans Habe und andere konstatierten daher bald eine deutliche Ablehnung der Dagebliebenen gegen die Emigranten.[18] Daß es sich dabei nicht nur um Überempfindlichkeit der Rückkehrer handelte, zeigen viele Stellungnahmen der Nachkriegsdeutschen, für die Emigranten wie Thomas Mann zu Objekten von Ablehnung und Abwehr wurden.[19]

Diese Haltung zu den Remigranten in Westdeutschland hing einerseits von den politischen Wechsellagen der Nachkriegszeit ab, also dem Kalten Krieg, der Wiederbewaffnung, dem Wirtschaftswunder und dem Aufbruch der 68er Jahre.[20] In Ostdeutschland gilt dagegen eine andere Periodisierung: Nach einer ersten Phase bis etwa 1949/50, in der kommunistische Remigranten aus den unterschiedlichen Exilländern zentrale Aufgaben beim Aufbau des neuen Staates übernehmen konnten, folgte mit den Parteisäuberungen und Schauprozessen eine Desavouierung der gesamten Westemigration. Dies galt vor allem für die Remigranten aus der Schweiz und Frankreich, später auch aus Mexiko. Erst nach Stalins Tod und nach dem 20. Parteitag der KPDSU kam es zu Rehabilitierungen und vorsichtigem Tauwetter. Ab dem Ende der fünfziger Jahre begann dann eine Normalisierung auch des Verhältnisses zur Westemigration, die sich in vermehrten Zuwahlen dieser Gruppe zu Parteigremien niederschlug.[21]

*Noch willkommen. Der Moskau-Remigrant und SED-Vorsitzende
Wilhelm Pieck (links) sowie der Mexiko-Rückkehrer Paul Merker (rechts)
begrüßen den Journalisten Gerhart Eisler, der aus den antikommu-
nistischen USA nach Ostberlin geflohen war, 2. Juni 1949*

Die Remigration besaß aber auch ihre eigene Dynamik: Bis etwa
1948 remigrierten in einer ersten Phase die meisten derjenigen Emi-
granten, die später aktiv das politische Leben der Bundesrepublik
mitgestalten konnten; Vergleichbares gilt für die kommunistische
Remigration in die SBZ/DDR. Es reisten in dieser Phase auch die
Wirtschaftsleute und Geschäftsinhaber nach Deutschland, deren
Betriebe ‚arisiert‘ worden waren und die nun versuchten, das Verlo-
rene zurückzuerhalten. Die meisten von ihnen wurden wohl ‚stille
Teilhaber‘ ihrer ehemaligen Betriebe und kehrten nicht ganz nach
Deutschland zurück.[22]

In einer zweiten Phase, meist in den fünfziger und sechziger Jahren, kamen Künstler, Schriftsteller und Wissenschaftler in die Bundesrepublik. Neben äußeren Gründen lag dies auch am abwarten-
den Zögern der meist jüdischen (oder von den Nationalsozialisten
zu Juden erklärten) Künstler und Intellektuellen gegenüber den politischen und gesellschaftlichen Entwicklungen in Deutschland.
Einen Schub erhielt diese Rückwanderung mit den Auszahlungen
von Entschädigungen und Renten ab Mitte der fünfziger Jahre, die
nun auch eine bescheidene finanzielle Basis in Deutschland ermög-

lichten. In der DDR gab es diese Art des zumindest finanziellen Wiedergutmachungsversuchs nicht. Dem widersprachen unter anderem die Sozialisierungen der fünfziger Jahre. Eine besondere Migration fand ebenfalls in dieser Phase statt: die zweite, diesmal deutsch-deutsche Wanderung mancher enttäuschter DDR-Remigranten, die entweder, wie die Leipziger Professoren Hans Mayer oder Ernst Bloch, in die Bundesrepublik überwechselten oder aber wieder in ein Exilland gingen.

In diese Phase fällt auch der Hauptteil der jüdischen Rückkehr. So kamen zwischen 1952 und 1959 zu den 2500 bereits vorher Remigrierten nochmals 9000 Juden und Jüdinnen hinzu, die sich als Remigranten bei den jüdischen Gemeinden meldeten. Nach 1960 wird die jährliche Rückkehrerquote auf nur noch rund 250 Personen geschätzt. Dieser Einschnitt ist wohl auch auf den wieder zunehmenden öffentlichen Antisemitismus mit Friedhofsschändungen und Hakenkreuzschmierereien in Westdeutschland zurückzuführen. Rückkehrer, die sich nicht bei den jüdischen Gemeinden meldeten, sind hier nicht erfaßt. Darunter befanden sich vermutlich auch viele Remigranten aus Israel, die sich durch ihren Migrationsentschluß aus der jüdischen Gemeinschaft gelöst hatten.

In einer dritten Phase, die bis heute andauert, wanderten und wandern diejenigen zurück, die in Deutschland ihren Lebensabend verbringen wollen: Teils haben sie im Alter die nachträglich erworbene Sprache verloren, teils treibt sie wirtschaftliche Not zurück. Somit kam ein stetiger, wenn auch dünner Strom von Rückkehrern nach Deutschland.[23]

Die Forschungen zu dem schwer greifbaren Phänomen der Remigration nach 1945 sind in vollem Gange. Viele Jahre lang waren es das Exil, seine Literatur, seine Wege und Erfolge, die als Teil einer ,vergessenen Geschichte' wiederentdeckt, publiziert und analysiert wurden. Nun wendet sich der Blick auch der Remigration zu, gewissermaßen als Fortsetzung, als Nach- und Wirkungsgeschichte des Exils.

Nach der politischen Remigration in den Westen steht seit der deutschen Wiedervereinigung zunehmend die Geschichte der Remigration in die DDR im Fokus des Interesses.[24] Viel Aufmerksamkeit wird inzwischen der Wissenschaftsremigration zuteil.[25] Doch auch in den bereits besser erforschten Bereichen bleiben noch viele Fragen und Überlegungen offen.

So wird kontrovers diskutiert, ob die Emigration zu einem unersetzlichen Kulturverlust für Deutschland führte oder ob Emigranten wie Rückkehrer als internationale Wissenselite zu Modernisierung, Internationalisierung und Wissenstransfer zwischen der alten und der neuen Welt maßgeblich beitragen konnten. Es wird gefragt, inwiefern Remigranten in Schlüsselpositionen – man denke für die Bundesrepublik nur an Willy Brandt, Ernst Reuter, Theodor W. Adorno, Max Horkheimer oder Fritz Eberhard – die politische und gesellschaftliche Entwicklung prägten, in der Politik, an den Universitäten, in der Presse. Die Emigranten waren häufig Mittler zur Welt, Vertreter eines ‚anderen Deutschlands‘, die nicht Schuld und Scham der NS-Zeit mitzutragen und mitzuvergessen hatten. Hier erweist sich Remigrationsforschung als interdisziplinäres Untersuchungsgebiet, in dem auch Ergebnisse der Sozialpsychologie, der Vorurteilsforschung und der Psychoanalyse Platz finden müssen, will man Verhaltensstrukturen und Deutungsmuster entschlüsseln.

Im Mittelpunkt der folgenden Darstellung stehen Vorgeschichte und Geschichte der Remigration nach 1945, mit einem Ausblick auf die Nachgeschichte, die bis heute andauert. Zeitlich bedeutet dies, daß zunächst exemplarisch die Jahre 1933 bis 1945 betrachtet werden, dann zentral die für die Rückkehr wichtigste Zeit zwischen 1945 und 1955/60. Kursorisch geht es dann auch um die Nachgeschichte bis heute, die sich nicht zuletzt in der Exil- und Remigrationsforschung manifestiert. Vollständigkeit der Namen, Themen und Fragen ist weder angestrebt noch möglich.

Das Hauptaugenmerk gilt zunächst den Erfahrungen und Verletzungen auf dem Weg ins Exil, in der Emigration und vor der eigentlichen Rückkehr. Der Grund dafür ist einfach: Diese Vorgeschichte bestimmte entscheidend die Fragen der Zukunft mit, und ohne sie sind die Schwierigkeiten der Rückkehr nicht zu verstehen. Zur Annäherung an die Folgen von Verfemung und Flucht dient der Blick auf *die Grenze* als Station auf dem Weg ins Exil: Hier werden Innenansichten von Zeitgeschichte sichtbar, die sich nicht mit Statistiken oder dürren Lebensdaten beschreiben lassen. Als These liegt dem zugrunde, daß die oft traumatische Erfahrung des Grenzübertritts zu einem Wendepunkt der Lebensgeschichte wurde, zu einem ‚point of no return‘, der eine Entscheidung gegen Deutschland nach sich zog. Der Weg zurück über diese Grenze war daher angstbesetzt, von großen Zweifeln und der Furcht vor einer Wiederbelebung der Traumata begleitet.

Die Vertreibung der Juden aus Deutschland war viel mehr als eine Maßnahme gegen Andersdenkende, wie sie früheren Verbannungen zugrunde gelegen hatte. Der Blick auf die *Emigration als Familienschicksal* zeigt exemplarisch die kollektivbiographischen Aspekte des Themas. Dieses Exil betraf nicht nur einzelne und nicht nur eine Generation. Selbst aus politischen Gründen Verfolgte emigrierten meist mit ihren Familien, da in Deutschland ‚Sippenhaft‘ verhängt wurde. Diese Migration hatte Folgen für das ganze Leben dieser Flüchtlinge und noch für das Leben der Kinder und Kindeskinder.

Durch die Exilierung polarisierten sich die Standorte: Es gab eine Außensicht der Emigranten und eine Innensicht der Dagebliebenen. Beide waren oft unvereinbar. Trotz der Rückkehr nach Deutschland fühlten sich viele Exilierte weiterhin als Außenstehende, eigentlich nicht Zugehörige. Dies wurde zu einem zentralen Problem der Remigration. In *Blick von außen* und *Blick von innen* stehen sich diese Perspektiven gegenüber. Abwehr, Projektion, Ressentiment finden sich auf beiden Seiten. Doch die Emigranten hatten lebensgeschichtliche Gründe dafür. Die Nachkriegsgesellschaft hingegen zeigte in ihrer Haltung zu den schuldlos Vertriebenen, daß es 1945 eben keine ‚Stunde Null‘ gab.

Doch es existierte nicht nur die subjektive Seite. Deutschland war nach 1945 ein besetztes Land. Daher richtet sich der Blick auf *Besatzungspolitik und Remigration*. Die Auffassungen der einzelnen Besatzungsmächte hatten anfangs entscheidenden Anteil daran, ob und wie Rückkehrer in Deutschland eingesetzt wurden oder überhaupt nur einreisen durften. Aber das Schicksal der rückkehrwilligen Emigranten hing nicht nur von der alliierten Politik ab; von deutscher Seite ging es um ausgesprochene oder unterbliebene *Rückrufe*. Nur wenige Emigranten wurden von solchen Rückrufen erreicht, obwohl viele sehnlich darauf hofften: Ein Rückruf bildete für sie die innere Voraussetzung für eine erneute Tätigkeit in Deutschland. Doch es gab solche Rückrufe auf verschiedenen Ebenen: unmittelbar und persönlich, durch die Zeitung, als politische Verlautbarung. Die persönlichen Rückrufe mit dem Angebot eines neuen Wirkungsfeldes in Deutschland waren jedoch am seltensten und meist politischen Emigranten vorbehalten, die von ihren Parteigenossen angefordert wurden, sowie ausgewählten Wissenschaftlern. Insgesamt trog also trotz dieser Rückrufe die Emigranten ihr Eindruck nicht, daß sie eigentlich in Deutschland nicht erwünscht waren.

Wer kam dann letztlich überhaupt zurück? Fanden sich Rückkehrer wieder zurecht? Wie stand es um die Bereitschaft deutscher Eliten, sie willkommen zu heißen und zu integrieren? Exemplarische Antworten darauf versuchen die Kapitel *Rückkehr einer vertriebenen Elite: Beispiele aus Wissenschaft, Kunst und Wirtschaft* sowie *Rückkehr in die Politik* zu geben. Besondere Aufmerksamkeit erhalten überdies die *Remigrantinnen*, deren Schicksale sonst leicht neben den Geschichten der Männer verblassen. Doch es gab geschlechtsspezifische Bedingungen der Rückkehr und des Neubeginns, die den Frauen besondere Lasten auferlegten.

Ein Tabuthema waren lange *Jüdische Remigration und Antisemitismus*. Vor allem für gläubige Juden galt die Rückkehr in das Land der Mörder als schwerer Verstoß. Trotz des bemühten Philosemitismus der ersten Nachkriegsjahre finden sich vielfach antisemitische Grundhaltungen und Vorurteile. In der DDR führte das Anfang der fünfziger Jahre zu massiven Diskriminierungen und Verfolgungen, im Westen kam es am Ende dieses Jahrzehnts zu antisemitischen Schmierereien. Verstörend wirkte auch die *Begegnung mit der deutschen Bürokratie* bei Entschädigung, Rückerstattung und Wiedergutmachung, die vielen Emigranten und Remigranten das Gefühl gaben, daß sich in Deutschland eben doch wenig geändert habe.

Eine detaillierte Wirkungsgeschichte der Remigration ist noch nicht zu schreiben, doch lassen sich *Perspektiven* zeigen. Dabei geht es exemplarisch um den Wissenstransfer aus den Exilländern, um Ehrungen für noch lebende wie für bereits gestorbene Emigranten, aber auch um die zentrale Überlegung, welche Gesellschaft und welche Fragen Remigrationsforschung zukünftig in den Blick nimmt: Interessiert sie sich für nationale Veränderungen, für eine ‚deutsche' Bilanz? Geht es ihr um die Innensichten der Emigranten-Remigranten, um Erfahrung und Verarbeitung des Exilschicksals? Oder betrachtet sie auch die internationalen Veränderungen durch diese Migration, sei es in den verschiedenen Wissenschaftszweigen, in Teilen der politischen Kultur, in der Kunst?

Die Erforschung der Remigration bietet weit mehr als die Untersuchung eines begrenzten Migrationsprozesses. Sie ermöglicht Aussagen zu den Folgen anderer Fluchten und Exile des 20. Jahrhunderts, sie vertieft das Verständnis für die psychischen Nachwirkungen, und sie kann Wege zeigen zur Milderung gegenwärtigen Leides bei Flüchtlingen des 21. Jahrhunderts. Die damalige Diskussion um die Frage, wer denn nun das ,gute', das ,eigentliche' oder das ,andere' Deutschland verkörpere, öffnet dann den Zugang zu einer weiteren aktuellen Debatte, in der es um die Frage geht, ob und warum man stolz sein könne, ein Deutscher zu sein. Viele Emigranten waren überzeugt, das ,eigentliche' Deutschland des Humanismus, der Liberalität und Toleranz sei mit ihnen ins Exil gegangen, während das Land in Barbarei versank. Remigration erschien ihnen als der Versuch, solche Werte zurückzubringen, sie durch einen geistig-moralischen, intellektuellen und politischen Wiederaufbau in Deutschland neuerlich heimisch zu machen. So gelang in der zweiten Jahrhunderthälfte eine ,westliche' Identitätsfindung, für die Rückkehrer wie Willy Brandt, Max Horkheimer oder Theodor W. Adorno mit ihrer politischen und intellektuellen Fundierung der Republik zentrale Bedeutung erlangten. In diesem Sinne ist letztlich doch ein Teil des Verlorenen aus dem Exil nach Deutschland zurückgekehrt.

Die Grenze

Die Erfahrung der Grenze wurde zu einem zentralen Erlebnis der Flucht aus Nazi-Deutschland.[1] Sie zeigte den Emigranten das Ausgestoßensein aus der bisherigen Gemeinschaft in höchster Schärfe. Das erzwungene Verlassen der Heimat hinterließ Verletzungen, die ein Einleben in der Fremde erschwerten oder verhinderten.[2] Es mußte nicht die deutsche Grenze sein, doch an irgendeiner der auf dem Weg ins Exil zu überschreitenden Grenzen erlebten Emigranten einen traumatisierenden Abschied von ihrer bisherigen Heimat. Dieser ließ sich bei vielen Betroffenen nie wieder rückgängig machen und war für manche der Beginn einer lebenslangen Heimatlosigkeit. Selbst eine Rückkehr heilte meist nicht mehr das „Emigrantensyndrom", die Vielzahl der Ängste, Verletzungen, Ablehnungen.[3]

Was bedeutete die Grenze? Wieso konnte dieser an sich nur geographische und politische Ort, dieser Strich auf der Landkarte, für die einzelnen eine so prägende Erfahrung werden? Dies läßt sich am besten zunächst an dem Bedeutungswandel von Grenzen nach 1933 erläutern.

Grenzen veränderten für die Verfolgten der NS-Zeit mehrfach sehr konkret ihre Qualität. „Grenzen? Man kann nicht reisen mit Grenzen; das sind Stacheln unter den Zehennägeln, das sind Verstecke für Mörder, da lauern uns Mörder auf; an Grenzen da kochen sie Pulver, da schmieden sie Schwerter: Kriege werden hier ausgebrütet, und Schlimmeres: Furcht und Gehorsam", schrieb der Emigrant Gustav Regler in seinem autobiographischen Roman ‚Familie Dupont'.[4] Grenzen wuchs eine andere Bedeutung zu: Wer im Inneren des Landes ausgegrenzt wurde, mußte meist auch den Übertritt der Staatsgrenze fürchten. Diese Sorge begleitete bereits die ersten zaghaften Gedanken an Flucht, sie verstärkte sich bei der oft langwierigen Beschaffung der nötigen Papiere und Visa für die legale Grenzüberschreitung und begleitete den Abschied von den Nahestehenden und der Heimat. Mit dem Fortschreiten der Verfolgungsmaßnahmen wuchs das Gewicht der Grenze, schien doch sie allein das Leben in Furcht und Diskriminierung von einer Zukunft jenseits von Angst und Not zu trennen. Je enger sich die Grenzen schlossen, desto mehr wurde ihre Überwindung der wichtigste Schritt zum Überleben. Dies galt vor allem für die Kriegsjahre nach 1940/41, als eine legale Auswanderung aus Deutschland kaum noch möglich war. Die Grenze wurde zur Kerkermauer.

Die deutsche ,Entgrenzung' durch die Eroberungszüge dehnte diese Situation immer weiter über Europa aus. Grenzverschiebungen trieben Emigranten von einem Land in das nächste: Mit der Okkupation Österreichs und des Sudetengebietes mußten sie aus dem eigenen Sprachraum fliehen, mit der Eroberung Frankreichs aus dem europäischen Kulturraum; die wenigen in Europa verbliebenen Inseln, so die Schweiz, Portugal und England, erschienen zu gefährdet oder boten keine Aufenthaltsmöglichkeiten. Der Aufbruch nach Amerika stellte dann eine endgültige Abnabelung vom europäischen „Mutterkörper" dar,[5] den Beginn einer Verdrängung der europäischen Herkunft und der Assimilation in der Neuen Welt – aber auch den Beginn des „Liebeshasses auf Europa" und der „Haßliebe zu Amerika", wie dies die exilierte Schriftstellerin Hilde Spiel in ihrem Roman ,Lisas Zimmer' nennt.[6]

In Ländern wie Frankreich, das vielen Intellektuellen als Zuflucht diente, ging die Jagd auf die überlebenswichtigen Einreisevisa weiter. Dramatisch wurde die Lage im lange unbesetzten Südfrankreich, wie sie Marta Feuchtwanger, Alma Mahler-Werfel, Lisa Fittko und andere erlebten.[7] Die Grenze war immer präsent: Die Bemühung um ein Visum – egal wohin, ob nach Kuba oder Schanghai – bestimmte den Alltag der Flüchtlinge, die täglich bei der Polizei, den Konsulaten und den Schiffahrtsgesellschaften anstanden. Wahnwitzige Fluchtpläne wurden verabredet und wieder verworfen, Gerüchte über neue Möglichkeiten der Ausreise verbreiteten sich in rasender Eile. Monatelange Bemühungen wurden zunichte, weil sich Bestimmungen änderten oder wieder ein Land seine Grenzen schloß. Dies war dann oft die Stunde der Frauen, die sich als nervenstarke Organisationsgenies und Überlebenskünstlerinnen erwiesen, wenn ihre Männer bereits längst der Mut verlassen hatte.[8] Und ständig drohten die Auslieferung an die Deutschen, Lagerhaft und Tod, wie sie bereits diejenigen ereilt hatten, die Deutschland nicht rechtzeitig verlassen konnten oder auf der Flucht von den deutschen Truppen irgendwo eingeholt worden waren. Grenzen gab es für diese Gejagten inzwischen überall, nicht mehr nur am Schlagbaum des Zollhauses. Sie gruben sich tief in die Seele ein.

Es gab damit eine zweite, eine subjektive und individuelle Ebene des Bedeutungswandels von Grenzen. So stand vor dem Gang über die Grenze meist der Abschied von dem Land der Kindheit, von den liebsten Menschen. Manche verweigerten innerlich das Abschiednehmen und versuchten, den Weg ins Exil zu überspielen: als Reise[9] oder als Abenteuer.[10] Dies war oft auch eine erfolgreiche Überlebensstrategie, die notwendige Handlungsspielräume schuf. Niemand konnte jedoch wissen, ob es nicht eine Trennung für immer sein würde. Die Zurückbleibenden versuchten den Abreisenden manchmal ein Stückchen Heimat mitzugeben, wie die Memminger Köchin Resi, die der emigrierenden Tochter des Hauses noch das Kochbuch abschrieb, damit diese in der Fremde Semmelknödel zubereiten könnte.[11] Eine wichtige Position in den erinnerten Abschiedsszenen nehmen die Nebenfiguren ein, die meist im bodenständigen Dialekt wiedergegeben sind – die Packer[12] oder Gepäckträger,[13] die freundlichen Vermieterinnen, die weinenden Köchinnen und Kindermädchen, die in kaum einer Abschiedserinnerung fehlen und die für die Emigrierenden signalisierten: An mir lag es nicht, ich wurde geliebt und meine Abreise betrauert. Und: Nicht alle wollten uns fort haben, das gute und treuherzige Volk trug die Vertreibung innerlich nicht mit. So gewinnt das Abschiedsritual eine zentrale Bedeutung für die Wiederkehr, die nur auf dieser Grundlage denkbar ist. Es setzt auch eine besondere innere Struktur voraus, diese Personen so positiv wahrnehmen und diesen Eindruck über das Exil hinweg bewahren zu können. Das war keineswegs jedem möglich.

Die Emigrantin Charlotte Stein-Pick berichtet ausführlich über ihren Abschied aus der Heimatstadt. Die Bahnhofsszene blieb den Abreisenden fotografisch genau im Gedächtnis; es war ein Abschied auf Leben und Tod: „Wenn ich an den 25. August 1939 zurückdenke, dann ist es mir, als sähe ich durch einen schwarzen Schleier. Es war der Tag des Abschieds von allen, die wir liebten und die zurückbleiben mußten, und es war das Losreißen von der Heimat, das Gehen in eine ungewisse Zukunft. Obwohl meine Augen in Tränen schwammen, so hat sich mir doch das Bild eingeprägt, das ich vom Wagenfenster des Zuges in mich aufnahm. Da standen die gebeugten Eltern meines Mannes, meine gute Mutter, meine alte Resl und noch einige liebe Menschen. Sie waren alle stumm vor Schmerz. Wenn sie es uns auch gönnten, daß wir der Schmach und dem wahrscheinlichen Tod entrinnen konnten, sie bangten um sich und auch um uns. Es war ein Ende, unbarmherzig und kaum zu fassen. Langsam setzte sich der Zug in Bewegung. Adieu, adieu, Gott sei uns gnädig."[14]

Das Gewicht der bevorstehenden Grenzüberschreitung wird in diesem Abschied sichtbar. Diese Grenze trennte Tod und Leben. Es war wie der Abschied an einem Sterbebett: Das verwendete Bild des „schwarzen Schleiers" deutet ebenso darauf hin wie die Tränen, der tiefe Schmerz und die Wahrnehmung des „Endes", der Endgültigkeit des Ereignisses. Und es war beides: die Angst vor dem Verlust, der Vernichtung des eigenen Lebens wie des der anderen. Die Abreisenden, wiewohl auf der Fahrt ins Leben, konnten sich durchaus als diejenigen begreifen, die sich auf „die große Reise" begaben. „Abreisen", schreibt Sigmund Freud in seiner ‚Traumdeutung', „ist eines der häufigsten und am besten zu begründenden Todessymbole".[15] Die Fahrt zur Grenze begann.

Soweit zum zweiten Teil des Grenzthemas, zur Verwandlung eines geographisch-politischen in einen emotions- und angstbeladenen Begriff. Nur durch diese Vorgeschichte ist die Bedeutung des tatsächlichen Grenzübertritts in Wahrnehmung und Erinnerung zu erklären. Sicherlich gab es unterschiedliche Grade von Gefährdung. Stand für den einen der Abschied von Heimat, Freunden, Familie und vertrauter Umgebung im Mittelpunkt der Trauer, so ging es für illegale Grenzgänger, Regimegegner oder ‚rassisch' Verfolgte oft wirklich um das eigene Leben. Die tatsächliche Gefahr beim Grenzübertritt war schwer einzuschätzen. Sie beruhte zu einem Großteil auf der Unberechenbarkeit nationalsozialistischer Übergriffe, die im Prinzip jeden treffen konnten. Kaum einer vermochte sicher zu sein, alle Auflagen beachtet, alle Regeln eingehalten zu haben, selbst wenn er legal zur Grenze unterwegs war. Dies verstärkte das Gefühl der umfassenden Gefährdung. In der Grenzüberschreitung schienen alle diese Schrecken zu kulminieren.

Der tatsächliche Grenzübertritt verlief jedoch bei den Emigranten, deren Berichte hier herangezogen werden konnten,[16] trotz einiger Komplikationen letztlich erfolgreich. Das ist die dritte zentrale Betrachtungsebene: Das traumatisierende Erleben beruhte zu einem wesentlichen Teil auf der Angst vor dem Entsetzlichen, das eintreten könnte, nicht auf einem konkreten Ereignis. Diese Angst, dieses Gefühl des Ausgesetztseins war es, das dem Weg zur Grenze und der Grenzüberschreitung selbst ihre Bedeutung verlieh. Jeder und jede Betroffene suchte andere Wege, mit diesem entsetzlichen Erleben umzugehen. Das Spektrum reicht von Panik, Versagen und völliger Hilflosigkeit bis zu kämpferischem Mut, mit dessen Hilfe die Erfahrung der Grenze in eine Prüfungssituation umgewandelt wurde, in der all die im bisherigen Leben erworbenen Fähigkeiten zum Einsatz kamen. Auf einer derartigen Fahrt zur Grenze vollzog sich eben sehr viel mehr als auf einer alltäglichen touristischen Reise: Bei geschärfter Wahrnehmung, in gesteigerter Wachheit und höchster Spannung wurden Landschaften, Personen, Ereignisse zu untrennbaren Teilen eines erweiterten Ichs.

Was sich während des Erlebens minutiös in die Seele eingrub, blieb auch später präsent und wurde zum Thema vielfältiger Bewertung und individueller Sinngebung. Die Stationen der Emigration tauchten noch Jahre später scharf umrissen aus dem Strom des Vergessens auf;[17] in mancher Hinsicht wurden die Ereignisse um Flucht und Grenzüberschreitung dabei als innerer und äußerer Übergang gedeutet, dessen Elemente sich in der Erinnerung zu einem „rite de passage", einem Übergangsritus in einen neuen Lebensabschnitt verdichten konnten.[18] Victor Turner hat für solche Übergänge den Begriff der „Liminalität" geprägt.[19] Doch hier beginnen bereits Erinnerung, Deutung und Einordnung. Erst auf dieser Ebene erhält das Ereignis seinen zentralen Stellenwert.

Ein solcher Deutungsbogen läßt sich exemplarisch an Carl Zuckmayers Erinnerungen an seine Fahrt zur Grenze und an den Grenzübertritt nach dem Anschluß Österreichs zeigen: [20] „Es war ein strahlender Vorfrühlingstag, selten hatte ich das Land schöner gesehen. Die Berge hatten noch Schnee, an den Waldrändern grünte es bereits. Gegen Mittag fuhr der Zug am Wallersee entlang, auf dessen anderer Seite Henndorf lag. Ich stand auf dem Gang des D-Zugs und schaute hinaus. Der blaue Himmel spiegelte sich im See. Ich sah meine Badehütte, die in einer Waldlichtung lag. Ich glaubte meine Hunde bellen zu hören. Dann schob sich langsam und mit schwerem Geratter ein Transportzug vor das Bild, der auf dem Nebengleis ostwärts stampfte. Es waren deutsche Batterien, die nach Wien transportiert wurden. Die Kanoniere hockten neben ihren leichten

Feldhaubitzen auf den offenen Wägen, in ihrer feldgrauen Uniform, und waren jung und frisch wie wir, als wir im Jahre 14 nach Frankreich zogen."

Mit dem Herzen und mit allen Sinnen befindet sich der Emigrant außerhalb des Zuges, in dem Land, das für ihn Erde und Himmel umfaßt, das zu ihm gehört wie seine Hunde und sein Haus. Der militärische Transportzug durchbricht dieses Bild, er schneidet den Mann auf dem Weg ins Exil von seiner Heimatvision ab. Doch nun kommt das Überraschende. Er steigt auf diesen Zug gewissermaßen auf: Eigentlich, so suggeriert seine Beschreibung, gehöre ich zu diesen jungen Leuten auf dem Transportzug, eigentlich bin ich in der anderen Richtung unterwegs. Er schwankt zwischen dem Gefühl des Ausgeliefertseins und der Erinnerung an sein Selbstgefühl im Ersten Weltkrieg. Die in Zuckmayer im Widerstreit liegenden Elemente werden äußerlich sichtbar: der Reisende auf dem Weg ins Exil, der leidenschaftlich Heimatgebundene, der deutsche Frontkämpfer des Ersten Weltkriegs. Innen und außen sind miteinander verschmolzen.

Doch die Fahrt bei Tageslicht und vollem Blick auf die Außenwelt war die Ausnahme. Bereits das Fahren im Zug, dessen Weg und Geschwindigkeit nicht zu bestimmen waren, verstärkte das Gefühl der Unabänderlichkeit des Vorgangs. Überdies fuhren die meisten Züge in die Emigration nachts oder wurden als „Fahrt durch die Dunkelheit" erinnert.[21] So wuchsen die Bedrohung, das Unheimliche, Unberechenbare. „Es war eine Fahrt von drei Stunden, mitten in der Nacht, und je näher wir der Grenze kamen, desto hektischer, unheimlicher, exaltierter wurde die Stimmung", schreibt Zuckmayer.[22] Erinnerte Nachtfahrten hatten, bei aller Verschiedenheit, doch auch wieder Ähnlichkeiten: Der Emigrant fuhr nicht allein ins Exil, meist erkannte er im Zug einen ebenfalls fliehenden hohen Beamten, Politiker oder Theaterschaffenden. Die eigene exponierte Situation wurde geschärft durch unbekümmerte Unbeteiligte im Nebenabteil, aber auch durch mitfahrende, meist betrunkene Soldaten oder SA-Leute.[23] Schwerbewaffnete SS-Kontrollen verkörperten den Nazi-Staat und sein Todespotential. Die Züge hielten immer wieder unerwartet in der Dunkelheit, Kontrollen kamen wie Überfälle, Angst und Irritation wuchsen ins Unerträgliche. Die große Spannung auf der Fahrt und an der Grenze enthielt auch eine hohe Gefährdung. Doch über gescheiterte Grenzüberschreitungen ist kaum etwas zu lesen, da sie von niemandem überliefert werden konnten.

Zuckmayer schildert eine ganz besondere Art von Grenzerlebnis.[24] Es enthält das traumatisierende Gefühl des Ausgeliefertseins mit allen Möglichkeiten des Versagens, aber auch die letztlich geglückte Überwindung in einem bizarren Finale. „Als der Zug langsam in Feldkirch einfuhr und man den grellen Kegel der Scheinwerfer sah, hatte ich wenig Hoffnung. Ich empfand eigentlich nichts und dachte in diesem Moment auch nichts. Eine kalte Spannung hatte mich erfüllt. Aber alle Instinkte waren auf die Rettung konzentriert. Ich denke heut: ob es dem Fuchs so zumute ist, wenn er die Meute hört?"

In Feldkirch kontrollierten SS-Leute die Pässe, durchsuchten jeden Koffer und zogen jeden und jede für Leibesvisitationen nackt aus – eine Prozedur, die vor allem viele Frauen als in höchstem Grade demütigend empfanden; der noch von ihrer Entbindung blutenden Minna Lachs riß eine Beamtin bei einer solchen Kontrolle sogar die Leibbinden herunter.[25] Zuckmayer wurde herausgeholt und von einem SS-Mann befragt. Er trat die Flucht nach vorne an und erklärte sich als politisch mißliebiger Autor. Sein Gegenüber war von dieser Offenheit beeindruckt und wurde letztlich von Zuckmayers Kriegsauszeichnungen endgültig verwandelt, gehörte er doch zu denjenigen, „die nicht mehr das Glück hatten, am Krieg teilzunehmen". Er ließ seine Leute vor dem „Helden des Weltkrieges 14–18" antreten – Zuckmayer kam sich vor wie der Hauptmann von Köpenick in seinem eigenen Theaterstück. Es war der gewonnene Kampf gegen die eigene Hoffnungslosigkeit.

Neben dem vordergründig ablaufenden Husarenstück wird in der Deutung eine ‚innere Moral' sichtbar: Der ‚wahre' Held, der seinen Patriotismus, seinen Mut und seine deutsche Gesinnung im Krieg unter Beweis gestellt hat, gewinnt den psychischen Zweikampf gegen den Möchtegern-Nationalisten, dessen äußere Härte sich als verdrängtes Versagensgefühl erweist. Damit steht der Emigrant auf der Seite des guten Deutschlands, für das er im Ersten Weltkrieg gekämpft hat und das gewissermaßen mit ihm ins Exil geht.[26] Er muß sich nicht von dem in ihm verankerten Vaterlandsgefühl lösen, da sein Gegenüber, das hier den gesamten NS-Staat repräsentiert, nicht für dieses Deutschland steht. Zuckmayers Grenzschilderung deutet bereits Möglichkeit und Art seiner Rückkehr an: Mit ‚Des Teufels General' wird er ein Theaterstück schreiben, das dieser inneren Haltung entspricht.

Doch noch war die Grenze nicht überwunden. Zuckmayer mußte noch stundenlang warten. „Der Tag dämmerte bereits. Mein Puls klopfte mit dem Ticken der Uhr. Wenn man nur schon 'raus wäre. Jede Sekunde kann irgendeine neue Wendung bringen, jede neue Ablösung eines Grenzbeamten eine neue Verdächtigung, und die ganze Komödie war umsonst. Jetzt, wo ich fast schon gerettet war, spürte ich Todesangst … Der Himmel war glasgrün und wolkenlos, die Sonne flimmerte auf dem Firnschnee, als der Zug die Grenze passierte … Alles war vorbei. Ich saß in einem Zug und er ging nicht in Richtung Dachau." Hier war es das stundenlange Warten, das wie eine Folter zermürbte und die Widerstandskräfte der Seele zerrieb. Solange Zuckmayer handeln konnte, solange er auf das Geschehen Einfluß nahm, wurde er nicht überwältigt. Das Warten jedoch war unerträglich. Nun überschwemmte ihn die Angst, er erlebte Lähmung und Entsetzen.

Der genaue Blick auf andere Grenzüberschreitungen vertieft und bestätigt die These, daß in der Erinnerung an das traumatische Erleben ein erweitertes Ich sichtbar wird. Die beschriebenen Ereignisse und Personen repräsentieren Gedanken und Persönlichkeitsanteile des Emigranten. Eben diese Eindrücke hält das Gedächtnis fest und reproduziert sie bei der Niederschrift. In solche Erinnerungen fließen Selbstdeutungen und erlittene Fremdzuschreibungen ein, ebenso Abwehrstrategien und Deckerinnerungen. Sichtbar wird auch der tiefe menschliche Wunsch nach Sinngebung gegenüber einem zutiefst sinnlosen und grausamen Schicksal. Daraus entstand manchmal die Deutung der eigenen Erfahrung nach dem Vorbild großer abendländischer Mythen und Märchen, in denen es um Prüfung und Reifung geht, um Suchwanderung und Selbstwerdung durch Abschied und Trennung und durch die Fahrt in eine andere Welt über Land und Meer.[27] Die Grenzüberschreitung wird zu einem untrennbaren Teil der konstruierten Erzählung des eigenen Lebens.

Dies nimmt jedoch dem Ereignis selbst nichts von seiner Bedeutung. Es wurde für viele derjenigen, die daher später auch nicht zurückkehrten, zum Anlaß einer Spaltung: Für sie waren Deutschland und die zurückbleibenden Deutschen nach dem Überschreiten der Grenze für alle Zukunft zutiefst negativ besetzt. Sie vermochten die Vieldeutigkeit des Lebens nicht mehr wahrzunehmen.

Die besondere Natur der Grenzüberschreitung wurde sichtbar, nachdem das Erlebnis selbst überstanden war. Nach der Grenze trat bei den glücklich Entkommenen oft erst einmal ein Gefühl der Leere und Lähmung ein, wie es auch auf große Anstrengungen folgt. Die vergangene Todesangst setzte sich nur selten um in schnellen Jubel. Zuckmayer schreibt: „Ich saß am Fenster und dachte: Jetzt solltest du dich wohl freuen. Oder wenigstens so etwas spüren wie Erleichterung. Aber ich spürte nichts. Nicht einmal Schmerz. Ich dachte nur: Ich werde mich nie mehr freuen. Mir ist alles vollkommen gleichgültig – ob ich hier bin oder sonstwo in der Welt. Es wird nie mehr anders werden."[28] Minna Lachs brach hinter der Grenze zusammen: „Ich weinte, schluchzte, es schüttelte mich, mein ganzer Körper zitterte ... ich konnte nicht aufhören ... Ich hatte doch vorgehabt, Freudentänze aufzuführen."[29] Die unmittelbare Bedrohung lag hinter den Flüchtlingen, doch nun erhielt das eingetretene Neue Realität: das Exil. Am Anfang des Prozesses stand die Wahrnehmung der Situation, die bis zu diesem Zeitpunkt hinter der Bedrohung der Grenzüberschreitung zurückstand: „Jetzt waren wir Emigranten!" heißt es bei Alma Mahler-Werfel nach der Ankunft in Zürich.[30] Nun setzte das Bewußtsein des Getrenntseins, des Verstoßenseins ein, das zunächst große Hilflosigkeit auslöste. Deshalb brauchte der Immigrant in der äußeren Welt ‚Paten' oder Ersatzeltern.[31] Hinter fast jedem ‚gelungenen' Exilschicksal standen solche Paten und Freunde.

Die nachträgliche Deutung des Grenzübertritts als Initiation in einen neuen Lebensabschnitt und damit als „Passage" zeigt auch ein anderes Phänomen: Die ersten Erfahrungen nach der Grenze laden sich in vielen Erinnerungen mit einer Symbolik auf, die als Wegweisung für die Zukunft in dem beginnenden neuen Leben interpretiert wird.[32] Auch diese Sinnebene ist Teil der Lebenserzählung.

Die Grenzüberschreitung war lebensgeschichtlich oft erst der Anfang des Weges ins Exil. War dann die Flucht aus dem bedrohten Europa gelungen, so verband sich die Ankunft nach der „Fahrt über Land und Meer" mit einem ehrfürchtig erlebten Blick auf das gelobte Land, sei es nun Amerika oder Palästina.[33] Doch mit der Ankunft in der Sicherheit und Freiheit war der Prozeß der Migration noch lange nicht beendet. Die Grenze und das dahinter Zurückgelassene wurden oft erst Jahre oder Jahrzehnte danach, manchmal in der zweiten Generation, wieder lebendig.

Die Erfahrung brach besonders vehement auf, wenn es um eine mögliche Rückkehr ging. „Der Bestimmungsort meiner Marschorder hieß: Berlin. Wenn ich das Wort in meinen Papieren las, packte es mich wie ein heißkalter Schauer", schreibt Zuckmayer über seine Rückkehr im Auftrag der Amerikaner 1946.[34]

Der Philosoph Ludwig Marcuse fuhr erstmals 1949 wieder nach Deutschland: „Als ich an die Grenze kam, war ich überwältigt; es ist nicht mit einem Wort zu sagen: wovon. Zwischen dreiunddreißig und fünfundvierzig hielt ich es für möglich, einmal Alaska zu besuchen oder das östlichste Rußland oder das innerste China ... – aber: Deutschland? Ich hatte es gründlich tabuiert, so sehr ängstigte ich mich; mir schien es gefährlicher, dort zu sein, als unter tödlichem Frost, Löwen und Menschenfressern. In diesen dreizehn Jahren wurde ich oft von demselben höchst unsensationellen Traum heimgesucht: ich wandere immer wieder durch deutsche Straßen, neben SS-, SA-Männern mit allen Insignien des Dritten Reiches. Es geschieht nichts, niemand beachtet mich – und mich plagt, unerträglich, die bohrende Frage: weshalb bin ich zurückgefahren? Wo ist noch ein Weg hinaus? ... Daher die gewaltige Sensation, die ich an der Grenze empfand; sie war weder lust- noch schmerzbetont. Sie warf mich um. Haß, Glück, Wehmut waren erst später da, in sehr zivilen Dosen."[35]

Die Israel-Rückkehrerin Malka Schmuckler erinnert sich an ihre erste Reise nach Deutschland 1959: „Wir haben uns mit den Kindern auf den Weg nach Deutschland gemacht und hatten wieder große Panik vor der Grenze. Als wir über Österreich und die Schweiz in die Nähe von Deutschland kamen, haben wir uns angesehen, sind bleich geworden und haben uns schlecht gefühlt."[36] Renata Lenart kam zu einer großen Feier für ihren verstorbenen Vater, Professor Franz Oppenheimer, erstmals wieder nach Deutschland. Sie berichtet 1995: „Als ich deutschen Boden betreten habe, waren meine Gefühle sehr gespalten. Ich hatte noch jahrelang nach unserer Flucht Alpträume, daß ich in Deutschland bin und nicht heraus kann. Erst vor zwei Jahren bin ich darüber hinweggekommen, als wir einen Sommer in Berlin verbracht haben, der sehr schön war."[37]

Die Rückkehr über die Grenze aktivierte erneut das traumatische Erlebnis, die erlittene Spaltung. Psychisch erwies sich die Rückkehr daher oft als ein ebenso schwieriger Prozeß wie die Emigration.[38] Sie entfachte Angst vor und Sehnsucht nach der Wiederbegegnung mit einem unwiederholbaren Teil des eigenen Lebens, mit den unbegrabenen Gespenstern der Vergangenheit. Für andere löste sich das Erlebnis des Ausgestoßenseins durch die Begegnung mit den einfachen Menschen auf: Wieder waren es, wie bereits bei der Abreise,[39] die alten Dienstmädchen, die ehemaligen Nachbarn, die dialektgebundenen Gastwirte oder Gepäckträger. An sie hielt man sich, sie wurden zu den ‚Paten‘ des Wiederbeginns in Deutschland und mit den Deutschen.

Carl Zuckmayer und Georg Stefan Troller reflektieren am klarsten das Problem der Rückkehr: Sie ist eine Suche nach der verlorenen Kindheit, der Versuch, den migratorischen Prozeß des eigenen Lebens umzukehren. „Du kannst nicht in das Land der Kindheit zurück, in dem du noch ganz zu Hause warst – auch nicht in ein Land, aus dem du ausgewandert bist; denn du möchtest es so finden, wie es in dir lebt, und so ist es nicht mehr", schreibt Zuckmayer.[40] „Emigranten sind Spezialisten in Heimweh. Aber was bedeutet das überhaupt, Heimat, Vaterland? Jedenfalls den Ort, an dem man üblicherweise den schwerwiegendsten Realitätsverlust zu verzeichnen hat. Vielleicht ist es unmöglich, den Zauber einer Heimat zu erklären, weil er ja eins ist mit der nie zu definierenden Magie der Kindheit. In der Heimatliebe liebt man sich selbst im Rückblick. Darum führt Heimatverlust auch zum Abhandenkommen eines guten Stücks der normalen Selbstliebe, des voraussetzungslosen Zu-sich-selbst-Stehens."[41]

Die Rückkehr über die Grenze war damit auch die Rückkehr hinter ein Stück gelebtes Leben. Sie bot aber auch die Möglichkeit, unter Schmerzen abgespaltene Teile der eigenen Persönlichkeit wieder zu integrieren: Rückkehr war somit Krise und Chance zugleich. Märchen und Mythen enthalten eine Fülle von Beispielen und Gleichnissen für die Rückkehr nach langer und schwieriger „Fahrt über Land und Meer". Nun wird der Wandel sichtbar, der während der Wanderung über die Grenzen eingetreten ist. Gelingen Rückkehr und (Wieder-)Vereinigung der Gegensätze, so die Botschaft, wird das mit erhöhter Lebensfülle belohnt.[42] Diesen Wunsch und dieses Bild trugen sicherlich viele Remigranten in sich. Doch für die meisten von ihnen wurde das Überschreiten der deutschen Grenze nur zum Beginn eines neuen Abschnitts ihrer lebenslangen Migration.

Emigration
ein Familienschicksal

In früheren Jahrhunderten traf die Verbannung meist einzelne. Im 20. Jahrhundert wurde sie zum Familienschicksal. Dies lag bereits in der Art der Verfolgung begründet: Weit über neunzig Prozent der deutschsprachigen Emigranten und Emigrantinnen waren jüdischen Glaubens oder hatten einen jüdischen Hintergrund. Es flohen Männer, Frauen, Kinder, Greise und Babys. Ihre einzige Schuld war es, zu einer diskriminierten Minderheit zu gehören. Es ging nicht um ihren Glauben, es ging um ihre ‚Rasse‘; daher konnte sich auch niemand durch eigenes Handeln aus dieser ‚biologisch‘ konstruierten Gruppe herauslösen, einem Glauben abschwören, durch sein Verhalten die Anerkennung der Verfolger gewinnen. Diese Hoffnung hatten ursprünglich viele der deutsch-national gesonnenen Männer gehegt, die als Frontkämpfer des Ersten Weltkrieges ausgezeichnet worden waren. Sie behielten zwar noch eine Weile gewisse Privilegien, doch letztlich machte das Regime keinen Unterschied mehr. Ganz ähnlich erging es Männern und Frauen, die mit einem ‚arischen‘ Ehepartner verheiratet waren.

Vielfach gab es auch Überschneidungen, so daß manche kaum unterscheiden konnten, ob sie nun wegen ihres jüdischen Hintergrundes oder wegen ihrer politischen Überzeugung verfolgt wurden. Dennoch traf die Verfolgung politische Gegner des Nationalsozialismus nicht so überraschend wie etliche der assimilierten deutschen Juden, die sich bis dahin ganz als Deutsche gefühlt hatten. Für die Frage der Familienemigration lohnt sich auch der Blick auf das sozialdemokratische Exil.[1] Viele der verfolgten Sozialdemokraten emigrierten mit ihren Familien oder holten ihre Angehörigen so bald wie möglich nach. Dies hatte Gründe: Die politisch Verfolgten fürchteten, daß die Rache der Nationalsozialisten nach der eigenen Flucht die Angehörigen treffen könnte.

Das Exil bedeutete meist eine völlige Vernichtung der bisherigen bürgerlichen Existenz. Es gab keine Wohnung mehr, keinen Beruf, keinen Verdienst, keine Aufenthaltsgenehmigung. Wenn das nackte

Leben gerettet war, ging es darum, das Exil zu überleben. Politische Betätigung war in den meisten Exilländern untersagt, ebenso zunächst die Aufnahme einer Arbeit. Viele der Emigranten waren daher auf die finanzielle Unterstützung von Hilfskomitees oder von Leidensgenossen angewiesen.

Wie es dabei den Familien erging, zeigt das Beispiel von Max Brauer und seiner Familie: Der sozialdemokratische Bürgermeister von Altona, nach dem Zweiten Weltkrieg Bürgermeister in Hamburg, floh über München nach Österreich, von dort über die Schweiz nach Frankreich. Am Gründonnerstag 1933 brachte ein junger Schweizer Brauers Frau und seine beiden Kinder in einer abenteuerlichen Autofahrt über die Grenze in die Schweiz. Die Familie wurde erst im Elsaß, dann in Paris ansässig.[2] Zwischen Herbst 1933 und September 1934, nach einer völlig mittellosen Zeit, konnte Brauer neben einigen anderen deutschen Emigranten eine Tätigkeit als Verwaltungsberater des Völkerbundes in Chiang Kai-sheks China aufnehmen.

Sein Kollege Rudolf Katz nahm seine frisch angetraute Ehefrau nach China mit. Brauers Familie dagegen blieb in Europa zurück und zog nach Genf, damit die Kinder ihre Schulausbildung weiterführen konnten. Doch die Post aus China kam höchst unregelmäßig. Es war immer zu wenig Geld da. Die Schweizer Behörden drohten mit Ausweisung. An den Besuch eines Schweizer Internats für den Sohn war aus Finanzgründen nicht zu denken. Schließlich mußte die Familie wieder nach Frankreich ziehen. Nachdem die deutsche Regierung die Arbeit der Emigranten in China hintertrieben hatte, reiste auch Brauer nach Europa zurück und bemühte sich verzweifelt um eine Einnahmequelle. Ende 1935 lebten rund 35000 Emigranten in Frankreich, darunter etwa tausend Sozialdemokraten. Sie alle mußten sich mehr schlecht als recht durchschlagen und akzeptieren lernen, daß das Gastland ihnen keineswegs mit offenen Armen entgegenkam.

Nach einem weiteren Jahr im französischen Exil war Brauers in China verdientes Geld endgültig aufgebraucht, die Familie schlüpfte bei einem Leidensgenossen, dem Pazifisten Friedrich Wilhelm Förster unter. Ein Brief an Otto Wels, den Vorstand der Sozialdemokratischen Partei im Exil, vom Oktober 1935 macht die verzweifelte Lage deutlich: „Sie haben mir in Ihrem vorletzten Briefe geschrieben, daß ich Ihnen in aller Offenheit über meine finanzielle Lage berichte. Die tausend Francs, die ich bereits erhielt, waren für die ersten Wochen eine wirkliche Hilfe. Sie können sich aber denken, wie weit man mit der Familie damit reicht. Wir wohnen in einem bescheidenen Hotel, möbliert (von meinem Hausrat ist nichts gerettet), und zahlen dafür 600 fr. Für den Lebensunterhalt brauchen wir bei äußerster Sparsamkeit weitere 1400 fr., also 2000 fr. sind das unbedingt Notwendige im Monat hier in Paris. Gehe ich nun nach Skandinavien, brauche ich das Fahrgeld, um heraufzukommen, mit rund 1000 fr. Meine Frau und die Kinder können sich dann im Monat mit 1500 fr. über dem Wasser halten. Ich bin überzeugt, daß, wenn Sie mir die Reise nach Skandinavien ermöglichen und meiner Familie in den nächsten Monaten monatlich 1500 fr. senden, in ganz kurzer Zeit Ihre Hilfeleistung unnötig wird. Selbstverständlich betrachte ich Ihre Hilfe in diesen Monaten der Pressung als ein Darlehen ... Ganz persönlich darf ich noch sagen, daß ich, wenn ich nach Skandinavien fahre, die Gewißheit haben muß, daß meine Frau mit den Kindern monatlich ihre Unterstützung erhält. Meine Frau, die jahrelang lungenkrank war, ist durch die Ereignisse der letzten Jahre so mitgenommen, daß ich das Äußerste besorgen muß, wenn sie ohne Mittel in Paris sitzt."[3] Doch der Parteivorstand konnte letztlich nur eine kleine Unterstützung leisten. Das skandinavische Projekt zerschlug sich.

Ende 1935 erhielt Brauer dann eine Einladung des American Jewish Congress, in New York Vorträge über die Lage der Juden in Deutschland zu halten. Alles schien sich zum Positiven zu wenden. Doch am Weihnachtsabend wurde er von der französischen Polizei festgenommen und in Auslieferungshaft gesetzt. Nur dank der großen Hilfe französischer Genossen kam er zunächst auf Zeit frei, um einige Monate später endgültig freigelassen zu werden. Er fuhr in die USA zu Vorträgen. Und wieder blieb seine Familie in Paris zurück. Im Herbst 1937 übersiedelte Brauer mit seinem Sohn in die USA, Frau und Tochter folgten 1938. Bis 1946 wurden die USA ihre neue Heimat.

Spektakulär war 1946 seine Rückkehr im Auftrag der „American Federation of Labour". So konnten Brauer und sein Freund Rudolf Katz zur Zeit der Vorbereitungen für die Bürgerschaftswahl in Hamburg sein. Brauer war noch amerikanischer Staatsbürger, arbeitete aber bereits wieder aktiv im Landesvorstand der SPD mit. Nach einer schnellen Wiedereinbürgerung wurde er am 15. November

1946 der erste frei gewählte Bürgermeister der Hansestadt nach dem Krieg. Die Familie war dabei zweitrangig: Der Zeitpunkt der Rückkehr von Frau Brauer aus den USA nach Hamburg steht nicht in den Lexika und Büchern. Ihre Begeisterung über die Rückkehr hielt sich offenbar in Grenzen, und wie Elsbeth Weichmann, die Frau des zweiten Hamburger Bürgermeisters aus Emigrantenkreisen, blieb sie zumindest noch einige Jahre amerikanische Staatsbürgerin.[4] Beide Kinder kehrten nicht zurück.

Brauer war als Sozialdemokrat verfolgt, nicht als Jude. Verfolgung und Exil fügten ihm daher auch andere Verletzungen zu als denjenigen, für die ihre Entrechtung als ‚Juden‘ einen nie heilenden Riß in der eigenen Identität bedeutete. Sie waren Deutsche – doch sie durften es nicht mehr sein. Sie fühlten sich als Hamburger, Berliner oder Münchner, doch sie mußten lernen, ihr Heimweh und Zugehörigkeitsgefühl als falsch und gefährlich anzusehen.

Das Beispiel der Familie Feuchtwanger zeigt Umfang und Endgültigkeit des jüdischen Exodus während der NS-Zeit.[5] Es ist daran auch zu sehen, wie eine große Familie in alle Weltgegenden zerstreut wurde. Ein Stammbaum des Jahres 1952 enthält fast 1400 Nachkommen des Fürther Silberwarenhändlers Seligmann Feuchtwanger – geboren 1786, gestorben 1852 –, des Stammvaters dieser Familie. Anfang der dreißiger Jahre wohnten die meisten Familienmitglieder, etwa neunhundert, in Deutschland – 1952 von inzwischen über tausend Angehörigen nur mehr sechs. Die Familie verteilte sich nun auf über zwanzig Länder der Erde, nahezu die Hälfte lebte in Israel. Achtzig Personen wurden im Holocaust ermordet.[6]

Meist gingen kleinere Familiengruppen gemeinsam ins Exil. Die genauen Gründe für die Wahl des Immigrationslandes lassen sich im einzelnen schwer feststellen. Zunächst emigrierten wohl nur gläubige jüdische Familien nach Palästina, in den folgenden Jahren der NS-Verfolgung wandelten sich dann auch immer mehr assimilierte deutsche Juden zu überzeugten Zionisten. Die Verfasser der Familienchronik vermuten, daß das ganz bewußt jüdische und zionistische Denken dazu beigetragen hat, so viele Familienmitglieder zu einer frühen Emigration zu bewegen. Daher blieb die Zahl der Opfer des Holocaust in dieser Familie relativ gering.[7]

Gerade der Münchner Zweig der Familie war eng mit dem Bankgeschäft verbunden. Die nach Palästina Emigrierten setzten diese Familientradition dort fort.[8] Von den etwa sechshundert Familien-

*Stationen der Flucht. Provisorischer Paß des
französischen Konsulats in Lissabon
für Elsbeth Weichmann, 18. Oktober 1940*

mitgliedern, deren Berufe für den Stammbaum ermittelt werden
konnten, waren nahezu die Hälfte selbständige Geschäftsleute oder
Angestellte, etwa vierzig Prozent gehörten freien akademischen
oder künstlerischen Berufen an, die übrigen arbeiteten als Hand-
werker, Bauern, Staatsbeamte oder beim Militär. Es gab keinen In-
dustriearbeiter in der Familie.[9]

Aber auch engagierten Zionisten fiel der Weg ins Exil schwer.
Dazu gehörte die Ärztin Rahel Straus, verheiratet mit einem Enkel
des Bankgründers Jacob Löw Feuchtwanger, der 1933 noch in München gestorben war. Sie schildert die letzten Tage vor der Emigration: „Man tut, fast nachtwandlerisch, was notwendig ist, aber man

lebt nicht, ja man fühlt nicht einmal. Langsam erst spürt man die Leere um sich, die sich nie wieder füllt, die große Einsamkeit.“[10] Von der Schweiz aus betrieb sie mit dem geretteten Geld für sich und ihre jüngeren Kinder die Auswanderung nach Palästina.[11] Zwei ihrer Töchter fanden dort eine neue Heimat. Die drei anderen Kinder wanderten in die USA weiter.[12] Sie selbst wirkte in Palästina vor allem im sozialen Bereich.[13] Mit der Niederschrift ihrer Erinnerungen im Jahre 1940 wollte sie ihren Kindern den Teil der eigenen Tradition und Geschichte weitergeben, der inzwischen gänzlich vernichtet war.

Wie Rahel Straus emigrierten auch der Seniorchef der J. L. Feuchtwanger-Bank, Angelo Feuchtwanger – seit 1912 überzeugter Sozialdemokrat –,[14] ebenso sein Sohn Jakob Leo (später Aryeh), Generaldirektor der Bank. Sie begründeten in Palästina das Bankhaus neu.[15] Ihr Teilhaber Jakob Löw Feuchtwanger ging mit seiner Familie 1935 nach England.[16]

Einen weiteren Zweig der Familie bildeten die Kinder des Margarinefabrikanten Sigmund Feuchtwanger:[17] Der älteste Sohn Lion, als Verfasser des Romans ,Erfolg‘ einer der von Hitler meistgehaßten Schriftsteller, entkam mit seiner Frau Marta 1933 nach Frankreich und 1940 dank persönlicher Hilfe des amerikanischen Präsidenten Roosevelt in die USA.[18] Der Bruder Ludwig, Rechtsanwalt am Münchner obersten Landesgericht, geschäftsführender Direktor des Verlages Duncker & Humblot in München und Leipzig, ging 1939 nach England, wo er 1947 starb. Seine Tochter emigrierte in die Schweiz, sein Sohn nach England. Der Verleger, Journalist und Schriftsteller Martin Moshe Feuchtwanger, ein weiterer Bruder, emigrierte 1939 nach Palästina; er starb dort 1952. Sein Sohn Klaus wurde Fabrikant in New York. Ein Bruder und eine Schwester emigrierten in die USA, zwei weitere Schwestern gingen nach Israel, ein Bruder nach Peru. Der Rechtsanwalt Sigbert Feuchtwanger und seine Frau Rebekka Glus zogen nach Palästina, wo Sigbert Syndikus des wiedergegründeten Bankhauses J. L. Feuchtwanger in Tel Aviv wurde.

Ihr Sohn Walter Feuchtwanger, in München geboren, Schüler des Wilhelmsgymnasiums und 1932 bayerischer Jugendmeister im 800- und 1500-Meter Lauf, ging 1935 nach einer Banklehre in der Feuchtwanger-Bank und der Übernahme der Leitung des Palästina-Amtes in München ebenfalls nach Palästina. Dort wurde er nach einer Tätigkeit in der Landwirtschaft Mitgründer des Bankhauses Feuchtwanger in Tel Aviv. Er kämpfte in der israelischen Untergrundorganisation Haganah und war auch wiederholt in wirtschaftlichen Fragen für den israelischen Staat tätig.

Er gehörte zu den wenigen Rückkehrern aus der Familie Feuchtwanger, als er 1958 in München das Bankhaus Feuchtwanger neu gründete.[19] Zu seinem dreißigjährigen Berufsjubiläum 1963 schrieb die Süddeutsche Zeitung, seine Bank sei die einzige der im Dritten Reich arisierten deutschen Banken, die nicht nur den alten Namen trage, sondern auch wieder einen jüdischen Besitzer habe.[20] Dazu Feuchtwanger: „Ich habe im Gegensatz zu anderen Leuten keine Aversion gehabt ... Man soll das Vernünftige wollen, gemeinsam mit den Deutschen."[21] Die Bank in München sollte „eine Brücke schlagen, indem man sich wirtschaftlich trifft". [22] In Israel wurde er dafür vielfach angefeindet: „Die Leute (sollen) sich ausgedrückt haben, jetzt geht er wieder zu den Fleischtöpfen Deutschlands zurück."[23] Doch er bemühte sich weiterhin um die Verständigung zwischen beiden Staaten, ebenso um die Aussöhnung Deutschlands mit der Welt. So setzte er sich dafür ein, 1972 die Olympischen Spiele nach Deutschland zu holen.

Von den 128 Familienmitgliedern, die in München geboren waren oder hier lange gelebt hatten, kehrten, soweit sich Walter Feuchtwanger erinnerte,[24] im Laufe der Jahre nur sechs zurück. Walter Feuchtwanger aus Israel, der Antiquitätenhändler Arthur Rosenau aus Frankreich,[25] der Bankier Fritz Feuchtwanger mit seiner aus München stammenden Frau Emmy aus England,[26] ebenso Heinrich Wetzlar[27] sowie ein Sohn der nach Frankreich emigrierten Familie Wolff, Jonas Wolff.[28] Dennoch blieben keineswegs alle Emigranten in ihren Fluchtländern:[29] Franz Feuchtwanger – ein maßgebliches Mitglied des KPD-Militärapparates, der im Exil bei der sozialistischen Gruppe Neu Beginnen tätig wurde[30] – ging von der Tschechoslowakei nach Mexiko, Berthold Feuchtwanger – ebenfalls ein Sozialist, der in der Münchner Widerstandsgruppe um Anton Aschauer tätig gewesen war und nach deren Zerschlagung 1934 fliehen mußte[31] – aus Montevideo nach Kalifornien. Auch in Israel blieben nicht alle, die dorthin emigriert waren.

Die verschwindend geringe Rückkehrquote bei den Feuchtwangers zeigt, wie die Frage nach der jüdischen Remigration eigentlich zu stellen ist: Kaum jemand brauchte besondere Gründe, um im Aufnahmeland zu verbleiben; gute Gründe mußte nur derjenige finden, der eine Rückkehr in Erwägung zog. Noch ein weiterer wichtiger Punkt wird an dieser Familie deutlich: Die Emigration nach Palästina, später Israel, war vor allem für überzeugte Zionisten kaum umkehrbar, sie blieb meist endgültig. Hier lag für viele von ihnen die tiefere, die eigentliche Heimat. So lebten 1952 immerhin 440 Personen oder 43 Prozent der Familienangehörigen in Israel.[32]

Einen anderen Weg der Familienemigration erlebte die Familie Bernheimer, Erben eines renommierten Kunst- und Antiquitätenhauses in München. Sie sahen zunächst keinen Weg, ihr Traditionshaus aufzugeben. Nach der Reichspogromnacht wurde der Kunstbesitz geschätzt und Teile geraubt, einige der männlichen Familienmitglieder landeten im Konzentrationslager Dachau. Dennoch blieb das Haus bis Anfang der vierziger Jahre geöffnet, da Hermann Göring die Besitzer protegierte. Extrem spät, 1941, emigrierte der Seniorchef Ernst Bernheimer nach Havanna. Sein Bruder Otto wurde in Venezuela Inhaber einer Farm, die ihm Göring als Tauschobjekt und gegen viel Geld aufgedrängt hatte. Andere Familienmitglieder emigrierten nach England und in die USA. Zwei Angehörige kamen im Holocaust um, zwei weitere begingen vor der Deportation Selbstmord. Die junge Generation arbeitete als Musikkritiker, Kunsthistoriker, Bildhauer, Kunsthändler. Der Großteil der Familie blieb nach 1945 in den Emigrationsländern.

Nur Otto Bernheimer kam bereits 1946 zurück. Im Oktober 1948 erhielt er seinen Besitz zurück und wurde wieder Kunsthändler in München. Nach seinem Tod übernahm sein Sohn Ludwig das Geschäft, der zwischenzeitlich Kaffeepflanzer in Venezuela gewesen war. „Wenn man alt wird", erzählte seine Witwe Elisabeth Bernheimer, auch eine geborene Münchnerin, „ist es doch wichtig, daß man in einer Umgebung lebt, in der kulturell etwas los ist. Heute bin ich sehr froh, daß wir zurückgekommen sind." Aus Otto Bernheimers Familie wurden auch in der jüngeren Generation vier Mitglieder wieder in München ansässig.[33]

Die Schicksale der Angehörigen der Familie Bernheimer zeigen einige Modelle der Rückkehr und des Verbleibens im Exilland: Wer – wie Ernst Bernheimer – bereits in hohem Alter den Weg in die Emigration angetreten hatte, brachte oft nicht mehr Kraft und Willen für eine erneute so grundsätzliche Änderung des eigenen Lebens auf. Die katastrophalen Verhältnisse in Deutschland ließen es überdies sinnvoll erscheinen, erst einmal die Entwicklung abzuwarten. Die nächste oder gar übernächste Generation der Familie, die in relativ jungen Jahren in ein neues Land gekommen war, hatte dort oft schon einen großen Teil der Ausbildung erfahren und soziale Kontakte geknüpft. Die alte Heimat besaß für diese jungen Leute, die sich meist bereits auf die neue Sprache umgestellt hatten, darum kaum noch Anziehungskraft. Nur wer weitgehend frei von Angst war und keinen unüberwindbaren Abscheu gegen die Deutschen als Gesamtheit hegte, konnte eine Rückkehr ins Auge fassen.

Diejenigen Mitglieder der Familie Bernheimer, die sich im Emigrationsland etabliert hatten, kamen meist nur noch als Besucher in die alte Heimat: zu Ferienreisen, Studienaufenthalten und Gastdozenturen. Ganz zurück zog es anfangs allein Otto Bernheimer mit seiner Familie, dem die Farm in Venezuela wohl nicht die Münchner Kunsthandlung ersetzen konnte. Er hatte nur wenige Jahre im Exil verbracht und wollte wieder dort anknüpfen, wo ihn die Nationalsozialisten 1941 vertrieben hatten, obwohl seine Rückkehr offenbar weder im internationalen Handel noch in der eigenen Familie gutgeheißen wurde.[34] Den Ausschlag gab seine Liebe zu München und zum Stammsitz der Familie. „Wissen Sie", sagte Elisabeth Bernheimer, „wir fühlten uns immer eher als jüdische Deutsche und nicht als deutsche Juden. Und außerdem waren wir ja doch eigentlich Bayern."[35]

Es ist nun die Frage zu stellen, was sich bei den hier beschriebenen Familien durch das Exil änderte. Über die allgemeinen Rahmenbedingungen hinaus läßt sich jedoch vieles schwer ergründen. Es liegt zwar nahe, daß das Leben auf einer Farm in Venezuela mit dem großbürgerlichen, fast aristokratischen Münchner Haushalt der Familie Bernheimer kaum noch etwas zu tun hatte – aber beschrieben wird dies in der ‚Familien- und Geschäftschronik der Familie Bernheimer' nur am Rande. So berichtet Otto Bernheimer knapp über das Schicksal seiner Frau, die eineinhalb Jahre nach ihm in Venezuela eintraf: „Meine Frau gewöhnte sich sehr gut und rasch ein, sie war in den dortigen Gesellschaftskreisen sehr beliebt und wir konnten ein nettes geselliges Leben führen. Sie hatte sich aber während der Auswanderungszeit mit all ihren Strapazen und Aufregungen ein Nierenleiden zugezogen, dem sie im Jahr 1943 erlag."[36] Neben dieser persönlichen Angabe legt Otto Bernheimer jedoch großen Wert darauf, daß es gelang, auf der Farm eine Musterwirtschaft aufzubauen.

Es geht den Verfassern solcher Chroniken demnach immer wieder um die Leistung, auch im Exil etwas geschaffen zu haben. Wie es den einzelnen dabei erging und wie sie sich fühlten in der neuen Umgebung, mit der fremden Sprache und den Problemen, das bleibt im dunkeln. Hierfür gilt wohl auch Ernst Bernheimers Satz zu den zwanziger Jahren: „Wie bei Vater selbst war unser ganzes Denken und Arbeiten auf das Geschäft eingestellt, man hatte wenig Zeit für private Dinge."[37] Ähnliches zeigen die Berichte über den Neuanfang der Familie Feuchtwanger in Israel: Erwähnt werden in den Familien- und Geschäftschroniken die alten und neuen Berufe, der Stolz auf den bewußten und gelungenen Neuanfang. Sie lesen sich wie Erfolgsgeschichten.

Es ist sicher kein Zufall, daß diese Chroniken von Männern verfaßt wurden, auch wenn zum Beispiel Ernst Bernheimer 1942 im Vorwort der Chronik ausdrücklich erwähnt, diese sei auf Veranlassung seiner Frau und seiner Tochter Lise entstanden. Es ist zu vermuten, daß diese Aufgabe dem Geschäftsmann, der durch die Emigration alles verloren hatte, einen Teil seiner Identität wiedergab. Die Chronik selbst erwähnt dann auch die weiblichen Familienmitglieder, die jedoch auf sehr viel knapperem Raum abgehandelt werden als ihre Ehemänner. In Ernst Bernheimers Eloge auf seine Mutter Fanny – die Schilderung umfaßt eine Seite, der Vater wird auf fünf Seiten gewürdigt – läßt sich klar das traditionelle Mutter- und Frauenbild erkennen.[38] Solche Denkmuster, die den Frauen wieder die klassische Rolle der alles Verstehenden, Unermüdlichen, Aufopfernden zuwiesen, traten dann oft im Exil verstärkt in den Vordergrund.

Es zeigen sich in bemerkenswerter Weise geschlechtsspezifische Unterschiede der Exilbewältigung:[39] Oft waren es die Frauen, die Jobs jeder Art annahmen, um die Familien zu ernähren, während die Männer sich sehr viel schwerer taten, mit der sozialen Degradierung durch das Exil fertig zu werden. „Sie wurden Putzfrauen oder sie verkauften Seifen und Bürsten", schrieb Alice von Herdan-Zuckmayer. „Manche Männer fühlten sich dadurch erniedrigt und beleidigt, und es dauerte geraume Zeit, bis sie sich entschlossen, den Ballast an Vorurteilen, Kastengeist und Geltungstrieb über Bord zu werfen und damit das Rettungsboot wesentlich zu erleichtern."[40]

Viele Väter verloren so ihre ursprünglich dominante Rolle als Ernährer der Familien an ihre flexibleren und pragmatischeren Frauen, die auf diesem Wege jedoch meist gänzlich den Anschluß an ihre eigene Berufskarriere einbüßten. Einer der Partner mußte das Geld verdienen, das beispielsweise dazu diente, ein ärztliches

Staatsexamen zum zweiten Mal zu machen oder als Geschäftsmann Fuß zu fassen. Vielfach traten daher die Frauen im Exil, trotz des Rollentauschs beim Geldverdienen, völlig hinter die Schicksale ihrer Männer zurück. Nimmt man spätere Darstellungen dieser Jahre als Ausgangspunkt, so verschwinden sie erneut in der geschichtslosen Funktion der Mutter und Helferin.[41] In der Situation selbst entsprang das oft ganz bewußt aus dem Bemühen, über die Beschwörung traditioneller Geschlechter- und Familienrollen Kontinuität und ein Stück Heimat zu bewahren. Dies geschah meist mit dem Blick auf die Kinder, denen man möglichst viel Schutz durch die Familie geben wollte.

Für eine weitere Familie, die des preußischen Ministerialbeamten, Landtagsabgeordneten und jüdischen Sozialdemokraten Siegfried Rosenfeld, läßt sich dieser Prozeß anhand von Tagebüchern und Briefen gut nachvollziehen:[42] Der einst überlegene Vater verlor durch das Exil seine dominierende Stellung, nicht zuletzt aufgrund der Abwesenheit seiner Frau, die früher einen Großteil der praktischen Lebensbewältigung übernommen hatte. Sie mußte 1939 in Deutschland zurückbleiben und überlebte dort im Untergrund. Wäre sie mit der Familie im englischen Exil gewesen, hätte sicherlich sie das tägliche Leben für ihn und die Kinder organisiert, vielleicht auch die Familie stärker zusammenhalten können. So erlebte er seine soziale Degradierung durch eine Registratorentätigkeit in einer englischen Milchfirma mit einem Gefühl der Hilflosigkeit. Seine Rettung empfand er als Schuld, nicht zuletzt deshalb, weil sie gegen sein Verständnis der Geschlechterrollenverteilung verstieß: Er hatte seine Frau in Deutschland zurückgelassen und sich selbst und die Kinder gerettet, weil nur er ein Visum erhalten hatte. Da er und seine beiden fast erwachsenen Kinder getrennt wohnten, erfuhr er in England nur selten das Gefühl von Familie. Der normale familiäre Ablösungsprozeß der Kinder wurde durch das Exil erzwungenermaßen um Jahre vorgezogen. Die Abwesenheit der Mutter trug dazu nicht unwesentlich bei.

Für beide Kinder bedeuteten NS-Verfolgung und Exil einen tiefen Einschnitt in der Ausbildung und zunächst auch eine soziale Schlechterstellung. Das sichere Exilland ermöglichte ihnen jedoch – wie auch den Kindern von Max Brauer – einen Neuanfang. Obwohl sie nicht zurückkehrten, pflegten sie Kontakte zu deutschen Freunden, und so blieb ihnen auch die deutsche Sprache erhalten.

*Wieder vereint. Else Behrend-Rosenfeld und
Siegfried Rosenfeld treffen sich nach fast siebenjähriger
Trennung in England, 1946*

Dennoch: Die Konfrontation mit Verfolgung und Krieg, mit
Flucht und Vertreibung, mit dem Verlust von Bezugspersonen und
der Unsicherheit des Lebensumfeldes bei Kindern wirken weiter.[43]
Die veränderten Bezugsgeflechte, die Abwesenheit eines Eltern-
teils, der Wandel der Beziehungen der Eltern zueinander und der
Rollenzuweisungen innerhalb der Familien, die Prägungen der
zweiten Generation durch die Erfahrungen der Vertreibung und des
Neuanfangs – all dies bestimmt über die Verarbeitung des Exils in
der nächsten und übernächsten Generation mit. Insofern endet das
Exil keineswegs mit einer Rückkehr. Emigration, so ist zu resümieren, bleibt immer Familienschicksal.

Der Blick von außen

Das Verlassen der ehemaligen Heimat bedeutete für die meisten Exilierten viel mehr als einen Ortswechsel: Sie waren zu Bürgern zweiter Klasse erklärt worden, verfolgt, gedemütigt, verstoßen. Sie durften sich nicht mehr als Deutsche fühlen, gehörten vorerst aber auch keiner anderen Nation an. In ihnen entstand das „Emigrantensyndrom", wie es der deutsch-jüdische Emigrant Georg Stefan Troller nannte.[1]

Der Krieg gegen Hitlerdeutschland einte dann Kräfte der unterschiedlichsten Weltanschauung. So dienten auch etliche deutsche Emigranten oder ihre Kinder, nachdem sie sich in der neuen Heimat hatten naturalisieren lassen, in den alliierten Armeen oder erstellten politische Analysen für den amerikanischen Geheimdienst.[2] „Folgend den Bomberschwärmen", wie der exilierte Bert Brecht schrieb,[3] in der Uniform des von der NS-Propaganda hysterisch diffamierten Feindes, im Bewußtsein der eigenen moralischen Integrität – so betraten einige der ehemals Ausgestoßenen 1945 deutschen Boden. Heimatboden? Die Gefühle schwankten zwischen Ablehnung alles Deutschen und Sehnsucht nach der Zeit vor der Emigration, zwischen Abscheu und Liebe, zwischen Haß und Heimweh.[4]

Der Einmarsch mit den siegreichen alliierten Armeen bedeutete noch lange keine Remigration. Die Frage einer möglichen Rückkehr löste vielmehr in Exilkreisen stets heftige Emotionen aus, lenkte sie doch den Blick auf die Ursachen der Emigration. Persönlichkeit und Schicksal der Betroffenen entschieden darüber, wie sie sich zu Deutschland und den Deutschen stellten. Angst und Mißtrauen waren tief verankert; die Schrecken der Bedrohung, der Verfolgung, der Einsamkeit des Exils verließen sie ihr Leben lang nicht mehr.[5] Die einen forderten wie Erika Mann eine grundlegende politische Umerziehung des deutschen Volkes,[6] andere erwarteten das individuelle Schuldbekenntnis, die Reue und die Bestrafung derjenigen, die Unrecht getan oder geduldet hatten. Wieder andere lehnten jede Beschäftigung mit Deutschland und jeden Kontakt mit nicht-emigrierten Deutschen ganz ab.[7]

Selbst ein langer Deutschlandaufenthalt und ein großes Wirkungsumfeld änderten an dieser Einstellung meist wenig. Wer sich einmal innerlich von Deutschland abgewandt und eine fremde Staatsangehörigkeit angenommen hatte, blieb dieser Haltung oft sein Leben lang treu; zu tief saßen Schrecken und Abneigung. So nannte ein ehemaliger Offizier der Psychologischen Kriegführung 1972 als Grund für sein Verbleiben in Amerika: „Abscheu (nicht Feindseligkeit)".[8] Es ist kein Zufall, daß diese Haltung vor allem bei jüdischen Emigranten festzustellen ist, die ihre Verfolgung notgedrungen viel stärker als eine ‚kollektive' empfinden mußten.

Vertieft wurde diese Kluft durch das Verhalten mancher Deutscher: Viele der Herumgeworfenen der Nachkriegszeit sahen neidvoll auf die Emigranten, die in fernen Ländern gut zu essen hatten – auf die „Hitlerfrischler", wie sich der exilierte Schriftsteller Oskar Maria Graf ironisch ausdrückte, also gewissermaßen auf die Urlauber von Hitlers Gnaden.[9] Man erhoffte sich von ihnen in der unmittelbaren Nachkriegszeit vor allem Hilfe und materielle Unterstützung: „Alle gieren nach Paketen und heucheln", notierte Thomas Mann im Juli 1946 in sein Tagebuch.[10] In vielen Fällen half der wohlsituierte Thomas Mann durch Care-Pakete, durch Empfehlungen, durch Briefe. Er war 1933 nach einer Auslandsreise nicht nach Deutschland zurückgekehrt;[11] der NS-Staat hatte seine Besitztümer beschlagnahmt, man bürgerte ihn und seine Familie aus, die Universität Bonn erkannte ihm die Ehrendoktorwürde ab, er wurde in Deutschland öffentlich diffamiert und beschimpft. Jetzt erwartete man von ihm, daß er „wie ein guter Arzt" – so der Schriftstellerkollege Walter von Molo in seinem berühmt gewordenen offenen Brief an Mann – zurückkehren und die Wunden des geschlagenen Deutschlands heilen helfen solle.[12] Seine etwas belehrend vorgebrachten Wünsche an das deutsche Volk wollte jedoch kaum jemand erfüllen. Thomas Mann und viele andere verlangten von den Deutschen, die Verantwortung dafür auf sich zu nehmen, den Krieg begonnen, nicht ihn verloren zu haben.

Thomas Mann verweigerte unter dem Einfluß seiner Kinder Erika und Klaus eine Rückkehr nach Deutschland, und seine Ablehnung enthielt gerade genug Schärfe, daß man sie ihm dort heftig übel nahm. Man griff ihn an, da es ihm im fernen Kalifornien gutging, während im ‚Vaterland' Not und Elend herrschten. Nur wenige der nichtemigrierten Deutschen dachten zu diesem Zeitpunkt

Anklage und Skepsis. Erika und Thomas Mann, 1947

darüber nach, was die Emigration für die Betroffenen bedeutete,
denn die finanziell abgesicherte Familie Mann war die Ausnahme.
Viele Emigranten litten bittere Not und mußten sich mühsam mit
Aushilfsarbeiten durchschlagen. Etliche lebten, wie sich der emigrierte Sozialdemokrat Otto Wels ausdrückte, „mit dem Blick nach
Deutschland".[13] Sie fühlten sich immer noch als Deutsche, waren
aber zu stolz, sich dies einzugestehen. Die Deutschen hatten sie
ausgebürgert; dadurch hatten sich jedoch nicht gleichzeitig ihr
Empfinden und ihre Identität geändert.

Klaus Mann schrieb 1937 über seine Familie: „Aus einer Familie,
die zunächst an den kulturellen Angelegenheiten sehr viel mehr interessiert war als an den politischen, ist beinahe etwas wie eine politische Gruppe geworden. Wir hassen das Hitler-Regime. Wir lieben
Deutschland. So dankbar wir auch der Tschechoslowakei oder den

U.S.A. verbunden sein mögen, wir werden niemals aufhören, Deutsche zu sein. Zu einer bestimmten Nation zu gehören, ist ein Schicksal – und der deutschen anzugehören, ist ein Schicksal von besonders komplizierter, nicht immer heiterer Art. Ein solches Schicksal wird nicht dadurch von einem genommen, daß ein ‚autoritärer Staat' einen ‚ausbürgert'."[14] Aus der „typisch deutschen" Familie Mann wurden „deutsche Weltbürger".[15] Durch den Krieg veränderte sich bei der Familie Mann erneut die Stellung zu Deutschland. Als die Söhne zur Armee einrückten, wurde der Briefwechsel auf Englisch geführt. Dies verlangte der Zensor.[16] Deutsch war nun die Sprache des Feindes.

Die innere Haltung des einzelnen Emigranten und seine Position gegenüber Deutschland läßt sich auch an den unterschiedlichen Reaktionen auf die Bombardements während des Krieges ablesen. Der jüdische Rechtsanwalt Sigbert Feuchtwanger weinte in seinem Exil in Israel, als er von der Bombardierung Münchens erfuhr.[17] Thomas Mann notierte in Pacific Palisades am 20. September 1942 in sein Tagebuch: „Der alberne Platz hat es geschichtlich verdient."[18] Intensiv verfolgte auch der nach England emigrierte sozialdemokratische Rechtsanwalt und ehemalige preußische Landtagsabgeordnete Siegfried Rosenfeld[19] die Nachrichten über den Kriegsverlauf. Wie viele andere jüdische Emigranten hatte er im Ersten Weltkrieg auf deutscher Seite an der Front gestanden. Doch je länger der Krieg dauerte, desto weniger konnte er Mitleid empfinden: „Sonntag, 25. Juli 1943... Es ist elf Uhr, es donnert von Flugzeugen in der Luft, sie fliegen nach dem Festland; gestern war Hamburg das Ziel, auch heute bringen sie Tod und Verderben nach Deutschland, und dennoch bleibe ich kalt, fast fühllos gegen das Leiden dieses entsetzlichen Deutschland, sein Regime."[20]

Für viele Juden bot Palästina den Ausweg aus dem aufgezwungenen Nationalitätskonflikt.[21] Doch nicht für alle stellte dies eine lebbare Alternative dar. So sah Siegfried Rosenfeld im Zionismus keinen Ausweg: „Der Zionismus, der jüdische Staat, kommt zu spät, bietet keine äußere Sicherheit und befriedigt auch nicht mein Gefühl, entspricht ihm überhaupt nicht. So sehr bin ich nicht Nur-Jude. Das jüdische Problem wird auch nach dem Kriege lebendig sein, in England, in Deutschland, in ganz Europa, auch in USA. Auch die nächste Generation wird ihm begegnen. Wie? Durch untertauchen in einer neuen Volksgemeinschaft, durch hineinleben in sie, durch eine Mischehe mit Nicht-Juden? Gewiß entstehen auch da noch Probleme, aber sie werden an Bedeutung allmählich, zumindestens in der zweiten Generation, verlieren. – Das Motiv dafür ist, eine neue Heimat für sich, für seine spätere Familie zu finden, da die verlorene Heimat nicht mehr zu gewinnen ist. Meine Generation wird gewiß für den Rest des Lebens heimatlos bleiben. Aber es ist eine Forderung des Verstandes, den Weg zur und für eine dauernde Heimat vorzubereiten. Unseren Kindern ist die englische Sprache kein Hindernis, wie sie es mir und Else wohl sein wird."[22]

Über ein Deutschland nach dem Krieg machte sich Rosenfeld keine Illusionen. Für sich selbst erwartete er von dort nichts mehr: „Niemals will ich Deutschland wiedersehen. Es wäre nahezu Selbstmord und gefährlich. Wer während des Krieges im Ausland, besonders hier, lebte, wird immer als Kriegshetzer und Deutschlands Feind angesehen werden, zumindestens bei dem größeren und urteilsunfähigeren Teil der Bevölkerung", notiert Rosenfeld hellsichtig an Silvester 1943.[23] Nach Kriegsende erwog er dann doch, eventuell im englischen Dienst bestimmte Aufgaben für Deutschland zu übernehmen: „Ich würde es gegebenenfalls noch immer von Zeit, Ort und Umständen abhängig machen, wenn ein Ruf etwa wirklich käme."[24] Rosenfeld starb jedoch 1947 im englischen Exil.

Siegfried Rosenfelds Schicksal zeigt paradigmatisch, wie unauflöslich Umstände und Erfahrungen der Emigration mit den Fragen der Rückkehr verknüpft waren, wie schwer die Emigranten der älteren Generation im Exil Fuß faßten, wie schmerzhaft sie es empfanden, Deutschland als ihren Hauptfeind kennenzulernen. Während des Krieges, etwa im Sommer 1943, vollzog Rosenfeld seine innere Wende gegen Deutschland. Die Gründe dafür lagen in den Erkenntnissen über die ‚Endlösung' und in der als sinnlos empfundenen Totalisierung des Krieges; gegen beides gab es keinen ausreichenden Widerstand in Deutschland selbst. So konnte sich Rosenfeld auch eine mögliche Tätigkeit nach dem Krieg nur noch in englischen, nicht mehr in deutschen Diensten vorstellen. Wie er vorausgesehen hatte, blieben seine Kinder und Enkel in den Emigrationsländern. Sie sahen keinen Grund, anders als zu Besuch nach Deutschland zu kommen.[25] Ähnliches bestätigen die weiteren Wege der jüdischen Familien Wallach oder Lepman:[26] Für eine Rückkehr nach Deutschland mußte man gute Gründe haben, nicht jedoch für das Verbleiben im Exil.

Viele deutsche Emigranten identifizierten sich in den Exilländern leidenschaftlich mit dem Kampf gegen Deutschland. Auch hofften sie, auf diesem Wege ihre persönliche oder kollektive Isolation überwinden zu können. Dazu Klaus Mann im Januar 1943: „Ich will in die Armee. Ich will Uniform tragen wie die anderen. Ich will kein Außenseiter, keine Ausnahme mehr sein. Endlich darf ich mich einmal mit der Majorität solidarisch fühlen. Jeder Amerikaner sagt heute: ‚Let's lick that damned son-of-a-bitch over there, in Berlin!‘ Ich habe den gleichen Wunsch."[27] Der GI Georg Stefan Troller, jüdischer Emigrant, konstatierte bei seinen Verhören mit deutschen Kriegsgefangenen an der italienischen Front: „Meine Figur und Physiognomie haben sich in der frischen Kriegsluft nahtlos dem allamerikanischen Zuschnitt angepaßt. Auch meine Mentalität strebt zur Vergröberung, zur Veräußerlichung. Hier heilt eine Neurose, das Emigrantensyndrom ... oder versteckt sie sich bloß? Für die Kameraden bin ich ein GI Joe mit gewissen Ausgefallenheiten, gerechtfertigt durch die Herkunft aus einem nicht näher zu präzisierenden ‚Europe‘. Für die Krauts ein typischer Ami oder Amerikadeutscher – alles, nur kein Jude."[28] Auch Stefan Heym, der 1945 in der amerikanischen Pressegruppe des Schriftstellers Hans Habe nach München kam, betont im Rückblick: „Fest steht, daß er sich damals als Amerikaner fühlte; das gab ihm ein Stück der bitter benötigten inneren Sicherheit ... Was an ihm deutsch war, und er hoffte, es wäre nicht mehr viel, wurde verdrängt; gerade weil er es nun dauernd mit Deutschen zu tun hatte und fürchtete, daß da verwandte Züge sein könnten in ihrem und seinem Wesen, strebte er nach Distanz."[29]

In der gleichmachenden und alle gleichermaßen umschließenden amerikanischen Armee lösten sich also offenbar einige durch Verfolgung und Emigration hervorgerufene Identitätsprobleme – oder sie waren zumindest leichter zu verbergen. Das Untertauchen in einer warmen Gemeinsamkeit für die Sache der Demokratie und der Freiheit verhalf vielen der Isolierten und Ausgestoßenen wenigstens vorübergehend zu neuem Selbstvertrauen.

Nach der Besetzung Deutschlands prallten die bisher getrennt diskutierten Positionen aufeinander. Klaus Mann und andere äußerten öffentlich die Forderung,[30] die Deutschen müßten erkennen, daß sie als ein ‚kollektiver Körper‘ Schuld auf sich geladen hätten, die nun gesühnt werden müsse. Diese Vorstellung einer Kollektivschuld konnten die im Lande Gebliebenen nur schwer annehmen. Doch zeigen autobiographische Zeugnisse aus diesen Tagen weniger den leidenschaftlichen Protest als vielmehr „eine Art Muffigkeit, Beleidigtsein", wie es Troller auch für die Reaktion bei der Besetzung beobachtete,[31] einen „böse verbockten Ausdruck", wie es Stefan Heym nennt.[32] Sogar ein Erich Kästner war nicht frei davon, der in seinem Tagebuch das Kriegsende und die ersten Begegnungen mit den Besatzern schilderte.[33]

Viel hing wohl von der Kontaktaufnahme ab, von der ersten Erfahrung miteinander, und von dem Grad an Verletztheit oder Voreingenommenheit auf beiden Seiten. Hans Habe schreibt dazu in seiner Autobiographie: „Meine Beziehung zu Deutschland, heißt es also, sei von ‚Ressentiments' bestimmt ... Das Lexikon definiert das Ressentiment als den ‚meist feindlichen Gefühlsrückstand eines Erlebnisses', und da ich diese Definition für trefflich halte, bin ich keineswegs bereit, mich mit meinen Ressentiments zu verstecken ... Der ‚feindliche Gefühlsrückstand' muß nicht unbedingt ungerecht sein."[34] Habe ergänzt, daß „insbesondere die Juden auf einen ‚feindlichen Gefühlsrückstand' für die nächsten paar Jahrhunderte in der Tat ein menschliches Anrecht besitzen".[35] Es fehlte jedenfalls in diesen Jahren auf keiner Seite an „feindlichen Gefühlsrückständen" und die wenigsten Emigranten in amerikanischer Uniform empfanden ihre ‚Heimkehr' als befriedigend.[36] Troller beschreibt dieses Gefühl so: „Ein halbes Jahr war ich nun in München gewesen. Wohlversorgt, beschäftigt und umgeben von Freunden ... Was ging mir ab? ... Was mir fehlte war das satte Gefühl der Heimkehr. Der Wiederkehr. Des Neuanfangs, ja der Neugeburt ... Zuviel an Sehnsüchtigem hatte sich aufgestaut in der Emigration, als daß dieses bequeme und umworbene Besatzerdasein mich noch zufriedenstellen konnte. Nicht beneidet wollte ich werden, sondern benötigt ..."[37]

Doch vielen Emigranten ging es erst einmal darum, Deutschland einen Besuch abzustatten, um sich selbst ein Bild zu machen oder um sich dort eine wirtschaftliche Grundlage zu schaffen. Nicht jeder konnte diese Reise risikolos unternehmen. So schrieb Oskar Maria Graf im August 1950 an den Remigranten Wilhelm Hoegner: „Sie wissen gewiß schon, daß mir das hiesige Naturalisierungsbüro für den geplanten Besuch, den ich bereits im Juni in der Heimat machen wollte, das sogenannte Re-Enter-Permit verweigert hat, das heißt also, daß ich nach so einem Besuch nicht mehr nach USA einreisen könnte … Ohne aber vorher einen Besuch in Bayern gemacht zu haben, kann ich mich nicht entschließen, ,für ganz' heimzugehen. Schließlich hat man sich (und niemand kann das wohl besser beurteilen als Sie, der alle Bitternisse und Schwierigkeiten des Exils kennen gelernt hat!) mit Mühe und Not hier in New York eine immerhin recht bescheidene Existenz aufgebaut, die man nicht so ohne weiteres aufgeben kann und will, insbesondere da ja die Zukunft, die meine Frau als Jüdin und mich als freien Schriftsteller im jetzigen Deutschland erwartet, ziemlich ungewiß sein dürfte."[38] Graf, immer noch staatenlos, war als Kommunist denunziert worden; deshalb konnte er nicht amerikanischer Staatsbürger werden und mit einem normalen Besuchervisum nach Deutschland einreisen. Eine doppelte Heimatlosigkeit. Erst 1958 erhielt er seine amerikanische Staatsbürgerschaft und reiste zur 800-Jahr-Feier der Stadt München nach Deutschland.

Remigration, so läßt sich resümieren, war keineswegs eine Selbstverständlichkeit. Sie war ein höchst schwieriger individueller Schritt. Wer nicht klare politische Aufgaben für sich in Deutschland sah, hatte meist gute Gründe, im Exilland zu bleiben und von dort aus, mit vorsichtiger Skepsis, zunächst die Entwicklung in Deutschland zu verfolgen. Die Erkenntnis über das volle Ausmaß des Holocaust machte es den meisten Juden ohnehin unmöglich, an eine Rückkehr auch nur zu denken. Deutschland, das war keine Heimat mehr, das war das Land der Mörder.

Den Blick von außen teilten die Emigranten mit vielen unbeteiligten Menschen in Ländern der Welt, von denen aus man mit Entsetzen auf Deutschland sah. Diese Perspektive ließ sich mit der Selbstwahrnehmung der Deutschen ,von innen' nicht in Einklang bringen. Die Polarisierung der Standorte ist bis in die heutige Zeit hinein bestimmend. Sie zeigt die Tiefe des Bruchs, der durch Vertreibung und Mord stattgefunden hatte.

Der Blick von innen

„Einfache Menschen verstehen unter Emigranten Personen, die sich vor ihrer Verantwortung als Deutsche dadurch gedrückt haben, daß sie 33 oder später ins Ausland gingen. Im großen und ganzen sehen sie auf diese herab und stehen ihnen mißtrauisch gegenüber." Diese Meinungsäußerung eines Schauspielers aus dem Jahr 1947 schlägt einen Grundakkord an, den Emigranten und Remigranten nur allzu bald spürten. Sie galten vielen Dagebliebenen als Verräter an der nationalen Sache, egal wie groß die Lebensbedrohung gewesen war, die den Weg ins Exil erzwungen hatte. Es kam zu einer kaum noch aufzuhebenden Polarisierung der Perspektiven von ‚draußen' und von ‚drinnen'.

Blickten die Emigranten mit Skepsis, Abscheu oder Haß auf Deutschland, das sie verfolgt und ausgestoßen hatte, so waren Ablehnung und Abwehr gegen die Emigrierten bei den Deutschen im Lande nicht geringer. Das Jahr 1945 konfrontierte die Dagebliebenen mit dem Ende der nationalen Größenphantasien, mit der kollektiven Schuldzuweisung der Welt, mit der Enttäuschung über den Zusammenbruch der eigenen Hoffnungen, mit Kriegszerstörungen, Vertreibung und physischer Not. Neben die Sorgen angesichts der katastrophalen Alltagssituation trat wohl auch die Scham darüber, an das Falsche geglaubt, auf die Falschen gesetzt zu haben. ‚Falsch', das hieß sicherlich anfangs vor allem, daß man verloren hatte und sich nun rechtfertigen mußte für die vergangenen Jahre. Es war aber auch das Ausmaß der ungeheuerlichen Verbrechen, vor dem diejenigen zurückschreckten, die bereits während des Krieges sorgfältig weggesehen hatten.

Das Spektrum der Reaktionen reichte von glatter Verleugnung[1] bis zu Schuldabwehr der unterschiedlichsten Schattierungen. Nur wenige Stimmen verliehen ihrem Entsetzen und ihrer Scham über das Geschehene Ausdruck. Die Mehrzahl der Menschen wollte möglichst wenig an die Vergangenheit erinnert werden und setzte auf den wirtschaftlichen Wiederaufbau, von dem man auch eine Erneuerung nationaler Größe erhoffen konnte.

Ein Beispiel für diese Haltung der Abwehr und der projektiven Schuldzuweisung findet sich in den Tagebüchern von Erich Kästner. Ein amerikanisches Team unter der Leitung des Emigranten Joseph Dunner kam zu Kästner, um ihn über seine Tätigkeit während der NS-Zeit zu befragen. Das empfand er als „Vernehmung": „Der Wortführer stellte Fragen, als stelle er Fallen, und schrieb meine Antworten in ein Notizbuch ... Er bohrte an mir herum wie ein Dentist an einem gesunden Zahn. Er suchte eine kariöse Stelle und ärgerte sich, daß er keine fand."[2] Kästner wollte nicht begreifen, daß das Mißtrauen des Fragers vielleicht doch nicht ganz aus der Luft gegriffen war, bedenkt man den großen Arbeits- und Reisespielraum, den der ‚verfolgte Dichter' genossen hatte.

Der in Fürth geborene Dunner jedoch, von dem sich Kästner unter Druck gesetzt fühlte, identifizierte sich ganz mit dem Wiederaufbau des deutschen Pressewesens und war ein Gegner der Kollektivschuldthese. In seinen Erinnerungen heißt es: „Ich kannte das deutsche Volk zu gut, um jene damals in aller Welt verbreitete These zu akzeptieren, die alle Deutschen zu Nazis oder zu nazistischen Mitläufern stempelte ... Ich hatte mich Zeit meines Lebens mit jenen Idioten auseinandersetzen müssen – Deutschen wie Nichtdeutschen –, die, sofort, wenn sie mit irgendeinem Juden schlechte Erfahrungen gemacht hatten, die Schlußfolgerung zogen, daß alle Juden üble Kreaturen seien."[3] Dunner erklärte sich dezidiert mit dem nicht-nationalistischen, demokratischen Deutschland solidarisch. Kästner hingegen sah bloß den Emigranten in amerikanischer Uniform, von dem er Schlechtes erwartete.

Warum wandten sich die Nachkriegsdeutschen gerade gegen die deutschen Emigranten? Dazu äußerte sich der emigrierte Psychoanalytiker Otto Fenichel während des Antisemitismus-Symposiums, zu dem sich 1944 in San Francisco wichtige emigrierte Sozialwissenschaftler und Psychoanalytiker zusammenfanden.[4] Fenichel führte aus, Abwehr, vor allem in Form von Projektion, richte sich auf Gruppen, die als unheimlich empfunden werden, auf Schwächere, die man verachtet, aber zugleich fürchtet. Aus Alexander und Margarete Mitscherlichs zentralem Buch über die ‚Unfähigkeit zu trauern' läßt sich ergänzen, daß es sich dabei meist um Haß- und Neidobjekte handelt, die außerhalb einer Gruppe stehen. Die Abgrenzung dient dem Schulterschluß und dem Zusammenhalt der betreffenden Gruppe.[5] Daß all dies auf die Emigranten zutraf, zeigen die Meinungsäußerungen von Nachkriegsdeutschen, die im folgenden noch genauer betrachtet werden sollen. Zunächst dazu einige Thesen.

Die Emigranten hatten sich erstens, wie Gottfried Benn es in seinem Offenen Brief, einer ‚Antwort an die literarischen Emigranten‘, im Mai 1933 beschrieb,[6] bereits durch ihre Flucht außerhalb der deutschen ‚Volksgemeinschaft‘ gestellt. Zwölf Jahre und einen Weltkrieg später standen diese Flüchtlinge erst recht außerhalb. Sie hatten nicht die „deutsche Größe" geteilt, sie teilten nun auch nicht die deutsche Schuld. Da half es nichts, daß Thomas Mann in seiner berühmten Rede zum 8. Mai 1945 in Bezug auf die Verantwortung von einem „Uns" sprach, in das er alle mit einbezog, die Deutsch sprachen und schrieben.

Hinzu kam ein zweites: die unbewußten Rachephantasien.[7] Die ehemals Verachteten, Geächteten und Ausgestoßenen standen nun auf der Seite der Sieger. Deshalb fürchtete und beneidete man sie. Mit der Niederlage der Allmachtsphantasien entstand in Deutschland vielfach eine tiefe Wut gegen geheime und hinterhältige Feinde, die für all das verantwortlich zu machen waren.[8] Und wer war dafür geeigneter als die Emigranten, denen man so viel Anlaß gegeben hatte zu hassen?

Dies führte immer wieder zu der Unterstellung, die Emigranten – beispielsweise die Mitglieder der New School for Social Research, die für den amerikanischen Geheimdienst Analysen anfertigten – hätten die Welt gegen Deutschland „aufgehetzt".[9] Der Morgenthau-Plan schien diese Auffassung zu bestätigen. Mit den westalliierten Siegern, vor allem mit den Amerikanern, kam es im Gegenzug bald zu umfassenden Identifikationsprozessen.[10] Nun wollten die Westdeutschen demokratische Musterschüler sein. Als Ersatzfeind dienten darum die Emigrierten.[11] Die Hitlergegner waren ein lebendiger Beweis dafür, daß es sehr wohl Alternativen des Handelns gegenüber dem Nationalsozialismus gegeben hätte, daß nicht jeder glauben und mitmachen mußte. Es bestätigte daher auch das Schuldlosigkeitsgefühl der Dagebliebenen, wenn sie die Emigranten, ihre Leiden und ihre Forderungen pauschal verleugneten. Mit der Rückkehr der Emigranten lehnte man überdies die Rückkehr der Juden ab – sowohl der noch lebenden wie der toten. So wurde die Abwehr gegen die Exilierten auch zu einer Abwehr gegen die mögliche Rache der Ermordeten.

Als Drittes und damit in engem Zusammenhang spielt die Umkehrung der Opfersituation eine zentrale Rolle. Um mögliche Schuldgefühle zu verkleinern, wurde aufgerechnet. Mit Blick auf Zerstörungen und Bombenkrieg, auf Vertreibung und Nachkriegsnot sahen viele die deutsche Bevölkerung als das eigentliche Opfer an. Das von Deutschen den anderen Völkern Zugefügte, so es denn überhaupt geschehen sei, sei damit gesühnt. Diese Opferhaltung wurde nach der Gründung der Bundesrepublik immer offener vertreten: Im Rahmen der von Norbert Frei beschriebenen „Vergangenheitspolitik" der Nachkriegszeit lösten bald die „Opfer" der Entnazifizierung und der Kriegsverbrecherprozesse, also die NS-Täter, die eigentlichen Leidtragenden des Nationalsozialismus als Objekte der Politik, des Mitleides und der öffentlichen Solidarität ab. Die Schuldumkehr war ein probates Mittel, das auch gegenüber den Vorwürfen der Emigranten zum Einsatz kam, denen man unterstellte, sie hätten den weitaus bequemeren Weg gewählt, als sie „von den Logen und Parterreplätzen des Auslandes aus dem deutschen Unglück zuschauten"; so Walter von Molo in seiner Antwort an Thomas Mann.[12]

Und noch ein Viertes ist zu erwähnen. Wie die Psychoanalytiker Leon und Rebeca Grinberg in der bisher einzigen Studie zur Psychoanalyse der Migration und des Exils betonen,[13] sehen auch in anderen Emigrationssituationen die Zurückgebliebenen mit Abneigung auf die Ausgewanderten. Sie gelten als diejenigen, die das Land und die Freunde verlassen und ihnen damit Schmerz zugefügt haben. Fortgehen ist immer ein kleines Sterben und wird oft wie ein Tod erlebt und betrauert.[14] In der Abwehr des eintretenden Schmerzes kommt es dann auch zu Reaktionen wie Groll und Wut gegen den Emigranten, der die Zurückbleibenden ‚verraten' habe. Es gibt demnach jenseits der speziellen deutschen Situation auch psychologische Konstanten, die mit dem Weggehen zusammenhängen.

Soweit die Thesen und Vorüberlegungen. Wie äußerte sich nun diese Haltung der Nachkriegsdeutschen zu den Emigranten, wie bewerteten sie deren Verhalten und wie ihre mögliche Rückkehr? Für die Beantwortung dieser Frage kann eine Umfrage ‚Concerning Thomas Mann and other emigrees' herangezogen werden, für die im Sommer 1947 rund achtzig Nachkriegsdeutsche der verschiedensten Berufe befragt wurden.[15] Ziel der Umfrage war es, die Meinung der Deutschen zu einer möglichen Rückkehr der Emigranten zu erfahren, nachdem die erste und letzte gesamtdeutsche Ministerpräsidentenkonferenz im Mai 1947 eine Rückkehraufforderung an die Emigranten verabschiedet hatte.[16] In der Umfrage wurde prominent Thomas Mann als einer der möglichen Rückkehrer genannt, Thomas Mann, der erst kurz zuvor Äußerungen gemacht habe, die für die Deutschen keineswegs schmeichelhaft gewesen seien und der daher möglicherweise ein gewisses Maß an Ressentiment auf sich gezogen habe.

Die Interviews selbst sollten dann folgende Fragen enthalten: Kennen Sie Personen aus diesem Kreis und ihre Bedeutung für das moderne kulturelle Leben in Deutschland oder anderswo? (Thomas Mann, Carl Zuckmayer, Helene Thiemig usw. Welche von ihnen?) Denken auch Sie, daß es wünschenswert wäre, wenn solche Leute zurückkehren und an der Reeducation und Rehabilitation Deutschlands teilnehmen? Wenn sie zurückkommen, sollte man ihnen besondere Privilegien einräumen? Meinen Sie, daß sie als private Einzelpersonen zurückkehren sollten oder auf andere Weise? Oder glauben Sie, daß sie überhaupt nicht mehr zurückkehren sollten, da zwischen ihnen und dem Deutschland von heute ein unüberbrückbarer Abgrund (im amerikanischen Text: „gap") gähnt? Der nicht überbrückt werden kann? Oder glauben Sie, daß diese Personen im Ausland von größerem Nutzen für uns sein könnten?[17]

Die Antworten zeigen, daß es meist bei der Frage nach einer Tätigkeit im Bereich der Reeducation und Rehabilitation zu knistern begann, daß jedoch spätestens bei der Frage nach möglichen Privilegien für Emigranten bei den Dagebliebenen die tiefersitzenden Vorurteile, Neidgefühle sowie die ganze Bitternis der Kriegs- und Hungerjahre durchbrachen. Selbst vordergründig zustimmende Zeitgenossen enthüllten hier ihre innere Haltung. Die Umfrage, von einem Emigranten aus der Pressegruppe von Hans Habe konzipiert, bot an, die Emigranten außerhalb Deutschlands, außerhalb der Gemeinschaft zu stellen. Schuld und Sühne wurden nicht angesprochen, ebensowenig Recht und Unrecht, die Gründe für die Emigration oder die Verbrechen der NS-Zeit. Dies erleichterte die Verleugnung und Abwehr. Antisemitismus oder Antikommunismus kamen weder in den Fragen noch in den Antworten vor.

Die Ablehnung konzentrierte sich auch in der Umfrage auf Thomas Mann. Zuckmayer wurde nicht kommentiert. In der Remigrationsdebatte der Nachkriegsjahre war Thomas Mann ohnehin der

Buhmann und Sündenbock, auf den alle mit den Fingern zeigten und auf dessen Rücken sich die Aggressionen entluden. Der Chefredakteur der Würzburger Mainpost gab in seiner Befragung eine Interpretation solcher Urteile; er sagte, die Debatten um Thomas Mann ließen klar erkennen, „wie sehr sich halbgetarnte ‚nationale Instinkte‘ an einem Mann zu entzünden bereit sind, der als ehemaliger Deutscher der Kritik leichter zugänglich ist als eine Maßnahme der alliierten Militär-Regierung".[18] Doch daran allein lag es nicht, denn selbst rassisch oder politisch Verfolgte kritisierten Thomas Mann scharf. Fast alle Befragten lehnten seine Rückkehr nach Deutschland ab.[19] Die Debatte um Thomas Mann war längst keine innerliterarische mehr; seine Reden über BBC während des Krieges hatten ihn einem viel größeren Kreis bekannt gemacht und ihn in Deutschland zum wichtigsten Vertreter des Exils werden lassen. Er war zur Symbolfigur eines anderen Deutschlands geworden, das nicht leise und bescheiden zurückkehrte, um mitzuarbeiten. Thomas Mann hielt allgemein zur Kenntnis genommene Rundfunkansprachen, schrieb – so im Rahmen der ‚großen Kontroverse‘ um Exil und Innere Emigration von 1945 – verletzende Offene Briefe, wurde von den Medien international immer wieder zu deutschen Fragen gehört und verbarg seine Meinung dabei nicht.

Wie die Demontage einer solchen Person funktionierte, läßt sich an der Umfrage ablesen. In den Stellungnahmen wird Thomas Mann meist erst einmal entwertet. Er solle im Ausland bleiben, er sei „ohnehin schon alt".[20] Seine Haltung sei „fragwürdig",[21] er habe bewiesen, daß man ein „großer Schriftsteller und dennoch ein sehr zweifelhafter Mensch" sein könne.[22] Seine „mißgünstigen Worte" entsprängen „gekränkter Eitelkeit".[23] Mann habe sich „schlecht benommen",[24] nun müsse er gut über Deutschland schreiben, um „seinen ehemals guten Ruf bei den Deutschen zurückzuerobern".[25]

In einem zweiten Schritt betonten viele der Befragten, Thomas Mann habe mit seinen ‚Betrachtungen eines Unpolitischen‘ und anderen Schriften vor 1933 „das deutsche Volk mit virulenten geistigen Bazillen infiziert"[26] und „an der Unterhöhlung der bürgerlichen Intelligenz mitgearbeitet". Es fänden sich in den ‚Betrachtungen‘, so der selbst verfolgte Schriftsteller Leo Weismantel, „nationalistische und militaristische Feststellungen, die denen bekannter Nazigrößen in nichts nachstehen".[27] Er habe „Instinkt und Tat gepredigt" und sei „durch diese Stellungnahme mitschuldig geworden an der geistigen

Vorbereitung des deutschen Volkes für den Nationalsozialismus".
Doch heute erkläre er, „amerikanischer Staatsbürger zu sein, anstatt
seine Mission als Dichter dem deutschen Volk gegenüber zu erfüllen". So Walter Kiaulehn, immerhin Mitarbeiter der Neuen Zeitung.

In solchen Sätzen wird die Abwehr mit Händen greifbar: Nicht
die Teilnahme der Deutschen am Nationalsozialismus war zu kritisieren, nein, die Aufsätze Thomas Manns hatten diese veranlaßt. Die
Verantwortung wurde auf Thomas Mann verschoben.

Als Auslöser der Erbitterung gegen Thomas Mann wurden vor
allem seine Antwort auf Walter von Molos Rückkehraufforderung
von 1945 sowie seine kritischen Interviews in England 1947 genannt. Er lehnte darin die bequeme Position ab, es habe einige Nazis gegeben, aber der Großteil Deutschlands sei dagegen gewesen.[28] Mit Blick auf diese Interviews warf ein Befragter Thomas
Mann „moralisches und ethisches Versagen" vor.[29] „Durch seine
langjährige Abwesenheit hat er jeden Kontakt mit uns verloren,
weil er sich gar nicht vorstellen kann, was wir in den letzten zwölf
Jahren gelitten haben", meinte ein Augsburger Verleger in klassischer Umkehrung der Opfersituation.[30] Oder der Augsburger
CSU-Vorsitzende und Mitglied des Landtags: „Manns durch
menschliche und künstlerische Artung bedingte Verständnislosig-
keit gegenüber der geistigen, seelischen und materiellen Lage des
deutschen Volkes ist durch die letzten Äußerungen zur Instinkt-
losigkeit gesteigert worden".[31]

Kaum einer fragte sich, ob die Deutschen Thomas Mann nicht
guten Grund für seine Kritik gegeben hätten. Er hatte etwas
berührt, was vergessen werden sollte. So heißt es bei Alexander und
Margarete Mitscherlich, es gelte als Ressentiment, von etwas Aufhe-
bens zu machen, etwas aufzurühren, woran zu erinnern unschick-
lich geworden ist.[32] Ebendies hatte Thomas Mann getan. Und er
stand außerhalb der ‚Volksgemeinschaft' – so hieß es beispielsweise,
er habe „diese unfaßbare innere Entwicklung des Deutschen in den
zwölf Nazijahren nicht erleben können".[33] Ihm wurde die Schuld
für den Sieg des Nationalsozialismus in die Schuhe geschoben und
das Leiden der deutschen Bevölkerung vorgehalten. Die meisten
Befragten glaubten sich bzw. das deutsche Volk von Thomas Mann
unfreundlich und feindlich behandelt und nicht umgekehrt.[34] Sie
fühlten sich von Thomas Mann verlassen und empfanden Groll und
Ablehnung.[35]

Diese Debatte leuchtet scharf die polarisierten Standpunkte aus. Die Antwort Thomas Manns auf Walter von Molo vom 7. September 1945, die einer der befragten im Lande Gebliebenen nur „mit Abscheu" gelesen hatte[36] und die soviel Abwehr auslöste, bewertete ein Leidensgenosse wie Stefan Hermlin als „unvergeßliches Dokument des Zornes, der Qual, der Heimatliebe".[37] Mann schrieb dort unter anderem, Deutschland sei ein beängstigendes Land und er fürchte, „daß die Verständigung zwischen einem, der den Hexensabbat von außen erlebte, und Euch, die ihr mitgetanzt und Herrn Urian aufgewartet habt, immerhin schwierig wäre". Er beklagte „eine gewisse Ahnungslosigkeit, Gefühlslosigkeit", die daraus spräche, so unmittelbar und naiv wiederanknüpfen zu wollen, „als seien diese zwölf Jahre nicht gewesen".[38] Dennoch setzte er sich bei der internationalen PEN-Tagung in London Anfang Juni 1947 intensiv dafür ein, eine eigenständige deutsche Sektion neu zuzulassen. Immer wieder schrieb er sehr persönliche Briefe, die seine Haltung klären und versöhnlich wirken sollten.

Doch dies gelang nicht mehr. Die Ablehnung der Dagebliebenen stand. Die Emigrierten fühlten sich von ihren Vorwürfen getroffen und suchten sich zu verteidigen. Dies zeigt z. B. Hans Habes ausführliche Auseinandersetzung mit den Vorwürfen, er hege Ressentiments, er leide unter Verfolgungswahn, da er überall Nazis sehe, er sei ein „Morgenthau-Boy", der die Kollektivschuldthese miterfunden habe, und er hasse die Deutschen.[39] Habe versuchte vergeblich, mit Verweis auf sein Verhalten und seine öffentlichen Stellungnahmen all dies Punkt für Punkt zu widerlegen. Die öffentliche Debatte und damit auch die öffentliche Meinung blieben davon unberührt, sie wurde von den Vorwürfen geprägt. Die Umfrage zeigt, daß die Abwehr Mitte 1947 bereits feste Formen angenommen hatte.

Hinter dieser Ablehnung steckte neben anderem auch Neid. In den Antworten der Umfrage verband er sich meist untrennbar mit dem Nationalen, indem das eigene Neidgefühl durch nationale Argumente legitimiert wurde. Die ‚Volksgemeinschaft' nahm nach wie vor einen sehr hohen Rang ein, sie wurde in den Stellungnahmen weit über das Individualschicksal gestellt. Dafür gab es Gründe: Mit Blick auf diese deutsche Volksgemeinschaft hatten die in Deutschland Gebliebenen nicht das ‚Falsche' getan, nicht versagt. Nach diesem Glaubensbekenntnis waren die Emigranten die Versager vor der nationalen Aufgabe.

Dazu nun einige Beispiele. Der Nürnberger Stadtrat Marx lehnte Privilegien für Remigranten ab:[40] „Es ist weder demokratisch noch menschlich richtig, jemandem besondere Vorrechte zu gewähren. Ich bedaure dies schon bei den sogenannten politisch Verfolgten. Wenn solche Personen nicht zu ihrem Volke um des Volkes willen zurückkehren, dann sind sie es auch nicht wert, daß man ihre Anwesenheit mit irgendeinem besonderen Preis bezahlt." Auch der Augsburger Wirtschaftsreferent und spätere bayerische Justizminister Otto Weinkamm (CSU) legte darauf Wert, Remigranten sollten „genau so leben als wir Deutsche schon lange leben müssen".[41] Der Mitherausgeber der Süddeutschen Zeitung, Werner Friedmann, sah das ähnlich:[42] „Sie müßten auf Privilegien verzichten können. Sie dürften z.B. keine bessere Verpflegung erhalten. Sie müßten in Wahrheit so in Deutschland leben, wie es heute der Durchschnittsdeutsche muß. Diese zurückkehrenden Deutschen müßten sich auch der Tatsache gewiß sein, daß sie bei Überschreitung der deutschen Grenze die Pflicht aufgebürdet erhalten, Sühne mit dem deutschen Volk abzuleisten. Nur so werden sie dann hier verstanden werden ... Wenn die deutschen Emigranten zurückkehren, so müssen sie wissen, daß ihnen nicht eine offizielle Volkserziehung zufällt, sondern daß sie nichts anderes zu sein haben als Angehörige des deutschen Volkes, dem sie zu dienen hätten."

Rückkehrer sollten also bereit sein, die deutsche Volksgemeinschaft anzuerkennen. Diese Gemeinschaft wurde von den Dagebliebenen als die eigentliche Leidtragende des Nationalsozialismus dargestellt. Jeder einzelne hatte sich ihr zugeordnet und für sie seinerseits Opfer gebracht. Sie wenigstens sollte den Zusammenbruch aller nationalen Hoffnungen überleben. Daher auch die Forderung an die Emigranten, sich in diese Volksgemeinschaft einzufügen – oder wegzubleiben. Als Schuld der Emigranten klingt hier an, daß sie in den vergangenen Jahren nicht der Gemeinschaft gedient hatten. Dies sollten sie nun gemeinsam mit den Deutschen sühnen. So fand eine Gleichsetzung der Opferschuld mit der Täterschuld statt. Durch Dienst am Volk könne es den Opfern jedoch möglich sein, so die Argumentation, diese ‚Schuld' zu tilgen.

Um unausgesprochene Schuld und Sühne geht es auch bei der Stellungnahme des jüngeren Würzburger Studienrates Wiebe. Sie soll hier exemplarisch ausführlicher zitiert und auf verborgene Zwischentexte hin befragt werden. Wiebe sagte:[43] „Ich weiß wohl, daß

z. B. Stefan Zweig seinem Exil, weil er sich entwurzelt fühlte, freiwillig ein Ende bereitete und damit, im Gegensatz zu Thomas Mann
und Emil Ludwig u. a. seine Heimat in Wirklichkeit nie aufgegeben
und verlassen hat. Inwieweit Leute wie Thomas Mann allerdings in
den Jahren nach 1933 ihrer Heimat einen wirklichen Dienst erwiesen und Deutschland in den Augen der übrigen Welt genützt haben,
ist mir nicht bekannt."

Soweit der erste Teil des Zitats. Zunächst fällt der verhüllte Todes-
wunsch auf, der hinter dem Beispiel des Selbstmordes von Stefan
Zweig sichtbar wird. Eigentlich, so die Botschaft, hätten die Vertriebenen den physischen Tod wählen müssen, da sie Deutschland verlassen hatten; wer dennoch weiterlebte, lud damit Schuld auf sich. Zu
sühnen wäre dies möglicherweise dadurch, daß man der verlassenen
Heimat auch in der Fremde diente; doch darüber ist nichts bekannt,
also hat es wohl auch nicht stattgefunden.

Nun weiter im Originaltext. „Auf die Frage, ob ich es für wünschenswert halte, daß solche Persönlichkeiten nach Deutschland
zurückkehren, kann ich nur antworten: Wen nicht die Sehnsucht
nach seiner Heimat, die ihm nie fremd geworden ist, unaufgefordert
zurückkehren läßt, wer nicht den Wunsch verspürt, den Unglück-
lichen daheim mit seinen erhaltenen Kräften zu helfen und sie aufzurichten ... der möge lieber bleiben, wo er so lange war ... Gern
wollen wir auf die Worte Ernst Wiecherts hören und derer, die,
wenn aus begreiflichen Gründen auch, meist schweigend mitgetragen haben an den Härten der jüngsten Vergangenheit. Sie sind diejenigen, die für die Umerziehung und Rehabilitierung eines neuen
Deutschlands und den Aufbau eines neuen Kulturlebens berufen
sind. – Auf die Frage, ob bei einer Rückkehr jene Emigranten besondere Privilegien erhalten sollen, kann ich nur mit ‚Nein' antworten.
Womit hätten sie diese Privilegien verdient? ... Meist sind sie heute
Ausländer und genießen automatisch Vorrechte, um die sie ihre
früheren Landsleute beneiden."

Die Heimat, so Wiebe, hatte während der Abwesenheit der Emigrierten ohne Verschulden schweren Schaden erlitten und ist nun
der Hilfe bedürftig – aber sie läßt sich nur von bestimmten Leuten
helfen. Wiechert und andere haben an der gemeinsamen Vergangenheit teil, sie sind nicht anders, sie sind nicht besser, sie können uns
daher auch nicht an mögliche Schuld erinnern. Privilegien für Remigranten hingegen wären ein stillschweigendes Schuldeingeständ-

nis und sind damit abzulehnen. Außerdem ging es den Emigranten draußen ja ohnehin besser, wozu also Privilegien?

Was wäre eigentlich, so ist nun noch zu fragen, das zu erwartende Gegenbild zu solchen Reaktionen gewesen? Verhielten sich die Deutschen nicht einfach ‚normal‘? Ist es nicht überzogen, hinter allen Reaktionen Abwehr und Projektion zu vermuten, statt die ökonomische und soziale Lage nach 1945 in Betracht zu ziehen? Die Mitscherlichs schreiben dazu:[44]

„Wo Schuld entstanden ist, erwarten wir Reue und das Bedürfnis nach Wiedergutmachung. Wo Verlust erlitten wurde, ist Trauer, wo das Ideal verletzt, das Gesicht verloren wurde, ist Scham die natürliche Konsequenz.“ Es gab auch solche Reaktionen und gerade sie leuchten die Gegensätze scharf aus. Es ist überdies in Aufsätzen oder Erinnerungen von Emigranten nachzulesen, was sie sich erwartet oder erhofft hätten. Auch dies bietet eine Folie, vor der die tatsächlichen Reaktionen in einer anderen Farbe erscheinen.

Vorab ist zu ergänzen, daß es Emigranten gab, die nach Deutschland zurückkehrten und sich sofort mit dem deutschen Wiederaufbau identifizierten, ohne eine Anerkennung der deutschen Schuld oder Verantwortung zu verlangen. Beispiele dafür sind Max Brauer in Hamburg oder Rudolf Katz in Schleswig-Holstein.[45] Sie erfüllten genau die Bedingungen, die in Stellungnahmen wie der Wiebes vorgezeichnet waren. Sie kamen unaufgefordert, sie verlangten keine Auseinandersetzung mit der Vergangenheit, sie wollten helfen und benützten sehr schnell wieder die Formel „wir hier in Deutschland“. Ihre Identifikation mit der alten Heimat wird bereits an der Geschwindigkeit deutlich, mit der sie sich ihrer amerikanischen Staatsbürgerschaft entledigten. Doch in Anbetracht dessen, was während der NS-Zeit alles geschehen war, kann auch dies keineswegs als ‚normal‘ betrachtet werden.[46]

Viele politisch aktive Emigranten waren sich der Problematik sehr genau bewußt. So läßt sich gegen die Stellungnahme Wiebes ein Aufsatz von Willy Brandt von 1984 zitieren. Brandt schrieb,[47] es sei widersinnig, „nachträglich eine Pflicht zum Hierbleiben postulieren zu wollen. Hätten Lion Feuchtwanger und Ernst Reuter, Bert Brecht oder Oskar Maria Graf hierbleiben sollen? Sie wären umgebracht worden. Wußten die, die sich über ihr Fortgehen empörten, eigentlich, was sie befürworteten? Ich fürchte gar, sie wußten es.“ Eine „teuflische Verkehrung von Außen und Innen“, so

Brandt weiter, „wollte jene allenfalls als Zaungäste ertragen, die in Wahrheit historisch ins Zentrum gehörten ... Es gibt eine unermüdliche Bereitschaft, zu vergessen."

Diese „unermüdliche Bereitschaft zu vergessen" war bereits 1945 ständig präsent. Der verfolgte Komponist Karl Amadeus Hartmann antwortete daher in der Umfrage, Thomas Mann werde angefeindet, da er sein Volk zu genau kenne und ihm unangenehme Wahrheiten sage.[48] Die Deutschen jedoch wüßten immer noch nicht, „wodurch die Katastrophe eigentlich eintrat, daß sie selbst alle Schuld daran tragen und sich deshalb nicht selbst bemitleiden können, wenn andere Völker durch sie dasselbe Elend tragen müssen". Ähnlich der Emigrant Stefan Heym über die Deutschen:[49] „Immer noch, auf ihren Ruinen hockend, glauben sie, daß sie im Grunde nichts Böses wollten und niemandem ein Leid tun und daß sie's nicht besser wußten und daß ihnen jetzt großes Unrecht geschieht."

Die wohlwollende Diagnose lautete also Amnesie: Gedächtnisschwund durch Erinnerungsverweigerung. Doch diese Art des Umgangs mit Schuld und Verantwortung sollte man nicht vorschnell als ‚normal' betrachten. Wenn Franz Josef Strauß im Bundestagswahlkampf an Willy Brandt gerichtet fragte, man wisse nicht, was dieser im Exil denn eigentlich getan hätte – „was wir getan haben, wissen wir" –,[50] so griff er in den sechziger Jahren eben die Abwehrstrategien auf, mit denen sich die Rückkehrer bereits seit Kriegsende konfrontiert sahen. Jemand, der ‚draußen' gewesen war, sollte auf diese Weise distanziert und politisch unglaubwürdig gemacht werden. Insofern war der abwertende Blick von innen für die Remigranten eine schwere Hypothek, mit der sie sich spätestens dann offensiv auseinandersetzen mußten, wenn sie im Lande wieder öffentlich wirken wollten.

Remigration und Besatzungspolitik

Es gab 1945 keine gemeinsame Besatzungspolitik der Alliierten, es bestanden vielmehr unterschiedliche ‚Besatzungspolitiken' mit Einzelinteressen, Untergruppierungen, gegenläufigen Überlegungen, die in den einzelnen Phasen der Nachkriegsepoche stark variierten. Und es existierten bei den Besatzungsmächten keineswegs zwangsläufig klare Konzepte zur Rückkehr der Exilanten. Für manche war diese Frage marginal, andere sahen in den Rückkehrern potentielle Botschafter der eigenen Deutschlandpolitik. Die Remigration der Verfolgten war keines der Themen gemeinsamer alliierter Beschlüsse.

Gewissermaßen Teil der Besatzungspolitik waren die Emigranten in Uniform, die mit den Siegern einmarschierten, nachdem sie für die Befreiung Deutschlands gekämpft hatten. Sehr groß war der Anteil der Deutschstämmigen in den alliierten Armeen aber nicht. Sie wurden wegen ihrer Sprachkenntnisse vor allem für die psychologische Kriegführung, für Verhöre mit deutschen Kriegsgefangenen und für Übersetzerdienste herangezogen. Mit ganz besonderen Gefühlen erlebten sie den Verlauf des Krieges, den Einmarsch in Deutschland, die ersten Reaktionen der Bevölkerung und den Besatzungsalltag.

Der aktive militärische Kampf gegen Deutschland war meist nicht nur eine persönliche Entscheidung, sondern der Beginn einer weitreichenden neuen Sozialisation. Die meisten Emigranten in der Armee identifizierten sich leidenschaftlich mit dem Kampf gegen Deutschland. So betonte auch der spätere Filmemacher und Journalist Georg Stefan Troller, der im Dezember 1944 als GI irgendwo an der alliierten Front in Frankreich stand: „Ich war stolz auf die Army, stolz auf mich als Amerikaner." Auch der Schriftsteller Stefan Heym, 1945 Mitglied in der amerikanischen Pressegruppe von Hans Habe, fühlte sich damals als Amerikaner. Deutsch sprach er nur zum Dienstgebrauch. Doch obwohl jeder, der von den Westalliierten „overseas" eingesetzt werden wollte, naturalisiert, also Staatsbürger sein mußte, blieb ein deutliches Mißtrauen gegenüber

Flugblätter für die US-Army. Klaus Mann als Mitarbeiter einer amerikanischen Spezialeinheit für ,psychologische Kriegführung' in Italien, 1944

den Neubürgern bestehen. Nur wenige erreichten in der Armee und auch in der Militärregierung nach 1945 Schlüsselpositionen.[1]

Für die amerikanische Militärregierung läßt sich das am Beispiel Bayerns zeigen: So waren 1947 nur 65 der insgesamt 1500 beim Office of Military Government Bavaria (OMGB) Beschäftigten Exilierte aus Deutschland und Österreich.[2] In den 53 (später 57) wichtigsten Führungspositionen der Militärregierung zwischen 1946 und 1949 wirkten nur vier bis fünf dieser Emigranten. Ein Großteil (39 von 65) war im „Intelligence"- und im „Information"-Bereich eingesetzt. Viele arbeiteten wegen ihrer Sprachkenntnisse als „Investigators" an der Auswertung von Entnazifizierungsbögen, als Übersetzer oder als „Intelligence Analysts" und gehörten relativ niedrigen Besoldungsgruppen an. Über einige der höchsteingestuften Offiziere finden sich weitere Informationen, aus denen deutlich wird, daß sie über gute Vorkenntnisse und eine akademische, häufig noch in Deutschland erworbene Ausbildung verfügten. Über 13 der 33 aus Deutschland oder Österreich stammenden Offiziere der Information Control Division finden sich genauere Informationen.[3] Elf dieser 13 ICD-Mitarbeiter wirkten die nächsten Jahre im amerikanischen öffentlichen Dienst, sicher für acht der 13 wurde die Tätigkeit zum Sprungbrett in den amerikanischen auswärtigen Dienst.

Kaum einer der Militärregierungsangehörigen aus diesen Kreisen tauschte seine amerikanische Staatsangehörigkeit wieder gegen eine deutsche ein. Bis auf einen trat auch keiner dieser Gruppe wieder in deutsche Dienste. Diese Besatzer wurden also keineswegs Remigranten, sie gehören vielmehr zu denen, die aufgrund eines qualifizierten Angebots außerhalb Deutschlands eine internationale Karriere der Rückkehr vorzogen.

Die Ausnahmen entstammten meist dem Pressebereich: Ernest Langendorf, Presseoffizier und Sozialdemokrat, blieb als Mitarbeiter von Radio Free Europe, also im Dienste der US Information Agency, in München. Max Klieber, der mit dem Presseteam von Hans Habe nach Deutschland zurückgekommen war, wurde Redakteur von Radio Liberty in München, sein Kollege aus Habes Team, Paul Moeller, Justitiar dieses Radiosenders. Habes Mitarbeiter Ernest Cramer avancierte in den sechziger Jahren zum leitenden Redakteur der Zeitung Die Welt und sein Kollege Hans Wallenberg, Nachfolger Habes als Chefredakteur der Neuen Zeitung in München, wurde in den sechziger Jahren persönlicher Berater Axel Cäsar Springers. Es waren also vor allem Presseleute, die aufgrund ihrer engen Beziehung zur deutschen Sprache in Deutschland blieben. Ob dabei auch der Mangel an Alternativen auf internationaler

Ebene eine entscheidende Rolle spielte, ist schwer nachzuweisen. Die Mitarbeit bei den beiden US-amerikanischen Nachrichten-sendern, unter Beibehaltung der amerikanischen Staatsbürger-schaft, ist jedoch nur sehr bedingt als ,Rückkehr' zu werten. Auch diese Emigranten wahrten Distanz zur deutschen Gesellschaft. Aufgrund ihres beruflichen Status gehörten sie eher einer interna-tionalen als einer nationalen Elite an.

Die wenigen deutschen Kommunisten, die in der sowjetischen Armee dienten, waren offensichtlich meist in vergleichbaren Funk-tionen tätig: So wirkte beispielsweise der jüdische Kommunist, Komintern-Kader und Pressespezialist Rudolf Bernstein in der Sowjetischen Militäradministration in Österreich zunächst als Re-dakteur der deutschsprachigen Militärzeitung, dann als Zensor der sozialdemokratischen Arbeiterzeitung und später, zusammen mit einem ganzen Stab von Lektoren, zu denen auch andere Emigran-ten gehörten, in der Informationsabteilung als Zensor für Literatur und Theater. 1948 wurde Bernstein demobilisiert und ging auf An-forderung in die DDR, wo er verschiedene offizielle Positionen in-nehatte.[4] Frida Rubiner, bereits Kämpferin für die Münchner Räte-republik und seit 1929 ganz in der Sowjetunion lebend, arbeitete seit Juni 1941 für die Rote Armee und zwar vor allem in der Pro-paganda für deutsche Soldaten. Sie war Mitglied der KPDSU und Sowjetbürgerin geworden. 1946 kehrte sie in die DDR zurück und nahm auch wieder die deutsche Staatsbürgerschaft an.[5]

Die Briten standen Emigranten in ihrer Militäradministration skeptisch gegenüber. Emigranten sollten nicht zu Siegern im besieg-ten Land gemacht werden, lautete die Devise.[6] Dies werde nur die Besatzungsmacht diskreditieren und Antisemitismus schüren. Emi-granten waren daher kaum in den Dienststellen der britischen Mi-litärregierung vertreten, es gab sogar eine Abwehrhaltung gegen Emigranten im zivilen und militärischen öffentlichen Dienst. Über-dies waren Tausende freigesetzter Kolonialbeamter unterzubrin-gen, die man den Emigranten bei weitem vorzog.

Obwohl also nur wenige Besatzungsmitarbeiter aus Emigranten-kreisen selbst dauerhaft in Deutschland ansässig wurden, lassen sich Einflußnahmen der Besatzer auf die Etablierung neuer deutscher Eliten zeigen. Dies gilt vor allem für die offiziell illegalen Rückhol-aktionen der unmittelbaren Nachkriegszeit. In der Sowjetunion gab es etwa fünf- bis sechshundert kommunistische Emigranten, von denen rund die Hälfte für einen gezielten Einsatz in Frage kam. Ein Teil der Führungselite der SBZ und frühen DDR wurde bereits Anfang 1944 in der sowjetischen Emigration für spätere Leitungsfunktionen ausgewählt. So finden sich auf einer Liste vom Januar 1944 allein 17 Funktionäre, die später in der DDR Positionen als Minister oder stellvertretende Minister einnahmen.[7] Bekannt ist die Bedeutung der drei „Arbeitsgruppen" unter Walter Ulbricht, Anton Ackermann und Gustav Sobottka, die bereits seit April 1945 aktiv den Neuaufbau der KPD organisierten. Ende 1945 holten die Sowjets dann auch die kommunistische Gruppe aus dem neutralen Schweden nach Deutschland, im Juni 1946 stellten sie ein Schiff zur Verfügung, mit dem die wichtigsten Mexiko-Remigranten zurückkehren konnten.[8] Entscheidend war hierfür der Kontakt zur Komintern-Führung, zur Moskauer KPD-Zentrale und zum Nationalkomitee Freies Deutschland (NKFD), die über die Linientreue und damit auch über den Einsatz eines Kommunisten in Deutschland entschieden. Die Vormachtstellung der nach Moskau Emigrierten in diesen Fragen ist unbestritten. Die Mitarbeit im NKFD, das zunächst eher ein Mittel der psychologischen Kriegführung der Sowjetunion gewesen war, diente u.a. der Beurteilung der einzelnen Emigrationsländer. Nur die Moskau-Emigranten wurden systematisch auf die Rückkehr vorbereitet. Die Zugehörigkeit zu dieser Gruppe der ‚Politemigranten' war letztlich der wichtigste Schlüssel zur Macht in der späteren DDR.

Auch bei anderen Besatzungsmächten gab es Rückholaktionen. Wie das in der US-Zone aussehen konnte, zeigt der Fall des Sozialdemokraten Wilhelm Hoegner, der von den Amerikanern im Juni 1945 einfach mit dem Jeep über die Grenze gebracht wurde. Seine Frau und seine gesamte Habe befanden sich noch Ende Oktober 1945 in der Schweiz, obwohl sich höchste amerikanische Stellen für ihre Einreise einsetzten.

Eine andere Aktion ging auf die Initiative der amerikanischen Presseoffiziere in München zurück, besonders auf den Einfluß des ehemaligen deutschen Sozialdemokraten und Emigranten Ernest Langendorf, der für die Pressekontrolle zuständig war. Im Jahresbericht der US-Militärregierung 1945/46 war das Ziel wie folgt formuliert: „To overcome the difficulties in locating political reliable men to serve as licensees, a team of Press and Intelligence personnel was dispatched to Paris and London to find pre-1933 German journalists who were willing to return and take part in reconstructing the Bavarian Press. The team returned with a list of top-natch personnel who were willing to come back." Anfang Dezember 1945 holten die Presseoffiziere bereits zwei ihrer Wunschkandidaten aus Paris: Richard Schlochauer, 1933 im Saargebiet politisch aktiv, seit 1935 als Garagist und Badewärter in Paris tätig, wurde Mitte Januar 1946 Mitherausgeber der Landshuter Isarpost; Peter Maslowski, erst kommunistischer Reichstagsabgeordneter, später Sozialist und Mit-glied der französischen Résistance, ernannte man zum Lizenzträger und Chefredakteur der Neuen Presse Coburg. Aus der Schweiz holte sich der stellvertretende Leiter der bayerischen ICD, Lt.Col. Dilliard, im Februar 1946 Harry Schulze-Wilde als Herausgeber von Echo der Woche und Bruno Schönlank als Kulturredakteur der DANA. Ernest Langendorf begleitete ebenfalls im Februar die Journalisten A. Reetz, O. Bassfreund, O. Richter und Peter Stern, den späteren Chefredakteur des Münchner Mittag, einen linksliberalen jüdischen Emigranten, nach München. Aus England holte Langendorf im April 1946 unter anderem den späteren Lizenzträger des Schweinfurter Volkswillen, den Sozialdemokraten Max Moritz Hofmann, den späteren Lizenzträger und Chefredakteur der Fränkischen Presse Bayreuth, den Sozialdemokraten Walter Fischer, und Leopold Goldschmitt, der auf Probe eine Lizenz für die Passauer Neuen Presse erhielt und später nach Frankfurt ging.

1947 beantragten die Presseoffiziere vermehrt Einreisegenehmigungen für zukünftige Lizenzträger und Inhaber von Schlüsselpositionen, vor allem aus der Schweiz und Schweden; auf diesem Wege kam auch Walter Tschuppik nach München, der 1948 Chefredakteur der Münchner Abendzeitung wurde. Insgesamt gab es jedoch beispielsweise in Bayern unter 41 lizenzierten Herausgebern nur sechs Emigranten.

Im französischen Saarland gehörten nicht nur der saarländische Ministerpräsident Johannes Hoffmann, sondern auch Innenminister Edgar Hector, der langjährige Kultusminister Straus – später Botschafter in Paris –, Arbeitsminister Reinhard Kirn und die Familie Braun – Heinz Braun war saarländischer Justizminister, Angèle Braun eine einflußreiche Journalistin – zur Gruppe derer, die im französischen Exil gewesen waren. Viele von ihnen unterstützten bedingungslos die Luxemburgisierung der Saar.[9] 1957, mit dem Anschluß des Saargebietes an die Bundesrepublik, trat die politische

Elite aus Remigranten von der politischen Bühne ab, etliche von ihnen gingen erneut ins französische Exil.

Das Saarland war in den ersten zehn Jahren nach dem Krieg kein Besatzungsgebiet und unterlag daher besonderen Bedingungen. Auch als Besatzungsmacht legten die Franzosen jedoch der Rückkehr nach Deutschland keine Hindernisse in den Weg, weshalb 1945/46 beispielsweise die in Frankreich verbliebenen SPD-Emigranten bereits weitgehend wieder nach Deutschland zurückkommen konnten – um oft sofort von den Amerikanern oder Engländern als illegale Einwanderer erst einmal arretiert zu werden.

In der britischen Besatzungspolitik war den Emigranten kein besonderer Platz zugedacht.[10] Mit der Rückkehr mußten die Briten sich jedoch bald auseinandersetzen, da nach einer BBC-Sendung mit einem Rückkehraufruf bereits im Herbst 1945 Hunderte von Anträgen eingingen, mehrere Tausend folgten in den nächsten Monaten. Bis Mai 1946 war jedoch erst 36 Personen die Rückkehr nach Deutschland oder Österreich genehmigt worden, da man in England die Zahl der Remigranten klein halten wollte.

Die Westalliierten kannten keine der sowjetischen vergleichbare politische Einsatzstrategie. Die rigiden Einreisebeschränkungen und Rückkehrbedingungen weisen vielmehr darauf hin, daß vor allem die Amerikaner und die Engländer stärker auf Umerziehung setzten: zunächst auf die Umerziehung potentiell antifaschistischer Kriegsgefangener in amerikanischen Lagern oder im englischen Wilton Park – ein Weg, den übrigens auch die Sowjetunion systematisch beschritt; dann aber auch auf Reeducation der ortsansässigen Eliten, die mit Remigranten oft nicht viel anfangen konnten.

Die amerikanische Haltung zu Einreise und Rückkehr war daher ambivalent. Der politische Berater von OMGUS, Robert Murphy, bejahte 1945 gegenüber dem US-Außenministerium die Bedeutung von Emigranten für den deutschen Wiederaufbau, verneinte aber aufgrund der ablehnenden Haltung der Einheimischen die Frage, ob die Alliierten Emigranten in offizielle Verwaltungspositionen bringen sollten. Wer jedoch nach Hause wolle und die Reise bezahlen könne, so Murphy, solle kommen.[11]

Unter besonderen Umständen empfahl Murphy auch eine aktive Unterstützung der Rückkehr. Als Begründung dafür nannte er den Fall Hoegner, der bei seinen sozialdemokratischen Kollegen in Bayern ,persona grata' war und nun gerade zum Ministerpräsidenten

Ein Remigrant als Ministerpräsident. Wilhelm Hoegner (stehend) bei der ersten Pressekonferenz der Bayerischen Staatsregierung, 22. Januar 1946

ernannt wurde: „He was accordingly assisted in his return from Switzerland, in the discreet manner mentioned above". Ähnlich solle man auch bei dem Sozialdemokraten Ernst Reuter, dessen Einreiseantrag aus der Türkei vorlag, bedenken, daß er bestimmt sehr nützlich sein könne in einem Land, das nach konstruktiven Kräften förmlich schreie. Als Test schlug Murphy jedoch vor, man solle sich vorher mit den demokratischen Meinungsführern vor Ort darüber unterhalten, besonders mit den Sozialdemokraten, ob sie eine solche Rückkehr befürworteten. Diskret verwies der „Political Adviser" am Schluß noch darauf, daß kommunistische Emigranten bereits in großer Zahl privat oder offiziell vor allem in die Sowjetzone eingereist seien, und dies keineswegs ohne offizielle Hilfe.[12]

Die Genehmigung der Entry Permits, also der Einreisegenehmigung, dauerte dann etwa vier bis acht Wochen;[13] die Militärregierung wollte überdies auf ausdrückliche Anweisung von General Clay streng nur solche Personen nach Deutschland hineinlassen, die für die Besatzung hilfreich sein konnten, nicht solche, die zu „Vergnügungstouren" oder in eigener Sache einzureisen versuchten.[14] Diese Bestimmung sollte noch vielen Emigranten Sorgen bereiten. Wer nicht unmittelbar von den Besatzern gebraucht oder angefordert wurde, mußte meist wesentlich länger auf seine Rückkehr warten. Um überhaupt die Chance einer Einreisegenehmigung zu bekommen, sollte der Emigrant nachweisen, daß er in Deutschland gebraucht wurde. So war es beispielsweise dem späteren sozialdemokratischen Landesvorsitzenden Waldemar von Knoeringen, damals Spiritus Rector des englischen Kriegsgefangenen-Zentrums in Wilton Park, nur nach persönlichen Bemühungen Wilhelm Hoegners möglich, aus England zurückzukehren.[15] Eine ausdrückliche Einladung seiner Rosenheimer SPD-Genossen – darunter die Bürgermeister, neun Stadträte und einige wichtige Funktionsträger – von Ende August 1945 reichte nicht aus, ebensowenig wie Hoegners Rückkehraufruf in einem Interview auf Radio München anläßlich seines Amtsantritts als Ministerpräsident im Oktober 1945. Knoeringen schrieb, er könne nur kommen, wenn die alliierte Kontrollkommission ihn persönlich ausdrücklich anfordere; dazu bedürfe es einer „in entsprechend dringender Form" vorgetragenen Anforderung Hoegners. Anfang Januar 1946 kam Knoeringen dann in englischem Auftrag drei Wochen zu Besuch nach Deutschland, davon auch einige Tage nach München und Rosenheim. Seine Genossen bereiteten ihm einen triumphalen Empfang. Doch erst am 20. April 1946 konnte sich das Ehepaar Knoeringen nach 13 Jahren Exil endgültig wieder in der Heimat niederlassen.[16]

Im Oktober 1946 sahen die Einreisebedingungen für die US-Zone vor,[17] daß ein deutscher Emigrant, der vor 1939 auf dem Gebiet der heutigen US-Zone gelebt hatte, nur einreisen durfte, wenn er a) Qualifikationen besaß, die von augenscheinlichem und besonderem Wert für die Aufgaben der US-Besatzungsmacht waren, b) einen bestätigten Brief der deutschen Verwaltungsbehörden für die US-Zone vorweisen konnte, in dem ihm eine Position oder eine Beschäftigung in der deutschen Verwaltung angetragen wurde, die er bereit war anzunehmen, c) er ein eigenes Geschäft oder ein Beschäftigungsangebot angeben konnte, dessen Gelingen der deutschen Wirtschaft in der US-Zone zum Vorteil gereichen könnte.

Wer unter diese Kategorien von Bewerbern fiel, hatte sich erst beim Militärattaché der jeweiligen alliierten Botschaft oder seinem Military Permit Officer zu melden. Vor dem Abschluß von Vier-Zonen-Vereinbarungen, so ein Militärregierungsoffizier, werde allerdings nur eine sehr begrenzte Anzahl von Bewerbern Aussicht auf Erfolg haben.

An dem Verfahren änderte sich in den nächsten Jahren jedoch ebensowenig wie an den prinzipiellen Einreisebedingungen. Der Military Permit Officer – nach Gründung der hochkommissarischen Verwaltung Deutschlands Alliied High Commission Permit Officer – nahm den Antrag entgegen und gab ihn an den Combined Travel Board in Herford weiter, der sich wiederum an das jeweilige Landeszuzugsamt wandte. Daraufhin mußte der Zuzügler eine Wohnung am Zielort nachweisen, bevor der Antrag mit oder ohne Genehmigung auf dem gleichen Wege wieder zurückwanderte. Erst dann war eine Einreise möglich. Die Wartezeit betrug im Juni 1949 etwa fünf bis sechs Monate.[18]

Einreise und Aufenthalt hingen eng zusammen:[19] Wer mit einem Military Entry Permit und einem ordentlichen Reisepaß aus dem Ausland einreiste, durfte sich lediglich so lange aufhalten, wie die Einreisebewilligung Gültigkeit hatte. Daher bekam er auch nur für diese Zeit eine Aufenthaltsgenehmigung. Bei einem anderen Typ militärischer Einreisegenehmigung, die zu einer Einreise und zu dauerndem Aufenthalt berechtigte, konnten auch die deutschen Behörden eine Aufenthaltsgenehmigung mit unbestimmter Dauer ausstellen, die jedoch meist an Funktionen für die Alliierten geknüpft war. Ohne Entry Permit wurde keine Aufenthaltsgenehmigung erteilt, da dies gegen Gesetz 161 und die Verordnung 28 verstoßen hätte. Es gab jedoch Ausnahme- und Härtefallregelungen für Personen hohen Alters oder „Einwohner überseeischer Länder", die trotz einer nur befristeten Einreisebewilligung einen Dauersichtvermerk beantragen konnten, der sie zum Aufenthalt berechtigte. Alliierte Staatsangehörige hatten ebenso wie andere Ausländer nur so lange ein Aufenthaltsrecht, wie sie einen Grund für ihre Anwesenheit, also beispielsweise einen Auftrag der Militärregierung, nachweisen konnten; entfiel diese Begründung, mußten sie das deutsche Gebiet verlassen.

Die Besatzungsmächte, so ist zu resümieren, erwogen anfangs den Einsatz von Emigranten nur dort, wo er ihren eigenen Nachkriegsplanungen entgegenkam. Ein ‚Recht auf Heimkehr' gab es dabei erst einmal nicht. Die vielen Auflagen, denen eine Ausreise und dann auch eine Einreise in das besetzte Deutschland unterworfen wurden, macht deutlich, daß die Sowjets wie die Amerikaner und die Engländer den Emigranten nur bedingt Vertrauen entgegenbrachten. Dies galt nicht für einen ausgewählten Kreis politischer

Emigranten, der wie die KPD-Führung in Moskau seine Zuverlässigkeit vielfach unter Beweis gestellt hatte. Nicht im gleichen Umfang wie die Kommunisten betraf dies in den westlichen Zonen auch Sozialdemokraten, deren Rückkehr von den Westalliierten in einigen Fällen unterstützt wurde. Außerdem duldeten die Westalliierten zusehends, daß Emigranten illegal nach Deutschland kamen. Nach der Änderung der politischen Großwetterlage, dem Beginn des Kalten Krieges und dem Rückzug der Militärregierungen lockerten sich dann die Auflagen der Einreise. Der Umgang mit der Remigration wurde der Politik der beiden deutschen Staaten überlassen.

Rückrufe

Ein Vorwurf gegen die Nachkriegsgesellschaft lautet, sie habe es versäumt, die Emigrierten ausdrücklich zu einer Rückkehr aufzufordern. Einige wenige seien vielleicht persönlich gebeten worden, doch ein genereller Aufruf sei unterblieben. Noch 1990 kam es daher in München zu einer ‚Kunstaktion‘, während der von zwei Künstlern ein Schild an der Feldherrnhalle befestigt wurde, auf dem stand: „Juden in aller Welt, bitte kehrt zurück, wenn ihr wollt!"[1] Die Initiatoren bezogen sich ausdrücklich darauf, ein solcher Rückruf sei bisher noch nicht erfolgt.

Doch war dies wirklich so? Es ist davon auszugehen, daß ein Großteil der Emigranten von keinem Rückruf erreicht wurde. In der subjektiven Wahrnehmung der Betroffenen hat es eine solche Aufforderung zur Rückkehr damit nie gegeben. Etliche von denen hingegen, die letztlich zurückkamen, hatten einen solchen individuellen Rückruf erhalten, sei es von seiten ihrer Parteien, durch ehemalige Kollegen, von Institutionen. Dies waren jedoch im Vergleich zur Anzahl der Emigranten verschwindend wenige. Einige solcher Rufe sollen im folgenden genannt werden.

Eine besondere Art von Rückkehraufforderung erhielt im August 1945 Thomas Mann. Sein ‚Wort an das deutsche Volk zur Kapitulation‘ hatte den im Lande gebliebenen Schriftsteller Walter von Molo im August 1945 zu einem gut gemeinten, bittenden, etwas larmoyanten Offenen Brief veranlaßt, in dem er Mann zur Rückkehr aufforderte. Dieser öffentliche Rückrufbrief löste die ‚große Kontroverse‘ zwischen Exil und Innerer Emigration aus, in der Positionen formuliert, Rechtfertigungen, Anklagen und Schuldzuweisungen ausgetauscht wurden.[2] Denn es blieb nicht bei einem Brief. Eine Woche nach Walter von Molo meldete sich der Schriftsteller Frank Thieß zu Wort. In seinem Artikel über die „Innere Emigration" suchte er moralische Rechtfertigungen für die Dagebliebenen gegenüber den Emigranten. Thomas Mann seinerseits lehnte kurz darauf eine Rückkehr nach Deutschland mit einem Hinweis auf die Konzentrationslager ab und zog einen Trennungsstrich zwischen den Emigranten und den Literaten des Dritten Reiches, deren Büchern ein „Geruch von Blut und Schande" anhafte. Der Streit eskalierte. Im Mittelpunkt standen einerseits Fragen der Kollektivschuld der Deutschen sowie einer Anerkennung des durch die Deutschen begangenen Unrechts. Auf der anderen Seite ging es um den Versuch der Dagebliebenen, ihr Verhalten zu rechtfertigen und ihre moralische Position gegenüber den Emigrierten zu festigen. Die Gräben, die dieser an sich gut gemeinte Rückruf auslöste, waren später kaum noch zu überwinden.

Es gab jedoch auch überindividuelle Rückrufe. In München forderte der remigrierte sozialdemokratische Ministerpräsident Wilhelm Hoegner bei seinem Amtsantritt am 1. Oktober 1945 auf Radio München nachdrücklich die Remigration sozialdemokratischer Politikerkollegen.[3] Im November 1945 formulierte der mit sowjetischer Lizenz agierende Kulturbund für die demokratische Erneuerung Deutschlands einen Appell an die Emigranten: „Ihr sollt wissen, daß Euch die Heimat nicht vergessen hat und daß wir auf Euch warten, indem wir durch Schaffung eines freiheitlichen Deutschlands den Tag Eurer Heimkehr vorbereiten... Laßt Euch sagen, daß Deutschland Eurer bedarf", hieß es in der Deutschen Volkszeitung.[4] In Berlin riefen KPD, SPD, CDU und Liberaldemokratische Partei im März 1946 gemeinsam öffentlich Emigranten zur Rückkehr auf. 1947 wandte sich der Frankfurter Oberbürgermeister Kolb an alle aus Frankfurt emigrierten Juden und Jüdinnen.[5]

Gleichzeitig setzte sich die britische Besatzungsmacht auf der Nordwestdeutschen Rektorenkonferenz nach einem kritischen Artikel im englischen Manchester Guardian verstärkt für Rückrufe emigrierter Hochschullehrer ein.[6] In der Folge erhielten alle Betroffenen beispielsweise der Kölner Universität Briefe. Der Dekan der Philosophischen Fakultät schrieb an die ehemaligen Kollegen: „Nachdem die Nazi-Herrschaft beseitigt ist, sind alle Verfügungen hinfällig geworden, durch die Mitglieder des Lehrkörpers aus rassischen oder weltanschaulichen Gründen beseitigt worden sind. Die Philosophische Fakultät läßt Sie durch mich bitten, in unseren Kreis zurückzukehren und den Platz in unserer Mitte einzunehmen, den Sie einst innehatten. Gewiß ist es ein schweres Unternehmen, nach Köln, einer größtenteils zerstörten Stadt, zurückzukehren und hier aufs Neue Wurzeln zu schlagen. Allein so intensiv unsere Bemühungen sind, unsere Universität wieder aufzurichten, so nachdrücklich werden wir alles, was in unseren Kräften steht, tun, um Ihnen bei dem Wiedereinleben behilflich zu sein."[7] Diese Art von unmittelbarem Rückruf an die ehemaligen Kollegen ist eine Besonderheit, die sich in keiner anderen Besatzungszone findet. Selbst in der britischen Zone scheinen sich nicht alle Universitäten darauf eingelassen zu haben.

Rundfunk und Presse bemühten sich, für das Thema Öffentlichkeit zu schaffen. So strahlte die BBC London im Oktober 1945 eine Sendung über das geteilte Deutschland aus, die sie mit einem Rückkehraufruf an Emigrierte verband. Daraufhin gingen Hunderte von Anfragen rückkehrwilliger Emigranten beim Foreign Office ein.[8] Zeitungen wie Der Ruf oder die Neue Zeitung setzten sich Anfang 1947 vehement für die Rückkehr vor allem exilierter Professoren ein. In einem weiteren Artikel teilte die Neue Zeitung mit, allein das Bayerische Kultusministerium habe mit fünfzig Emigrierten Kontakt aufgenommen.

Als einzige Partei im Westen rief die SPD 1952 offiziell die Emigranten zur Rückkehr auf. Anlaß war die Bundestagsdebatte über die „Wiedergutmachung nationalsozialistischen Unrechts für die im Ausland lebenden Angehörigen des öffentlichen Dienstes"; vorgetragen wurde der Rückruf von dem engagierten Bundestagsabgeordneten Adolf Arndt.[9] Arndt war es auch, der 1963 als Berliner Senator einen Aufruf für die Rückkehr nach West-Berlin formulierte.[10] Die KPD stand ohnehin in mehr oder weniger engem Kontakt mit ihren emigrierten Mitgliedern. In den Emigrationsländern erstellten Kaderkommissionen Listen ‚zuverlässiger' Leute, die nach einer Überprüfung zurückgeholt wurden.[11] Veröffentlichter Rückrufe bedurfte es hier nicht.

Der wohl wichtigste Rückruf wurde jedoch 1947 von der ersten und letzten gesamtdeutschen Ministerpräsidentenkonferenz formuliert. Die Bedeutung dieser Konferenz lag darin, daß hier erstmals nach 1945 die Ministerpräsidenten aller deutscher Länder zusammentrafen. Durch den Auszug der ostdeutschen Delegation vor Konferenzende wurde die deutsche Teilung besiegelt. Damit verloren jedoch auch die beschlossenen Resolutionen an Bedeutung. Die Presse konzentrierte sich auf das Scheitern der Konferenz und ging nicht mehr im einzelnen auf die verabschiedeten Beschlüsse ein. Dies ist wohl auch einer der Gründe dafür, daß diese Aufforderung so wenig nationale und internationale Aufmerksamkeit erhielt.

Unter der Überschrift „Aufruf an die deutsche Emigration" hieß die von der Konferenz beschlossene Fassung des Rückrufes: „Die in München versammelten Chefs der deutschen Länderregierungen richten an alle Deutschen, die durch den Nationalsozialismus aus ihrem Vaterland vertrieben wurden, den herzlichen Ruf, in ihre Heimat zurückzukehren. Ein tiefes Gefühl der Verantwortung erfüllt uns ihnen gegenüber. Wir haben sie schweren Herzens scheiden sehen und werden uns ihrer Rückkehr freuen. Ihrer Aufnahme in unserem übervölkerten und unwirtlich gewordenen Lande stehen zwar große Schwierigkeiten entgegen. Wir werden aber alles tun, um gerade ihnen ein neues Heim zu schaffen. Jene Emigranten, die Deutschland liebten und unsere Wirrsal in ihrer geistigen und historischen Tiefe kennen, sind besonders berufen, Mittler zwischen uns und der übrigen Welt zu sein. Sie, die sich deutscher Sprache und Kultur noch verpflichtet wissen, mögen sich hier davon überzeugen, daß unser Volk auch heute noch in seinem Kern gesund ist und daß seine überwältigende Mehrheit keinen anderen Wunsch hat, als friedlich und arbeitsam im Kreise der übrigen Völker zu leben. An einen wirklichen Neubeginn unseres Lebens ist aber nicht zu denken ohne die Hilfe der übrigen Welt, ganz besonders nicht ohne die Deutschen, die heute außerhalb unserer Grenzen weilen. Deshalb rufen wir sie auf, mit uns ein besseres Deutschland aufzubauen."[12]

Durch die wissenschaftliche Literatur zur Remigration[13] geistert immer noch die Legende, dieser Aufruf sei „maßgeblich verfaßt von dem remigrierten Hamburger SPD-Politiker Max Brauer". Sie ging jedoch eigentlich zurück auf die Entwürfe und Bemühungen des bayerischen Staatssekretärs für die Schönen Künste, Dieter Sattler.[14] Vorgelegt wurde sie der Konferenz allerdings von Max Brauer, da sich die Bayerische Staatsregierung scheute, als Initiatorin dieses Rückrufs aufzutreten.[15] Unter dem Titel „Aufruf der Bayerischen Staatsregierung an das andere Deutschland jenseits unserer Grenzen" lag er bereits seit Ende April vor.[16] Ein genauer Vergleich zeigt, daß Brauer den bayerischen Entwurf zusammen mit anderen Konferenzteilnehmern wohl nur leicht überarbeitet hatte.[17]

Der ursprüngliche Entwurf klang an manchen Stellen etwas pathetischer. Er enthielt auch Hinweise auf die Vertreibung selbst. Statt „brauner Tyrannei" nennt die endgültige Resolution „den Nationalsozialismus" als Verursacher; es fehlt dort die „barbarische

Härte", mit der den Emigranten „das Land ihrer Jugend geraubt wurde". Hinzugekommen ist in der endgültigen Version die Formulierung, das deutsche Volk sei „in seinem Kern gesund", sowie die Zusicherung, man werde sich darum bemühen „gerade ihnen ein neues Heim zu schaffen."[18]

Da es sich bei der Resolution um die wohl wichtigste offizielle Aufforderung zur Rückkehr handelt, ist es nicht ganz ohne Bedeutung, daß dieser „Ruf an das andere Deutschland" keineswegs aus der Feder eines bereits zurückgekehrten Leidensgenossen stammte. Er entsprang vielmehr den Ideen eines im Lande Gebliebenen, der nur auf diesem Wege einen geistigen und moralischen Neubeginn Deutschlands für möglich hielt. Dieter Sattler verlieh dieser Überzeugung zur Eröffnung der Münchner Kulturwochen Ende Juni 1947 erneut Nachdruck.[19] Wie kam Sattler zu diesen Gedanken?

Die Initiative entsprang seiner tiefen religiösen Überzeugung. So notierte Sattler im Juni 1946, über ein halbes Jahr vor seinem Amtsantritt als Staatssekretär, in sein Tagebuch:[20] „Der eigentliche Kernpunkt unserer Schwierigkeiten in Deutschland ist heute die Erkenntnis der gemeinsamen Schuld (wohl besser als ‚Kollektiv' Schuld)... Was Gott vom deutschen Volke will ist diese Erkenntnis. Bevor sie nicht Allgemeingut geworden sein wird, kann es uns nicht besser gehen. Dabei ist es leider noch weit dahin. Ich selbst kenne unter meinen besten Freunden nur ganz wenige, die diesen Punkt in seiner entscheidenden Wichtigkeit erkennen und eine wirkliche Mitschuld des ganzen deutschen Volkes an den Taten Hitlers und seiner zwölf Jahre anerkennen. Erst wenn man das tut und alles Leid und Unglück, welches uns jetzt trifft, als Sühne für diese Schuld willkommen heißt... hat man den Sinn erkannt, den Gott mit diesem Schicksal uns weisen will." Sattler fügte hinzu, diese Erkenntnis fehle besonders „auch in der katholischen Kirche, deren offizielle Vertreter fast nie vom eigenen deutschen Verschulden, sehr viel aber von dem der Besatzungsmächte sprechen". Es gehe nicht darum, den realen und moralischen Schutt möglichst schnell verschwinden zu lassen, man müsse ihn umwandeln und für den Aufbau wiederverwenden.

Kurz nach seinem Amtsantritt im Februar 1947 konzipierte er einen Entwurf über „Das andere Deutschland", in dem er eine „Vortragsreihe prominenter deutscher Emigranten" anregte, darunter Thomas Mann, Alfred Döblin, Carl Zuckmayer, Bert Brecht, Wil-

helm Röpke, Waldemar Gurian, Götz Briefs, Dietrich von Hildebrand und Carl Barth.[21] Als Begründung formulierte er, es sei für
„den geistigen Wiederaufbau Deutschlands, wie auch im Hinblick
auf das Vertrauen anderer Länder in uns ... besonders wichtig, daß
in der Frage der geistigen Denazifizierung möglichst bald von deutscher Seite die Initiative ergriffen wird". In ähnlicher Weise schlug
er Konzerte und Vorstellungen mit Bruno Walter, Otto Klemperer,
Erich Kleiber, Fritz Busch, Paul Hindemith und Ernst Krenek vor,
desgleichen mit Adolf Busch, Jascha Heifez, Albert Bassermann,
Elisabeth Bergner, Arthur Schnabel, Fritz Kortner und anderen.

Im Mai 1947 kritisierte Sattler die „Gestrigen", die vom „Zusammenbruch" und nicht mehr von der „Befreiung" im Jahre 1945 re-
deten. Nach allem, was geschehen sei, könne man nicht einfach
wieder 1933 anknüpfen. „Und da wenden sich unsere Blicke ganz
von selbst über unsere Grenzen – zu unseren Verbannten. Wir hatten sie schon 1945 zurück erwartet. Einige, wenige kamen, manche
in alliierter Uniform. Wir haben sie freudig begrüßt. Andere sand-
ten uns bittere Worte: Wir haben sie verstanden, wenn auch nicht
immer gebilligt. Und wir haben geschwiegen, denn wir hofften, daß
sie eines Tages doch kämen."[22] Er fügte hinzu: „Wir schulden ihnen
unauslöschlichen Dank, denn sie haben den deutschen Namen in
diesen Jahren in Ehren getragen und erhalten. Und wir brauchen sie.
Wir hätten sie schon 1945 gebraucht. Damals wagten wir es nicht zu
sagen. Heute müssen wir es sagen. Denn ohne sie ist ‚das andere
Deutschland' ein Torso. Es kann die ungeheure Aufgabe, das ge-
strige Deutschland zu überwinden, ohne sie nicht erfüllen ... Die
siegreiche Heimkehr ist von jeher der schönste Lohn für das Leid
der Emigration gewesen. Bringt Euch nicht um diesen Lohn! ‚Das
andere Deutschland' erwartet Euch mit offenen Armen." Sattler ist
damit einer der wenigen Nachkriegsdeutschen in politischer Funktion, der dezidiert auf die Emigrierten setzte. Zu seinem tieferen
Verständnis mag wohl beigetragen haben, daß er als Neffe des über
viele Zwischenstationen in die USA emigrierten Hochschulprofes-
sors und Hitlergegners Dietrich von Hildebrand mit den Leiden des
Exils vertrauter war als andere.

Es gab also auf den verschiedensten Ebenen Rückrufe mit unter-
schiedlicher Reichweite und Öffentlichkeitswirkung. Doch Deutschland war in den ersten Nachkriegsjahren noch weitgehend von der
übrigen Welt abgeschottet. Sicherlich trugen auch diese schlechten

Kommunikationsmöglichkeiten der Nachkriegszeit dazu bei, daß die Botschaft nicht ankam. Am schnellsten erfuhren wohl die politischen Emigranten davon, die über eigene Kommunikationswege und Netzwerke verfügten. Auch andere Elitengruppen wurden erreicht. Viele der jüdischen Emigranten, die über keine Verbindungen mehr zur alten Heimat verfügten, da ihre Familien und Freunde ebenfalls emigriert oder ums Leben gekommen waren, erhielten jedoch nie davon Kunde, daß es in Nachkriegsdeutschland Rückrufe an Emigranten gegeben hatte.

Die Rückkehr einer vertriebenen Elite
Beispiele aus Wissenschaft, Kunst und Wirtschaft

Die wenigen Remigranten verschwinden nach dem Krieg in der großen Zahl von Flüchtlingen, Displaced Persons, Repatriierten, zurückkehrenden Kriegsgefangenen. Nachvollziehen lassen sich die Wege derjenigen, die vor oder nach dem Exil herausgehobene Positionen eingenommen hatten oder die sich in verschiedenen Bereichen des öffentlichen Lebens (wieder) etablieren konnten. Diese Rückkehrer aus Wissenschaft, Kunst, Wirtschaft, Verwaltung und Politik gehören also Eliten an. Doch gab es eine ‚remigrierte Elite'? Dazu ist zunächst zu klären, was Eliten auszeichnet.

Eliten sind strategisch postierte Minderheiten mit speziellen Kenntnissen und Fähigkeiten zur Wahrnehmung wichtiger Funktionen in der Gesellschaft. [1] Dieser Personenkreis sollte über eine „starke innere Kohäsionskraft" verfügen, beispielsweise einen gemeinsamen Moralkodex, ein Gruppenbewußtsein, eine überindividuelle Mentalität. Zur Elitenanalyse ist zu fragen nach dem institutionalisierten und dem informellen Respekt gegenüber dieser Elite, nach dessen Funktion und Reichweite, nach der Rekrutierung; nach dem Grad der Solidarität untereinander; nach der Einbettung der Elite in die Gesellschaft, nach ihren spezifischen Schwächen.

Zunächst einmal waren Rückkehrer vertriebene und damit aus ihrem Zusammenhang herausgerissene Personen, die – vor ihrer Emigration – zu Eliten gehört haben konnten. Für einen Großteil der politischen Emigranten treffen Elitenmerkmale zu, da es sich zumindest bei der sozialdemokratischen ebenso wie bei der konservativen Emigration nicht um eine Mitglieder-, sondern weitgehend um eine Funktionärsemigration handelte. [2] Bei der jüdischen Massenemigration war dies nicht der Fall, obwohl sich unter den Exilierten sehr viele Mitglieder künstlerischer und akademischer Führungsschichten befanden. Das waren keineswegs nur arrivierte Künstler und Wissenschaftler. Nimmt man den Begriff der ‚Avantgarde' für eine künstlerische und wissenschaftliche Elite, [3] deren Bedeutung sich (noch) nicht in etablierten Positionen niederschlägt, sondern auf einer vorausweisenden innovativen Qualität beruht, so verließen durch die Verfolgungsmaßnahmen der Nationalsozialisten gegen linke, jüdische und in verschiedener Weise ‚moderne' Künstler und Wissenschaftler wichtige Teile dieses Spektrums Deutschland. Viele von ihnen kehrten nicht zurück.

Geht man nun zunächst von der Grundlagenforschung des Instituts für Zeitgeschichte und der Leo-Baeck-Foundation im ‚Biographischen Handbuch' aus,[4] so wird dort sicherlich eine Elite erfaßt. Alle Untersuchungen, die sich auf diese Grundlage stützen, beziehen sich auf – vor ihrer Emigration oder danach – gesellschaftlich herausgehobene Personen. Doch eine Elite im Sinne einer kohärenten Gruppe bildeten diese Emigranten bereits im Exil nicht mehr, oder nur in Ausnahmefällen. Bei der Rückkehr potenzierte sich dieses Phänomen. Da viele Kollegen, Bekannte, Freunde in den Exilländern blieben, verfügten die Rückkehrer in Deutschland zunächst kaum über die Netzwerke, Verbindungen und Beziehungen, die normalerweise einer Elite zur Verfügung stehen. Dort, wo sich solche Netzwerke bildeten – z. B. im Bereich der Gewerkschaften, der SPD oder im Umfeld einiger hochkarätiger Remigranten aus Politik, Wissenschaft und Kultur –, lassen sich auch Zusammenhalt und überindividuelle Kodices feststellen.[5] Dies zeigte sich beispielsweise bei Aktionen gegen die deutsche Wiederbewaffnung, wie sie Peter Mertz beschreibt.[6] In den meisten anderen Fällen tauchten Emigranten jedoch tief in die neue alte Gesellschaft ein, verdrängten – gemeinsam mit ihrer Umgebung – ihr Emigrantenschicksal und bemühten sich, (wieder) integriertes Mitglied der anwesenden Eliten zu werden. Sind sie daher eine ‚remigrierte Elite'? Die „Sojourners", also diejenigen, die nicht auf Dauer zurückkehren wollten, waren zwar vielfach in herausgehobenen Positionen – z. B. als Gastprofessoren an den Universitäten, als Auslandskorrespondenten, als Anwälte für internationale Rechtsfragen – tätig, doch sie fanden oder suchten meist nicht mehr die Zugehörigkeit zur Vertreibungsgesellschaft. Viele von ihnen waren nun in mehreren Ländern und Sprachen zu Hause, kannten sich in verschiedenen Rechts- und Gesellschaftssystemen aus, wirkten in internationalen und übernationalen Vereinigungen. Sie lassen sich daher kaum als eine ‚deutsche', also nationale Elite bezeichnen.

Zur Elitenrückkehr nun als erstes ein Blick auf den Hochschulbereich: Am eindeutigsten als Elite definierbar sind wohl diejenigen

Remigranten, die als Professoren an deutsche Hochschulen zurückkehrten.[7] Doch erste Untersuchungen machen deutlich,[8] daß die Solidarität der nicht-emigrierten Professoren gegenüber ihren verfolgten Kollegen, die ja an sich Teil der gleichen Wissenschaftsgesellschaft, der gleichen Elitegruppe waren, nur sehr selten zum Tragen kam. Selbst Rückberufungen auf die Stellen, die die Emigranten vor ihrer Vertreibung innegehabt hatten, kamen zögerlich, häufig erst auf Drängen der Besatzungsmacht. Vor allem die Briten veranlaßten die ihnen unterstellten Hochschulen zu Rückrufbriefen.[9] Die Amerikaner wirkten wohl auch auf die Universitäten ein, überließen aber, wie die Briten, die letzte Entscheidung den Hochschulen. Intensiver kümmerten sich in der SBZ die zurückgekehrten Kommunisten, auch als verlängerter Arm der Sowjetischen Militäradministration, um Berufungen; dabei wurden qualitative Maßstäbe häufig zugunsten der ‚richtigen‘ Gesinnung und Vergangenheit außer Kraft gesetzt.[10] Für die Wissenschaftler als eine geschlossene Elitegruppe spricht die Situation jedenfalls nicht.

Die zögernde Rückberufungspolitik der Universitäten hatte unterschiedliche Ursachen. Dazu gehörte keineswegs nur die übliche Abneigung gegen linke und jüdische Verfolgte. Die Emigranten standen vielmehr auch in Konkurrenz zu den aus den deutschen Ostgebieten vertriebenen Professoren, die ebenfalls wieder Fuß zu fassen versuchten. In jedem Falle konnten sich Hochschullehrer am besten dort etablieren, wo sie innerhalb der einheimischen Eliten über gute Beziehungen verfügten, mußte man doch vor den Wiedergutmachungsregelungen der fünfziger Jahre zur Berufung wie zur Rückberufung vorgeschlagen werden. Bei den aus dem Osten vertriebenen Wissenschaftlern war die Gemeinsamkeit dadurch gegeben, daß viele ihre Sozialisation und Qualifikation vor noch nicht zu langer Zeit an Universitäten im ‚Altreich‘ durchlaufen hatten und nur im Rahmen der berufstypischen Mobilität an Universitäten in Breslau, Königsberg, Posen, Danzig etc. berufen worden waren. Man kannte sie innerhalb ihrer Disziplinen, und sie galten nicht als ‚Fremde‘. Daher konnten sie über berufsständische Argumente die Solidarität ihrer Kollegen aktivieren. Hier kann man getrost von dicht gewebten Netzwerken sprechen. Eine starke Konkurrenzsituation bestand überdies zu den im Rahmen der Entnazifizierung entlassenen Altordinarien, die auf ihre Lehrstühle zurückzukehren hofften. Die Emigrierten hingegen waren fast schon vergessen, ihre wissenschaftlichen Karrieren unterbrochen, ihre weiteren Wege unbekannt. Daher stellten die alten Kollegen auch mehrfach Fragen nach ihrer wissenschaftlichen Qualifikation. Sie hatten keine deutsche Staatsangehörigkeit mehr und gehörten nicht mehr der nationalen „Scientific community" an.

Es gab jedoch einen weiteren Grund für die zögernde Rückkehr der Professoren, der nicht nur den im Lande Gebliebenen anzulasten ist. Viele Professoren, vor allem Naturwissenschaftler, hatten in den Aufnahmeländern inzwischen bessere Bedingungen als in der alten Heimat, und besonders die als Juden Verfolgten sahen keinen Grund, in dieses Deutschland zurückzukehren. Anfangs mußten Professoren vor einer Rückberufung auch automatisch wieder die deutsche Staatsangehörigkeit annehmen, ein Schritt, der etliche der Verfolgten zögern ließ, sich wieder in eine solche Abhängigkeit von Deutschland zu bringen.[11] Manche kamen oft erst in den fünfziger und sechziger Jahren, nachdem sich in Deutschland die materiellen Verhältnisse gebessert hatten und die politischen überschaubarer geworden waren. Auch die Regelungen für die „Wiedergutmachung im öffentlichen Dienst" beförderten manche Rückkehr.

Dazu einige Zahlen, die den neuesten Berechnungen in den jeweiligen Beiträgen des ‚Handbuchs der deutschsprachigen Emigration' entnommen sind: Am geringsten waren die Rückkehrquoten in den Naturwissenschaften. Es kamen insgesamt drei Biologen nach Deutschland zurück, alle aus der Türkei.[12] Von den sechs zurückkehrenden Chemikern kamen ebenfalls zwei aus der Türkei, einer aus Griechenland, einer aus Ägypten. Von den 112 emigrierten Mathematikern kehrten nur acht zurück, das waren weniger als zehn Prozent der zu dieser Zeit noch Lebenden.[13] Auch bei den Physikern gab es kaum Remigranten. Nur etwa fünf Prozent der emigrierten Ärzte kamen nach dem Krieg wieder in ihre Herkunftsländer.[14] In den Erziehungswissenschaften hingegen kehrten 145 Personen, das war fast die Hälfte, zurück; zwei Drittel von ihnen blieben dauerhaft in ihrer ehemaligen Heimat.[15] Von 134 Historikeremigranten kehrten nur 21 während der ersten beiden Nachkriegsjahrzehnte nach Deutschland zurück.[16] In der Philosophie gab es unter 122 Emigrierten vier Remigranten, in den Wirtschaftswissenschaften von 178 etwa dreißig.[17] Diese ausgewählten Wissenschaftszweige zeigen bereits das Ausmaß der durch die Emigration entstandenen Verluste.

Nun noch einige Fallstudien. An den Münchner Universitäten wirkten insgesamt bis in die siebziger Jahre 35 remigrierte Professoren und 21 Remigranten als zeitweilige Gastdozenten. Dies ergibt jedenfalls eine Auszählung auf der Basis des ‚Biographischen Handbuchs der deutschsprachigen Emigration‘. Die Naturwissenschaften konnten dabei fast keine Emigranten zurückholen. Dagegen wurde die Politikwissenschaft durch Emigranten, manche davon im Stand von Gastdozenten, in München erst etabliert: Eric Voegelin lehrte zwischen 1958 und 1969 in München als Professor für Politikwissenschaft und Mitbegründer des Geschwister-Scholl-Instituts für politische Wissenschaft. Alois Robert Böhm kam aus Schanghai zurück und wurde Mitbegründer der Hochschule für Politik in München, Emerich Francis erhielt 1958 den Lehrstuhl für Soziologie an der Ludwig-Maximilians-Universität. Weiterhin wirkten hier auch wieder der Jurist Hans Nawiasky, der Orientalist Franz Babinger, der Hygieniker und Bakteriologe Hugo Braun, der Botanikprofessor Leo Brauner, der Philosophieprofessor Ernst Hugo Fischer, der Kulturanthropologe und Amerikanist Friedrich Georg Friedmann, der Althistoriker Kurt von Fritz, der Radiologe Karl Heckmann und viele andere.

Manche Emigranten kamen nach Verabschiedung der Wiedergutmachungsgesetzgebung in den fünfziger Jahren zurück, um hier zu emeritieren, so der Altphilologe Rudolf Pfeiffer, der Indologe Lucian Schermann oder der Anatom Alexander Wilkens.[18] Es ist signifikant, daß viele der Exilierten im Status von Gastdozenten oft über Jahre an der Universität lehrten, ohne wieder ein Teil der deutschen Gesellschaft werden zu wollen. Die Rückkehr zur Emeritierung läßt sich wohl in den meisten Fällen mit wirtschaftlichen Erwägungen und nicht nur mit Heimweh erklären.

Die Zahlen zu anderen Universitäten, die auf der Basis von Universitätsakten und Vorlesungsverzeichnissen erstellt wurden, wirken noch bedrückender. Das liegt wohl auch daran, daß hier meist nur die Professoren erfaßt wurden, die vor ihrer Emigration an eben dieser Hochschule gelehrt hatten, und nur bedingt diejenigen, die nun als Remigranten an diese Universität gingen. Überdies sind die Privatdozenten und Habilitanden schwer erfaßbar, die vor 1933 noch nicht in festen Beamtenstellen saßen. Für Göttingen läßt sich jedenfalls eine Zahl von vier rückberufenen Professoren finden, das war angeblich ein Drittel der Emigrierten:[19] Georg Misch, Helmut

Plessner, Gerhard Leibholz und, als einziger Naturwissenschaftler, Carl Ludwig Siegel. In Heidelberg remigrierten von 34 Emigrierten ebenfalls nur vier.[20] In Köln waren die Emigranten formell per Brief zu einer Rückkehr aufgefordert worden. Von den Angeschriebenen kamen Hans Hamburger und Fritz Karl Mann länger nach Köln zurück, Hans Kelsen und Bruno Kisch wurden formell wieder in den ordentlichen Lehrkörper aufgenommen. Der Romanist Leo Spitzer nahm eine Gastprofessur wahr. Die Emigranten René König und Ferdinand A. Hermens wurden neu berufen. Andererseits lehrten etliche Emigranten seit Ende 1946 als Gastdozenten an den Universitäten Köln und Bonn: Richard Alewyn, Ernst Cohn, Adolf von Hayeck, Gerhard Leibholz, Leo Liepmann, Waldemar Gurian, Paul Ernst Kahle, Wilhelm Sollmann, Georg Schwarzenberger, Eduard Fraenkel, Ferdinand A. Hermens, Walter Rüegg und 39 andere in Köln, in Bonn ebenfalls Alewyn, überdies Fritz T. Epstein, Walther Kranz und später Otto Kirchheimer und Siegfried Marck.[21] Alewyn und Sollmann blieben der Kölner Universität mehrere Semester verbunden, viele Jahre später berief die Universität Bonn Alewyn auf den Lehrstuhl für Literaturwissenschaft. Der Altertumsforscher Walther Kranz wurde schließlich Honorarprofessor in Bonn, der Orientalist Paul Ernst Kahle wirkte weiter in Bonn, obwohl er bereits bald emeritiert wurde.

Verhandelt hatte man nach eigener Angabe mit sehr viel mehr ehemaligen Kollegen. Das bayerische Kultusministerium stand 1947 angeblich bereits mit fünfzig Wissenschaftlern in Verhandlung.[22] Die Frankfurter Universität rechtfertigte sich 1948 in einer umfänglichen Denkschrift, sie habe unmittelbar nach der Wiedereröffnung mit drei wichtigen emigrierten Juristen Verhandlungen aufgenommen, Kurt Rietzler sei als Honorarprofessor wiedereingesetzt, ein zurückgesetzter Althistoriker habilitiert, der Wirtschaftshistoriker Ernst Fraenkel und der Soziologe und Politikwissenschaftler Arnold Bergstraesser als Gastprofessoren gewonnen worden. Mit Max Horkheimer und Paul Tillich stehe man in Kontakt.

Daß es Frankfurt letztlich gelang, mit der New School for Social Research, der Frankfurter Schule, eines der wichtigsten wissenschaftlichen Remigrationszentren wieder an sich zu ziehen, war zu diesem Zeitpunkt noch nicht absehbar. Max Horkheimer und Theodor W. Adorno überlegten sich lange, ob sie zurückkehren sollten.[23] Den Anfang machte tatsächlich ein Brief aus Frankfurt von 1946. Zur

*In Amt und Würden. Max Horkheimer als Rektor der
Frankfurter Universität mit Bundeskanzler Konrad Adenauer
während des Frankfurter Universitätsfestes, 30. Juni 1952*

Hundertjahrfeier des Paulskirchenparlaments kam Horkheimer
1948 zu Besuch, im Frühjahr 1949 kehrte er zurück, im Juli erhielt er
seinen von den Nazis abgeschafften Lehrstuhl wieder, und es zirku-
lierte bereits eine Petition, die die Wiedererrichtung des Instituts für
Sozialforschung forderte. Doch Horkheimer stellte eine Bedingung:
Er wollte seine amerikanische Staatsbürgerschaft nicht aufgeben. Ein
speziell für ihn initiiertes US-amerikanisches Gesetz ermöglichte
ihm dies. 1949/50 übernahm Adorno die ersten Veranstaltungen an
der Universität. Er äußerte sich begeistert über das unerwartet große
Interesse der Studierenden. Horkheimer wie Adorno setzten sich jedoch zu dieser Zeit intensiv mit der deutschen Universität, den Folgen des Nationalsozialismus und den Aufgaben des Wissenschaftlers

in Deutschland auseinander. Im August 1950 begann das Institut offiziell wieder mit seiner Forschungsarbeit, Ende 1951 wurde der Institutsneubau feierlich eröffnet. Wenige Tage später, am 20. November 1951, wählte die Johann Wolfgang Goethe-Universität Frankfurt den jüdischen Remigranten und amerikanischen Staatsbürger Horkheimer zum Universitätsrektor. Innerlich stand Horkheimer diesem beispiellosen Aufstieg in Nachkriegsdeutschland jedoch offenbar mit großer Distanz gegenüber. Den Blick von außen, den Blick des Emigranten, legte er nicht wieder ab. Die Verletzungen und Erfahrungen des Exils ließen sich nicht durch noch so große Ehrungen auslöschen.

An den Universitäten in der SBZ bzw. DDR wurden Rückberufungen sehr viel zielgerichteter ausgesprochen als in den Westzonen. Es lag ihnen eine klare universitätspolitische Strategie zugrunde. Gesucht wurden Fachqualifikation, sozialistische Gesinnung und moralische Integrität.[24] Zugunsten der richtigen Gesinnung trat dabei manchmal die Fachqualifikation zurück. Die Ergebnisse dieser Suche waren nicht unbedingt zufriedenstellender als im Westen. Grundsätzlich blieb es schwierig, genügend qualifizierte Gelehrte zu finden, die den Ansprüchen genügten.

Die Universität Leipzig wurde dabei für einige Jahre eines der wichtigsten Zentren dieses Neuanfangs. Der Philosoph Hans-Georg Gadamer, 1946/47 Rektor dieser Universität, schrieb in seinen Lebenserinnerungen: „Ein wesentlicher Teil meiner Tätigkeit bestand darin, in Ost und West und Übersee nach sozialistisch gesinnten Forschern Ausschau zu halten, mit denen man die Lücken stopfen konnte, ohne das Niveau zu gefährden.“[25] Von Fritz Behrens, dem ersten Dekan der Gesellschaftswissenschaftlichen Fakultät, ist der Stoßseufzer überliefert: „Da hilft nur eins, da muß ein Trupp jüdischer Emigranten aus Amerika her.“

Unter den Naturwissenschaftlern fanden sich nur wenige, die den Bedingungen entsprachen. Ralph Jessen nennt in seiner zentralen Studie zu den Akademischen Eliten in der Ulbricht-Ära den Biochemiker Mitja Samuel Rapoport, der aus den USA zurückkehrte und in Ostberlin eine Professur antrat. In den Gesellschaftswissenschaften sah es etwas besser aus: Es kamen die Rechtswissenschaftler Arthur Baumgarten aus der Schweiz nach Leipzig und dann nach Berlin, Karl Polak aus der UdSSR nach Leipzig, Peter Alfons Steiniger aus der Tschechoslowakei nach Berlin, Wolfgang Abendroth nach Leipzig und Jena. Nur Baumgarten war bereits als Professor ins Exil gegangen. Abendroth habilitierte sich nach dem Krieg, Polak und Steiniger waren nur promoviert. Der Ökonom Henryk Großmann übernahm 1949 noch für ein Jahr vor seinem Tod ein Ordinariat in Leipzig; er kam vom Institut for Social Research in New York.

Insgesamt umfaßte diese Gruppe vierzig Männer und eine Frau. Die Neuberufenen in den Geisteswissenschaften der Universität Leipzig wurden zu einer nahezu legendären Gruppe: Der Philosoph Ernst Bloch kam 1948 aus den USA, der Historiker Ernst Engelberg 1948 aus der Türkei, der Literaturwissenschaftler Hans Mayer, zunächst als Rundfunkspezialist aus dem Schweizer Exil nach Frankfurt am Main zurückgekehrt, ging ebenfalls 1948 nach Leipzig. Hinzu kamen dort der Romanist Werner Krauss und der Historiker Walter Markov, die die NS-Zeit im KZ überlebt hatten. Als wichtige Remigranten werden von Jessen u.a. noch genannt der Ökonom und Historiker Jürgen Kuczynski, der Soziologe und Historiker Alfred Meusel, der Philosoph Walter Hollitscher, die Musikwissenschaftler Ernst-Hermann Meyer und Georg Knepler, der Finnougrist Wolfgang Steinitz, der Literaturwissenschaftler Alfred Kantorowicz, alle Berlin; die Ethnologen Julius und Eva Lips, der Theologe Emil Fuchs, der Indologe Walter Ruben, der Wirtschaftshistoriker Gerhard Harig, der Literaturwissenschaftler Wieland Herzfelde, der Publizist Hermann Budzislawski, jeweils Leipzig sowie der Sozialphilosoph Leo Kofler, der Archäologe Heinz Mode und die Historiker Eduard Winter und Leo Stern in Halle.

Die meisten dieser Remigranten waren links oder jüdisch, viele standen schon vor 1933 mit der kommunistischen Bewegung in Verbindung. Sie waren jedoch weniger kommunistische Funktionäre als linke Intellektuelle und hatten das Exil meist außerhalb des Moskauer Einflußbereichs verbracht. Viele stammten aus ähnlich bürgerlichen Familien wie andere deutsche Hochschullehrer. Bis zu ihrer Berufung hatten die meisten jedoch einer akademischen Karriere ferngestanden. Weniger als die Hälfte war habilitiert. Im Westen hätten sie kaum eine Chance auf einen Lehrstuhl gehabt. Der SED und der Sowjetischen Militäradministration, die diese Berufungen vorantrieben, galten sie als wichtige Verbindungsglieder zu den Universitäten. Dort mußten sie sich jedoch gegen manche Wi-

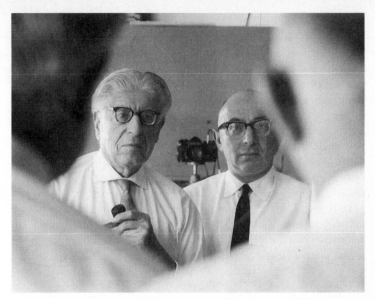

*Wanderer zwischen Ost und West. Der Philosoph Ernst Bloch (links)
und der Literaturwissenschaftler Hans Mayer nach ihrem Weggang aus
Leipzig in Tübingen, 1963*

derstände durchsetzen, die ihrer Doppelrolle und mangelnden akademischen Laufbahn entsprangen. Seit Ende der vierziger Jahre
waren sie dann hohem politischen Druck ausgesetzt, der sie als
Westemigranten jüdischer Herkunft besonders traf.[26]

Zu diesen Professoren kam eine Gruppe von Funktionären hinzu, die nur aufgrund ihrer politischen Qualifikationen in der KPD
berufen wurden. Jessen nennt hier Hermann Duncker, Gerhart
Eisler, Kurt Hager, Hans Teubner, Wilhelm Eidermann, Alfred
Lemmnitz und etliche andere. Viele von ihnen hatten nicht einmal
das Abitur, nur einer war habilitiert. Sie entstammten klassischen
KPD-Milieus. Und für etliche wurde die Universität Durchgangs-
station in politische Funktionen.

Viel stärker als im Westen verband sich also im Osten der Einfluß
auf Besetzungen mit der Politik. Im Westen überließen die Besatzungsmächte am Ende doch den Universitäten die letzte Entscheidung über Berufungen und anerkannten auch die Qualitätsan-

sprüche der Fakultäten. Dies blieb im Osten nicht gesichert. Die Remigration garantierte natürlich keineswegs ein großes Wirkungsumfeld in Deutschland, so wie gleichermaßen ein Verbleiben im Exilland nicht bedeutete, daß diese Emigrierten keinen Einfluß auf Nachkriegsdeutschland gehabt hätten. Spätestens seit den fünfziger Jahren öffneten sich dann zunehmend die Tore zur Welt, es gab vielfältige Kontakte, wissenschaftlichen Austausch, Übersetzungen wichtiger Literatur. Daher ist nicht die Remigration allein als Königsweg der Emigranten anzusehen. Gut aufgenommen wurden in Deutschland vor allem die Wissenschaftler, die ohne Vorwurf und ohne große Forderungen auftraten. Sonst sahen sie sich schnell in die Isolation gedrängt.

In Kunst, Theater, Literatur, Fotografie, Film, Musik läßt sich die Frage, wer nun eigentlich eine ‚emigrierte Elite‘ darstellt, noch viel schwerer beantworten als in den Wissenschaften, gibt es hier doch kaum klare Zugehörigkeitskriterien. Für das Theater gilt, daß ein Großteil der namhafteren exilierten Bühnenkünstler zurückkehrte. Ihre enge Verbindung zur deutschen Sprache ließ diesen Schritt naheliegend erscheinen.[27] So gingen Fritz Kortner, Erwin Piscator, Kurt Horwitz, Therese Giehse und Ernst Deutsch in die Bundesrepublik, Wolfgang Langhoff, Wolfgang Heinz, Gustav von Wangenheim, Ernst Busch, Helene Weigel, Bert Brecht in die DDR. Doch Kortner erhielt nie eine Theaterleitung, Erwin Piscator erst 1962. Langhoff geriet in der DDR ins Abseits. Für den Bereich des Films gilt, daß diejenigen, die sich in Hollywood etabliert hatten, meist nicht zurückkehrten. Wer sich stärker dem Theater verpflichtet sah, zeigte eine größere Neigung zur Remigration. Dazu gehörten Elisabeth Bergner, Maria Matray, Peter van Eyck, die sich wieder in der Bundesrepublik etablieren konnten.[28]

So prägten die Remigranten zwar die Theaterlandschaft der Nachkriegszeit, doch der Erfolgsweg von Bert Brecht und Helene Weigel in Ostberlin sollte nicht vorschnell verallgemeinert werden. Ihr öffentlicher Erfolg hing, wie der der remigrierten kommunistischen Professoren in der DDR, nicht zuletzt von politischen Konstellationen ab. Linke Künstler konnten sich hierbei in Ostdeutschland besser etablieren als weniger politisch engagierte Kollegen im Westen. So galt auch für die Emigration von Musikern die Regel, daß explizit politische Musiker als erste zurückkehrten. Die genauere Analyse dieser mehr als 4000 Personen umfassenden

Gruppe steht jedoch noch aus.[29] Ähnliches läßt sich für den Bereich Fotografie konstatieren: Wenn John Heartfield wie sein Bruder Wieland Herzfelde 1950 in die DDR ging, hatte das politische Gründe. Als Rückkehrer wird auch noch Werner Graeff genannt, Walter Peterhans kam zu Gastdozenturen in die Bundesrepublik.[30] An bildenden Künstlern und Architekten gingen rund fünfzig ganz oder zeitweise in die DDR, davon ein Fünftel Architekten. Sehr viele von ihnen waren Kommunisten und hatten aufgrund ihrer politischen Überzeugung emigrieren müssen.[31] In den Westen Deutschlands remigrierten daher sehr viel weniger von ihnen. Journalisten kamen nur selten zurück; zu den Ausnahmen gehörte Hermann Budzislawski, der an die Leipziger Universität ging.[32] Wie viele der explizit kommunistischen Künstler und Journalisten sahen auch politisch engagierte Schriftsteller ihr Wirkungsfeld eher in der DDR. Zu nennen sind hier neben Bert Brecht auch Friedrich Wolf, Anna Seghers, Stefan Heym, Stephan Hermlin, Arnold Zweig und andere.

Die Erfahrungen und Schwierigkeiten emigrierter Schriftsteller mit Westdeutschland thematisiert Peter Mertz ausführlich in seinem hervorragenden Buch ‚Und das wurde nicht ihr Staat'.[33] Höchst unterschiedliche Autoren wie Thomas Mann, Lion Feuchtwanger, Oskar Maria Graf, Hermann Kesten kamen nicht zurück. Andere sahen sich mit antisemitischer oder antikommunistischer Emigrantenhetze konfrontiert und verließen Deutschland enttäuscht wieder. Dazu gehörten Alfred Döblin, Hans Habe, Theodor Plievier, Fritz von Unruh, Heinrich Fraenkel. Selbst der in der Bundesrepublik sehr erfolgreich Carl Zuckmayer zog es vor, in der Schweiz zu leben. Die restaurative Bundesrepublik war nicht der Staat, für den sie im Exil gekämpft hatten.

Wieder zeigt sich hier eine Polarisierung der Positionen, die sich durch die gesamte Remigrationsdebatte zieht. Wer von außen kam, hatte einen anderen Blick auf Deutschland als diejenigen, die die NS-Zeit im Lande erlebt hatten. Auch diejenigen, die nicht für die DDR optierten, wünschten sich keinen Staat, in dem ehemalige Nationalsozialisten wieder wichtige Positionen einnahmen, einen Staat der Schuldverdrängung und Wiederbewaffnung. Ein Großteil der im Lande Gebliebenen erblickte jedoch eben darin den Beginn der nationalen Wiedergeburt. Emigranten waren lästige Mahner. Ihre moralischen Positionen wollte niemand nachvollziehen, ihre Ansprüche verstand man nicht. Willkommen waren jedoch diejenigen, die zum wirtschaftlichen Wiederaufbau, zur Rehabilitierung gegenüber der Welt beitragen konnten.

Und wie stand es um die Wirtschaft? Für dieses Thema gibt es bisher kaum mehr als Vorarbeiten. Ganz zurückgekommen sind wohl nur äußerst wenige der als Juden enteigneten Wirtschaftsleute. Ihr Eigentum erhielten sie wenigstens in den Westzonen, soweit es noch auffindbar war, meist problemlos „in Natur" zurückerstattet. Dies galt für Firmen, Häuser, Grundstücke, Aktien und ähnliches. Vieles deutet darauf hin, daß die Betroffenen das Zurückerhaltene entweder veräußerten oder verwalten ließen. Ein Beispiel dafür stellt die Familie Wallach dar, die ihr renommiertes Münchner Trachtenhaus zurückerhielt und als stiller Teilhaber die Besitzrechte weiterleben ließ. Die Kinder der Emigranten arbeiteten dort ab und zu in den Sommerferien, um die Sprache zu lernen, manchmal kam man aus England zu Besuch. Kein Familienmitglied sah sich veranlaßt, ganz zurückzukehren.[34] Ähnliches gilt für den ehemaligen Direktor von Löwenbräu, Hermann Schülein, der in New York blieb, in München jedoch weiterhin mäzenatisch wirkte.[35] Auch die emigrierten Mitglieder der Bankiersfamilie Rothschild kehrten nicht nach Deutschland zurück.[36] Der jüdische Bankier Willy Dreyfuß, dessen Frankfurter und Berliner Bankhäuser arisiert worden waren, lebte in der Schweiz; er ließ sich das Geraubte in hochwertigen Aktienpaketen zurückerstatten.[37]

Wer zurückkam und sich in den Dienst des Wiederaufbaus stellte, war jedoch willkommen. Dies läßt sich gut am Beispiel von Erich und Siegmund Warburg zeigen: Erich Warburg kehrte 1956 als aktiver Teilhaber der alten Warburg-Bank, zu dieser Zeit Brinkmann-Wirtz, nach Hamburg zurück. Als auf Versöhnung bedachter Jude wurde er „wie ein siegreicher Held" behandelt. Er entwickelte sich zu einer Gestalt von erheblichem symbolischen Gewicht, wurde doch durch ihn die Bereitschaft zu Versöhnung demonstriert, die Voraussetzung für die Wiederaufnahme Deutschlands in die Völkerfamilie. Beispiele für solche Brückenschläge waren seine Mitarbeit in der „Atlantikbrücke", aber auch seine Anwesenheit bei einem Staatsbesuch Helmut Schmidts in den USA Anfang der achtziger Jahre. Jüdische Emigranten wie sein Cousin Siegmund Warburg in London verschafften deutschen Unternehmen internationale Kontakte, als amerikanische und englische Banken Deutschland noch boykottierten. Siegmund Warburgs Bewunderung für Hermann Josef Abs und sein reibungsloser Umgang mit Thyssen oder Hoechst lösten Erstaunen und Kritik aus. Er war jedoch davon überzeugt, daß ein Wiederaufleben des Nationalsozialismus am besten durch Wohlstand und dauerhafte Westintegration zu überwinden sei, und tat dafür sein Möglichstes.[38] Die deutschen Banken ihrerseits nutzten die finanzielle Macht und die Verbindungen ehemaliger deutscher Juden gerne für den Wiederaufbau. Nationale Alleingänge, so macht dieses Beispiel deutlich, konnte es nach dem Zweiten Weltkrieg für Deutschland nicht mehr geben. Ob aus Opportunismus oder aus besserer Einsicht: Die Handreichung der Emigranten wurde dankend entgegengenommen.

Sind, so ist zum Abschluß nochmals zu fragen, Remigranten nun Vertreter einer Elite – oder wurden sie dazu nach der Rückkehr? Blieben möglicherweise die ‚wichtigeren‘ Repräsentanten des Exils in den Emigrationsländern? Oder sind diese Überlegungen in einer sich zunehmend international und übernational organisierenden Wissensgesellschaft nicht ohnehin anachronistisch, ein Rückfall in nationale Denkmuster des 19. Jahrhunderts? War die erzwungene Auswanderung eines wichtigen Teils der europäischen Eliten möglicherweise eine – ungewollte – Voraussetzung für die Entstehung einer ‚Weltelite‘ – mit speziellen Fähigkeiten und Kenntnissen für die Wahrnehmung wichtiger Funktionen in der (Welt-)Gesellschaft, mit innerer Kohärenz und Solidarität, institutionellem und informellem Respekt –, deren Bedeutung auf dem Umweg z. B. über die internationale Wissenschaftsentwicklung ohnehin für jedes einzelne Land wirkungsmächtig werden sollte? Diese Fragen müßten noch weit deutlicher die Remigrationsforschung prägen, als sie dies bisher tun.

Rückkehr in die Politik

Je politischer die Gründe für die Emigration, desto größer die Rück-kehrbereitschaft. Diese Regel bestätigt sich immer wieder. Das belegen auch die Zahlen, mit denen man in vorsichtiger Annäherung die Rückkehr beschreiben kann. So kamen rund achtzig Prozent der Kommunisten, etwa die Hälfte der Sozialdemokraten, jedoch nur rund vier Prozent der aus rassischen Gründen Verfolgten nach Deutschland zurück.[1]

Als besonders ‚erfolgreich‘ ist im Westen Deutschlands die sozi-aldemokratische Remigration zu bezeichnen: Mit Heinz Kühn und Wilhelm Hoegner stellte sie Länderministerpräsidenten, Max Brauer und Herbert Weichmann wurden in Hamburg, Robert Görlinger in Köln, Ernst Reuter und Willy Brandt in Berlin Bürgermeister, Brandt sogar Bundeskanzler. Herbert Wehner, Erich Ollenhauer, Willi Eichler, Fritz Heine, Waldemar von Knoeringen und andere Rückkehrer waren zentrale SPD-Bundespolitiker. Der sozialdemo-kratische Bundesparteivorstand bestand in den vierziger und fünf-ziger Jahren zur Hälfte aus Remigranten, die in der Bundespolitik eine wichtige qualitative, wenn auch von ihrer Zahl her in der Ge-samt-SPD keine quantitative Rolle spielten.[2] Und auch der Weg der Partei zum Godesberger Programm wurde stark von den Exilerfah-rungen der Rückkehrer mitbestimmt.[3]

Die kommunistische Remigration war anfänglich auch im Westen politisch einflußreich, sie stellte Minister und Abgeordnete.[4] Nach Einsetzen des Kalten Krieges wurden ihre Vertreter immer stärker zurückgedrängt, schließlich durch das Verbot der KPD sogar krimi-nalisiert. In der DDR hingegen setzten sich die kommunistischen Remigranten aus Moskau und die in der Sowjetunion umerzogenen Kriegsgefangenen sowohl gegen die bürgerlichen Parteien wie gegen kommunistische KZ-Überlebende und Westemigranten durch.[5] Für die rund 250 aus dem sowjetischen Exil zurückgekehrten Emigran-ten treffen im Rahmen der Elitenanalyse vor allem die Kriterien zu, die auf die innere Kohärenz und Solidarität einer Elitegruppe Bezug nehmen. Die systematische Personalpolitik der Moskauer „Politemigranten", wie sie genannt wurden, kann als gelungenes Beispiel gezielter Einsatzplanung gelten. Sie verhalf ihnen auch bald zu großem ‚institutionalisierten‘ Respekt, vor allem durch ihre Schlüsselstellungen in der Partei und anderen Institutionen.

Für politische Remigranten gab es eine wichtige zeitliche Grenze. Wer nicht in der ersten Phase bis zur Gründung der beiden deutschen Staaten zurückkehrte, hatte oft nicht mehr die Chance, sich in den schnell wieder entstandenen Parteigremien zu etablieren. Das galt mit gewissen Einschränkungen auch in der SBZ/DDR. Die Neuformierung der Eliten begann bereits unmittelbar nach Kriegsende, als die Besatzer relativ unbelastete Deutsche mit Funktionen betrauten. Die ersten Wahlen folgten auf kommunaler und regionaler Ebene meist bereits im Laufe des nächsten Jahres. Auch zu diesem Zeitpunkt waren viele Emigranten vor allem im Westen noch nicht wieder vor Ort. Die Gewählten fühlten sich mit Recht als von den Wählern und den Besatzern akzeptierte Repräsentanten. Rückkehrer trafen auf bereits formierte Gremien, die Stühle waren besetzt. Hier verfügte die KPD-Remigration über einen Vorsprung von fast einem Jahr.[6] Nach 1948/49 konnten im politischen Bereich nur noch wenige derjenigen Funktionen übernehmen, die ihre Legitimation aus der Tätigkeit vor oder während der Emigration bezogen.

Welche Faktoren waren nun entscheidend dafür, daß sich diese Politiker wieder etablieren konnten? Lag es an der solidarischen Haltung der Parteigenossen gegenüber den Rückkehrern? Welche Rolle spielten Netzwerke? Vor allem ist zu fragen, inwieweit und warum sich Rückkehrer im Rahmen lokaler und überregionaler Eliten etablieren konnten. Die (Wieder-)Aufnahme in eine solche Gruppe setzt die Bereitschaft voraus, den Ankömmling als einen der ihren anzunehmen und dies auch nach außen zu dokumentieren. Deshalb läßt sich hieran wiederum viel über die Haltung der aufnehmenden Gruppe ablesen.

Ein wichtige Rolle für eine frühe Etablierung von Remigranten spielte 1945 im Westen auch der Rückgriff auf die Tradition der Zeit vor 1933. Im Osten hingegen waren es der – zumindest öffentliche – Bruch mit der Tradition und die Legitimation durch den sich bald ausformenden antifaschistischen Gründungsmythos, die den kommunistischen Remigranten zu ihren Wirkungsmöglichkeiten verhalfen.

Zunächst einige Beispiele. Die Wahl des Remigranten Max Brauer zum Hamburger Bürgermeister im Jahre 1946 war im Gegensatz zur Ernennung Wilhelm Hoegners zum bayerischen Ministerpräsidenten im gleichen Jahr nicht durch eine Besatzungsmacht bestimmt worden.[7] Brauer stand jedoch keineswegs nur für das Exil, er repräsentierte für die lokalen Eliten vor allem die Normalität von vor 1933. Auch Brauer wurde nicht Bürgermeister, weil er Emigrant, sondern obwohl er Emigrant war. Als christlicher Gewerkschafter evangelischen Bekenntnisses und früherer Bürgermeister von Altona verfügte er über genügend gute Kontakte innerhalb des Establishments, um als Kandidat aufgestellt zu werden – ein Vorgang, der als das entscheidende Zeichen der Zugehörigkeit zu kommunalen Eliten gelten kann. Der spätere zweite Bürgermeister aus Remigrantenkreisen, Herbert Weichmann, wäre zu diesem Zeitpunkt als Hamburger Bürgermeister sicherlich noch nicht denkbar gewesen.

In Köln wurde von den Amerikanern zunächst Konrad Adenauer als Oberbürgermeister eingesetzt, der dieses Amt bis 1933 innegehabt hatte. Der später dort gewählte Robert Görlinger konnte ebenfalls auf eine lange kommunal- und landespolitische Tätigkeit in der örtlichen SPD vor 1933 zurückblicken. Er kam im Juli 1945 aus Exil und KZ nach Köln zurück, wurde wieder Vorsitzender der SPD-Fraktion im Stadtrat und in allen Legislaturperioden bis zu seinem Tod 1954 Bürgermeister. Zwei Jahre, November 1948 bis Dezember 1949 und November 1950 bis Dezember 1951, wirkte er als Oberbürgermeister.[8] Konrad Adenauer, selbst verfolgt, wenn auch Repräsentant der Dagebliebenen, stand dem Rückkehrer und Sozialdemokraten Görlinger höchst skeptisch gegenüber. In seinen Erinnerungen unterstellt er, Görlinger habe die britische Besatzungsmacht durch seine Berichte an den englischen Geheimdienst gegen die CDU eingenommen – ein ‚klassischer‘ Vorwurf gegen einen Remigranten.[9]

Die Wahl des Türkei-Remigranten Ernst Reuter zum Regierenden Bürgermeister von (West-)Berlin 1947 war ebenso ein Rückgriff auf die Weimarer Tradition wie die Wahl des Altonaer Bürgermeisters Max Brauer. Als Berliner Bürgermeister während der Berlin-Blockade 1948/49 erlangte Reuter eminente Bedeutung. In den zwanziger Jahren hatte Reuter zunächst für die KPD gewirkt, dann für die SPD als Berliner Stadtverordneter, seit 1926 als be-

Objekt der Verehrung wie des Hasses.
Der SPD-Politiker Willy Brandt als Regierender Bürgermeister
von Berlin, 3. September 1963

rufsmäßiger Stadtrat für das Berliner Verkehrswesen.[10] 1931 wurde er Oberbürgermeiser von Magdeburg. Bei der Wahl Willy Brandts 1957 ging es bereits nicht mehr um den Rückgriff auf die Tradition von vor 1933; hier stand Brandts Tätigkeit nach der Rückkehr als Berliner SPD-Politiker und Bundestagsabgeordneter im Mittelpunkt.[11]

In einer Stadt wie München fehlte die Tradition einer vor 1933 regierenden SPD; jene war im Ersten Weltkrieg und der Revolution von 1918/19 zu Ende gegangen. Der erste Oberbürgermeister nach 1945, der (nicht-emigrierte) ehemalige BVP- und dann CSU-Politiker Karl Scharnagl, hatte jedoch dieses Amt bis 1933 ausgeübt und war damit

wie Brauer ein Repräsentant der vornationalsozialistischen Zeit, obwohl bestimmt kein Vertreter liberaler politischer Positionen.[12] Mit
dem (katholischen) Spitzenjuristen Wilhelm Hoegner, der bereits in
den zwanziger Jahren als SPD-Politiker im Landtag und Reichstag
gesessen hatte, kam in Bayern auf Landesebene ebenfalls ein Mann
zum Zuge, der Weimarer Zeit und Exilerfahrung verband. Hoegner
verblieb nicht wie Brauer jahrelang in unumstrittener Führungspo-
sition, er gestaltete jedoch in unterschiedlichen Ministerien und als
Ministerpräsident einer Koalitionsregierung die Politik der Nachkriegszeit mit.

Ein Weg der Selbstlegitimation neuer-alter lokaler Eliten nach der
nationalsozialistischen Katastrophe war, so ist zu resümieren,
zunächst der Rückgriff auf die Tradition. Dazu konnten auch Remigranten herangezogen werden. Für deren weiteres Schicksal innerhalb solcher Gruppen galt dann die Meßlatte der Tagespolitik. Die
Zeit im Exil bildete binnen kurzem nur noch den biographischen
Hintergrund, der – im besten Falle – nicht thematisiert wurde. Es
zeigt die Besonderheit der Hamburger Situation, daß beispielsweise
Brauer immer wieder offen seine Exilerfahrung lobte. „An keinem
Tage meiner Hamburger Tätigkeit habe ich vergessen", konnte man
1950 im Neuen Hamburg lesen,[13] „was ich an Wissen und an neuen
Erkenntnissen in Amerika zu sammeln die Gelegenheit hatte." Diese
Bezugnahme wertete man in Hamburg positiv, während gleichzeitig
die remigrierten Bundestagsabgeordneten in Bonn bemüht waren,
aus den Bundestagshandbüchern den Verweis auf ihre Zeit im Exil
zu tilgen.[14]

Der Blick auf Brauer zeigt auch, wie ein Remigrant beschaffen
sein mußte, um in den Westzonen gut aufgenommen zu werden. Als
Brauer 1946 Hamburg besuchte, identifizierte er sich sofort mit den
Problemen der Deutschen. Es gab keinen amerikanischen Staatsbürger Brauer mehr, es gab nur noch den hamburgischen Politiker,
der den Kampf gegen den Hunger und für den Wiederaufbau des
Hafens als wichtigstes Mittel der Wiedergewinnung der Demokratie propagierte.[15] Es fiel nicht schwer, solche Politiker anzunehmen,
die keine umfänglichen Forderungen nach Umdenken und Umerziehung stellten.

Im Osten Deutschlands sah das Bild von Anfang an anders aus.
Ziel der Moskauer Politik und der von ihr überzeugten deutschen
Kommunisten war ein durchgreifender Elitenwechsel, der zu einem

Der Streiter für Berlin. Dreihunderttausend Menschen hören vor dem Reichstag den berühmten, in die ganze Welt verbreiteten Appell des Regierenden Bürgermeisters von Berlin, Ernst Reuter: „Ihr Völker der Welt ...! Schaut auf diese Stadt und erkennt, daß Ihr diese Stadt und dieses Volk nicht preisgeben dürft, nicht preisgeben könnt ...!", 9. September 1948

Systemwechsel führen sollte. Das antifaschistische Selbstverständnis der zurückkehrenden KPD-Kader bot die moralische Rechtfertigung für den Zugriff auf die Schaltstellen von Politik und Gesellschaft.[16] Der Bruch mit der Tradition war damit ein wesentlicher Teil der Personalpolitik. Dabei wirkte der moralische Anspruch der Kommunisten zunächst relativ homogen, gleichgültig, ob sie die NS-Zeit im KZ, in der Westemigration oder in der Sowjetunion erlebt hatten. Doch bald zeigten sich die entscheidenden Unterschiede: Die Moskau-Remigranten vor allem der Gruppe Ulbricht verstanden es geschickt, Kader in Schlüsselstellungen zu bringen und damit neue Eliten zu formen. Sowohl die von der Buchenwald-Erfahrung geprägten Kommunisten wie die später zurückkehrenden kommunistischen Westemigranten stellten demgegenüber keine vergleichbar homogene Gruppe dar. Das Selbstverständnis der Moskauer Kommunisten war stark von den Stalinistischen Säuberungen und Schauprozessen der dreißiger Jahre geprägt. Sie sahen in der UdSSR ein nachahmenswertes Vorbild. Und ihre Rückkehr aus der Sowjetunion wurde ausschließlich nach kaderpolitischen Gesichtspunkten von der KPD bzw. der Sowjetischen Militäradministration geplant.[17]

Und so begann die Remigration in die spätere DDR mit den drei Initiativgruppen der KPD: der Gruppe Ulbricht in Berlin, der Gruppe Sobottka in Mecklenburg-Vorpommern und der Gruppe Ackermann in Sachsen. Walter Ulbricht in Berlin koordinierte die weitere Remigration. Da die Personaldecke der von den innerparteilichen Säuberungen am stärksten betroffenen Moskau-Remigranten überaus dünn war, bemühte sich Franz Dahlem, im Politbüro für Kaderfragen zuständig, bald um die Rückkehr von Kommunisten aus der Westemigration. In organisierten Gruppen kehrten die KPD-Funktionäre aus Skandinavien Anfang 1946 in die SBZ zurück, im Mai 1946 kamen weitere 55 Kommunisten aus Mexiko. Im Sommer 1946 folgten die Großbritannien-Emigranten. Dabei handelte es sich jeweils um zuverlässige Kommunisten; Sozialdemokraten konnten nur auf Aufforderung in die SBZ einreisen. Rückkehrer meldeten sich in der Parteizentrale, wurden nochmals überprüft und dann eingesetzt: im zentralen Parteiapparat, in Schlüsselstellen von Wirtschaft und Verwaltung, in den Parteiorganisationen der Länder.[18] Opfer der stalinistischen Säuberungen mußten oft noch bis in die sechziger Jahre auf eine Rückkehr warten, eine „Schweigeerklärung" unterschreiben und wurden zudem ständig kontrolliert. Wer früher rehabilitiert wurde, konnte jedoch durchaus noch innerhalb des Apparates aufsteigen.

Durch die Anerkennung als „Opfer des Faschismus" (OdF) erhielten Widerstandskämpfer und Remigranten gewisse Privilegien in der Verpflegung, der Wohnungszuteilung, der Steuerbemessung. Hierbei gab man den politisch Verfolgten klar den Vorzug vor den aus rassischen Gründen Verfolgten. Diese wurden zwar auch als „OdF" anerkannt, jedoch nur als Opfer zweiter Klasse. Der Ausweis als „Kämpfer" blieb den Kommunisten vorbehalten.

Im Rahmen der Säuberungen der frühen fünfziger Jahre wurde der Einfluß der Westemigranten in der DDR zurückgedrängt. Ziel der Parteiüberprüfungen war wohl letztlich eine Stalinisierung der SED. Die Verfolgungen betrafen etwa dreihundert Remigranten, vor allem aus der Schweiz, Frankreich und Mexiko. Durch den Einfluß der Sowjetunion traten dabei deutlich antisemitische Züge zutage.[19]

Schnelle Integration. Der amerikanische Staatsbürger
Max Brauer (links) und Salomon Grumbach auf der
zentralen Wahlkundgebung der SPD zur Bürgerschafts-
wahl in Hamburg, 11. August 1946

Nach dem Abflauen der Parteiüberprüfungen Ende der fünfziger Jahre kamen auch die Westemigranten erneut zum Zuge. Sie wurden wieder erkennbar öfter in SED-Gremien gewählt.

Nach 1949 gehörten jedenfalls 84 kommunistische Emigranten der Volkskammer und den Länderparlamenten der DDR an, 68 ehemalige Emigranten waren Mitglieder des DDR-Staatsrates, des Ministerrates oder einer Länderregierung. Mitglieder der SED wurden 461 Remigranten. Davon stammten in der ersten Gruppe der 84 etwa ein Viertel, in der zweiten Gruppe von 68 zehn Prozent und in der dritten Gruppe knapp zwanzig Prozent aus jüdischen Familien.[20]

Der mächtigste Mann der DDR. Der Moskau-Remigrant
Walter Ulbricht, Generalsekretär der SED, 1952

Ein vergleichbarer quantitativer Überblick über die Remigranten der Westzonen in Parlamenten und in Regierungsfunktionen zeigt ein anderes Bild.[21] Bis zur Gründung der Bundesrepublik wirkten in Landesregierungen 16 Remigranten als Minister, von 1949 bis 1953 waren es 13, danach elf bzw. acht. Der Hauptteil davon gehörte der SPD an. In den jeweiligen Länderparlamenten saßen fast überall zwischen ein und sieben Rückkehrer, nur in Nordrhein-Westfalen waren es im 1947 gewählten Parlament 16. Ihre Gesamtzahl in den deutschen Länderparlamenten (ohne das damals französische Saarland) betrug in der ersten Wahlperiode 41. Im deutschen Bundestag vertraten 36 Remigranten bis 1953, 29 bis 1957, 24 bis 1961 vor allem die SPD, im ersten Bundestag auch noch die KPD. Die Wirtschaftliche Aufbauvereinigung (WAV) entsandte 1949 bis 1953 einen Remigranten, die FDP einen in der folgenden Legislaturperiode und die CDU einen in der dritten. Danach stellte die SPD im Bundestag nur noch 21, zehn und sieben Rückkehrer.

Im Wirtschaftsrat, im Parlamentarischen Rat wie in der SPD-Bundestagsfraktion waren Remigranten überproportional vertreten. Doch sie verfügten im Gegensatz zu den Kommunisten nicht über eine gemeinsame Gruppenidentität. So gab es zwischen ihnen beispielsweise keine informellen Treffen. Zur ‚remigrierten Elite‘ fehlte ihnen also der Zusammenhalt. Ihre wichtigste Gemeinsamkeit wurde von außen geschaffen: Sie waren immer wieder kollektiv dem Verdacht des ‚Landesverrats‘ ausgesetzt, den vor allem Politiker wie Konrad Adenauer und Franz Josef Strauß bedienten.

Die Frage nach dem ‚modernisierenden‘ oder gar ‚amerikanisierenden‘ Potential der sozialdemokratischen Remigranten in der Bundesrepublik wird unterschiedlich bewertet. Jan Foitzik sieht vor allem das Anknüpfen an die Weimarer Tradition und an die Lehren aus Weimar als wichtigste Impulse des Exils an. Er bewertet die Rückkehr z. B. von Brauer und Katz aus den USA, von Baade und Reuter aus der Türkei, von Hoegner und Nawiasky aus der Schweiz als Beleg für einen gewissen Traditionalismus, nicht für Fortschrittlichkeit. Hartmut Mehringer hingegen betont vor allem die Rolle der Rückkehrer für den Wandel der SPD zur einer modernen Nachkriegspartei mit einem Verzicht auf die Vorstellungen der Weimarer Zeit, einem Verzicht auf Teile der alten Weltanschauung und mit dem Weg zu mehr Internationalität und Verwestlichung.[22]

Die Vertreter der konservativen Emigration durchliefen ebenfalls einen Wandlungsprozeß, der als Weg vom Antimodernismus zum Antitotalitarismus bezeichnet worden ist, der letztlich aber eine Übereinstimmung mit Gedanken enthielt, wie sie ganz ähnlich bei den remigrierten Sozialdemokraten festzustellen sind.[23] Vertreter des konservativen Exils waren unter anderem die ehemaligen Reichskanzler Heinrich Brüning und Joseph Wirth, die Politiker und Publizisten Hubertus Prinz zu Löwenstein, Gustav Stolper, Richard Coudenhove-Kalergie, Otto von Habsburg, aber auch Otto Strasser mit seiner Schwarzen Front, Repräsentanten des „Christlichen Ständestaats“ wie Klaus Dohrn oder Dietrich von Hildebrand, die Zentrums-Abgeordneten Johannes Schauff und Friedrich Dessauer, Professoren wie Arnold Bergstraesser, Eric Voegelin, Hans Rothfels. Einige von ihnen gelangten vor allem in den USA zu beträchtlichem Einfluß auf die Nachkriegsplanung. Durch die Auseinandersetzung mit dem Nationalsozialismus wandten sie sich meist scharf gegen den sowjetischen Kommunismus und plädierten für eine Westorientierung Nachkriegsdeutschlands und für die Allianz mit den westlichen Demokratien.

Nach 1945 wurden einige dieser Emigranten wieder politisch tätig, auch wenn keiner von ihnen zentrale politische Funktionen erreichte. Dazu zwei Beispiele: Hubertus Prinz zu Löwenstein engagierte sich für die Erneuerung des Reichsgedankens und damit für die Wiederangliederung des Saarlandes an die Bundesrepublik.[24] Er wirkte als Bundestagsabgeordneter für die FDP, wechselte zur CDU, wurde Sonderberater und Stadtverordneter. Johannes Schauff hingegen remigrierte nicht, wurde aber in unterschiedlichster Form für Deutschland tätig: Er war Mitgründer und sieben Jahre lang Leiter des International Catholic Migration Committee, später freier Publizist.[25] Wie Klaus Dohrn arbeitete er als Berater Konrad Adenauers. Mit anderen konservativen Remigranten war er ein vehementer Vertreter des Persönlichkeitswahlrechts und versuchte immer wieder eine Diskussion darüber in der Bundesrepublik zu initiieren. Er arbeitete vor allem über kirchliche Kanäle an der Aussöhnung mit Polen mit, beförderte ein besseres Verhältnis zwischen Katholischer Kirche und deutscher Sozialdemokratie und wirkte als Vermittler für die Bildung der Großen Koalition zwischen CDU und SPD.[26] Dieses Beispiel zeigt, daß ‚Einfluß' keineswegs nur mit politischen Mandaten verbunden sein muß. Die entsprechenden Netzwerke und Verbindungen sind allerdings erst in mühsamer personengeschichtlicher Kleinarbeit zu rekonstruieren und darzustellen.

Am Fall Bayern sollen nun einige Punkte nochmals genauer betrachtet werden. Das regionale Beispiel läßt Antworten auf Fragen nach den Exilländern, der Altersstruktur, der regionalen Herkunft und der politischen Integration zu. Es ist die Verdrängung der Kommunisten im Westen erkennbar, ebenso ihre Bedrohung durch die Parteisäuberungen in Ostberlin. Eine solche Mikrostudie bringt viele neue Erkenntnisse. Letztlich werden sich Phasen, Erfolge und Zurückdrängung der politische Remigration nach Deutschland am besten durch den Vergleich solcher Fallbeispiele erforschen lassen.[27]

Elf bayerische sozialdemokratische Landtags- und Bundestagsabgeordnete entstammten Exilkreisen: Karl-Heinz Beck, Arno Behrisch, Josef Felder, Alfred Frenzel, Volkmar Gabert, Wilhelm Hoegner, Waldemar von Knoeringen, Heinrich Kreyssig, Otto Priller, Richard Reitzner und Josef Sebald. Fünf dieser Mandatsträger hatten zuletzt im englischen Exil gelebt, dessen besondere Bedeutung als SPD-Exilland damit erneut deutlich wird, zwei in der

Schweiz und je einer in Schweden und Kolumbien. Zwei dieser Emigranten – Felder und Sebald – waren bereits vor 1945 aus ihrem Exil in Österreich und der Tschechoslowakei zurückgekehrt, acht kamen in den Jahren 1945/46, einer – Otto Priller aus Kolumbien – im Frühjahr 1948. Die frühe Rückkehr gehörte also zu den wichtigen Elementen eines gelungenen politischen Neuanfangs.

Das Alter der Rückkehrer spielte für ihre Integration offenbar keine signifikante Rolle. Doch zählte keiner der politisch aktiven Remigranten über sechzig Jahre. Nimmt man 1945 als Stichjahr, so waren zu diesem Zeitpunkt von den späteren Abgeordneten drei über fünfzig, vier über vierzig, drei über dreißig Jahre alt und nur Volkmar Gabert jünger. Gabert hatte vor der Emigration noch keine politischen Funktionen ausgeübt, die Ältesten, also Hoegner und Reitzner, zählten 1933 bereits 46 Jahre. Sie sahen sich in der Partei jedoch ebenso wie die nicht emigrierten Vertreter der Weimarer SPD dem Druck einer jungen Generation ausgesetzt.[28] Diese oberbayerischen Abgeordneten stammten aus ganz unterschiedlichen Gegenden, fünf von ihnen aus Bayern – davon drei aus München und Oberbayern –, drei aus dem Sudetenland, drei aus Dresden, Leipzig und Crossen an der Saale. Daran wird der wichtige Anteil der sudetendeutschen und mitteldeutschen Remigranten an der neu entstehenden bayerischen Sozialdemokratie deutlich.

Dieses kleine Fallbeispiel soll nur Orientierungspunkte der politischen Integration exilierter Sozialdemokraten liefern. So konnte sich beispielsweise Karl-Heinz Beck trotz seiner frühen Rückkehr nicht etablieren und wanderte 1951 wieder in die Schweiz aus.[29] Der in Josefsthal/Böhmen geborene Landtags- und Bundestagsabgeordnete Alfred Frenzel, in den fünfziger Jahren Mitglied des Wiedergutmachungs- und Verteidigungsausschusses in Bonn, wurde 1960 als Spion der CSSR enttarnt, verurteilt und später gegen DDR-Inhaftierte ausgetauscht. Sein Fall schürte erneut die Ressentiments gegen die Emigranten, in denen man gerne samt und sonders Spione sah.[30]

Wie wenig dies zutraf, zeigen viele andere aufrechte Demokraten, darunter Wilhelm Hoegner, Waldemar von Knoeringen und sein Weggefährte, der Rosenheimer Stadtrat, Bürgermeister, Landtagsabgeordnete und Oberbürgermeister Josef Sebald,[31] sowie der Lizenzträger und Chefredakteur des Bad Reichenhaller Südostkuriers Josef Felder.[32] Auch die Vertriebenenpolitiker Richard Reitzner und Volkmar Gabert, die beide als Sudetendeutsche nicht mehr in ihre Heimat zurück konnten und aus dem englischen Exil kamen, bestimmten die SPD-Politik mit. Gabert war viele Jahre SPD-Landesvorsitzender und Oppositionsführer im Landtag.[33]

Die Remigranten nahmen also bald wieder wichtige Führungspositionen ein. Rein quantitativ fielen sie im Landtag jedoch kaum ins Gewicht: Im ersten gewählten bayerischen Landtag von 1946 gab es unter insgesamt 180 Abgeordneten fünf Emigranten, davon mit Alfred Loritz, WAV, nur einen Nicht-Sozialdemokraten. Sie stellten weniger als ein Zehntel der SPD-Fraktion aus 53 Abgeordneten.[34] Im zweiten Landtag von 1950 waren sieben der nun insgesamt zweihundert Abgeordneten ehemalige Emigranten, das entsprach mehr als einem Zehntel der 63 SPD-Abgeordneten.[35]

Eine Partei-, wenn auch keine Landtagskarriere machte der Münchner Remigrant Rolf Reventlow.[36] 1953 kehrte er durch Vermittlung Waldemar von Knoeringens, der wie Reventlow dem linken Parteiflügel angehört hatte, aus seinem Exilland Algerien zurück und war bis 1962 SPD-Unterbezirkssekretär für München später dort stellvertretender SPD-Vorsitzender. Manche SPD-Rückkehrer wirkten nicht unmittelbar als Abgeordnete oder in Parteiämtern. Franz Fischer, Walter Tschuppik und Ernest Langendorf arbeiteten im Pressebereich.[37] Andere engagierten sich für ihre ehemaligen Leidensgenossen, so Philipp Auerbach als Staatskommissar für die politisch, rassisch und religiös Verfolgten[38] und der aus Karlsbad stammende Alois Ullmann[39] als Leiter einer Betreuungsaktion für sozialdemokratische Vertriebene aus der Tschechoslowakei und als Vermögenstreuhänder des Dachauer Lagers, in dem er fünf Jahre verbracht hatte. Wieder andere betätigten sich wie der sudetendeutsche Politiker Fritz Kessler in der Kommunalpolitik.[40]

Ähnlich integrierten sich die Mitglieder des konservativen Exils wieder in die Nachkriegspolitik. Ein wichtiger Repräsentant dieser Gruppe war Josef Panholzer. Der in Oberbayern geborene Rechtsanwalt[41] wirkte ab 1946 wieder in München und trat der radikal-föderalistischen Bayernpartei bei. In den fünfziger Jahren war er Staatssekretär im Finanzministerium, danach bis 1966 Landtagsabgeordneter, einige Jahre auch Landes- und Fraktionsvorsitzender seiner Partei. Nach der Spaltung der Bayernpartei übernahm er die Führung der neugegründeten Bayerischen Staatspartei. Eine Sonderrolle spielte der Sohn des langjährigen Regierungspräsidenten von Oberbayern, der Rechtsanwalt Alfred Loritz.[42] Er kehrte im

Mai 1945 nach München zurück und gründete die Wirtschaftliche Aufbauvereinigung (WAV), für die er in den Landtag einzog. Ein halbes Jahr lang war er Entnazifizierungsminister, wurde im Juni 1947 jedoch wegen Meineidsverleitung und Schwarzmarktgeschäften verhaftet, konnte fliehen und lebte eine Zeit im Untergrund, von wo aus er sogar Wahlkampf führte. 1949 bis 1953 erhielt er wiederum ein Bundestagsmandat, wurde erneut angeklagt und 1959 schließlich verurteilt. Er floh nach Österreich und erhielt dort politisches Asyl. Hier vermischte sich also eine abenteuerliche persönliche Laufbahn, die oft am Rande der Kriminalität verlief, mit dem Schicksal einer Partei, die einige Jahre hohe Wahlergebnisse vorweisen konnte und aktiv zumindest in der Landespolitik mitwirkte.

Die Exponenten des konservativen Exils konnten sich gut wieder in die entstehende Nachkriegsgesellschaft einleben und wichtige Positionen erreichen, waren sie doch nicht mit dem ‚Makel' linker Gesinnung behaftet. Dennoch gelang es ihnen nicht, ihre bayerisch-separatistischen oder monarchistischen Exilkonzeptionen durchzusetzen. Aber auch die Kommunisten erreichten ihr Ziel nicht, die sich ebenfalls von der Befreiung des Jahres 1945 den Sieg ihrer Sache versprochen hatten. Nach anfänglicher Integration wurden sie schon bald auf allen Ebenen in die politische Isolation gedrängt.

Bereits vor Kriegsende nahmen einige emigrierte Kommunisten die illegale Widerstandsarbeit in Bayern wieder auf,[43] so der in München geborene Ludwig Ficker,[44] der bereits seit Ende 1944 die Arbeit der kommunistischen Zellen koordinierte und die Kontakte zu den Verschwörern der späteren Freiheitsaktion Bayern herstellte. Im April 1945, nach einer KPD-Konferenz in Zürich, kamen auch der Münchner Hans Reitberger und der in Mühldorf am Inn geborene Josef Wimmer illegal über die Schweizer Grenze, um am Aufstand der Freiheitsaktion Bayern mitzuwirken. Trotz anfänglicher Kooperation wurden sie vom Beginn der Aktion dann wohl absichtlich zu spät verständigt. Mitte 1945 folgten ihnen der Dresdner Bruno Goldhammer, der Berliner Archäologe Heinz Mode und der in Lothringen geborene Fritz Sperling. Diese Rückkehrer hatten zuletzt in der Schweiz im Exil gelebt. Der aus Mainfranken stammende Heinrich Schmitt wurde beim Einmarsch der Amerikaner aus dem Zuchthaus in Landberg am Lech befreit.

Alle diese Remigranten setzten sich für den Aufbau der KPD in Bayern ein. Ludwig Ficker und Bruno Goldhammer gehörten überdies zu den Befürwortern einer Aktionsgemeinschaft zwischen SPD und KPD, die von den führenden Sozialdemokraten mit Skepsis betrachtet wurde.[45] In der bayerischen Verfassunggebenden Landesversammlung waren die Kommunisten mit acht Abgeordneten vertreten, in der von den Amerikanern eingesetzten Landesregierung stellten sie Minister und Staatssekretäre. So ernannten die Besatzer den Emigranten Heinrich Schmitt zum Staatsminister für Entnazifizierung und Ludwig Ficker zum Staatssekretär im Innenministerium.

Noch ahndeten die amerikanischen Offiziere jede antikommunistische Äußerung als Angriff auf ihre sowjetischen Verbündeten.[46] Doch die nicht genehmigten Reisen kommunistischer Funktionäre, darunter Bruno Goldhammer und Fritz Sperling, nach Berlin und in die sowjetische Besatzungszone erregten das Mißfallen der Amerikaner und endeten im Juni 1946 mit Verurteilungen wegen „unerlaubten Grenzübertritts".[47] Der sowjetzonale Beschluß zur Vereinigung von SPD und KPD zur SED vom Februar 1946 mag zu dieser Haltung wesentlich mit beigetragen haben. Bei den ersten Landtagswahlen im Dezember 1946 scheiterten die Kommunisten am Wählervotum und konnten jetzt nur noch eine außerparlamentarische Landtagsfraktion bilden. Der Weg in die erneute politische Isolation hatte begonnen. Daran konnten auch die guten Wahlergebnisse bei den Münchner Stadtratswahlen von 1948 und bei den ersten Bundestagswahlen von 1949 mit über elf und knapp zehn Prozent der Wählerstimmen[48] nichts mehr ändern.

Bruno Goldhammer übersiedelte Anfang 1947 in die Sowjetische Zone, Heinrich Schmitt verließ 1947 die KPD und wurde Geschäftsmann in München, Ludwig Ficker starb im Dezember 1947 durch ausströmendes Gas – ob Mord oder Selbstmord blieb ungeklärt –, nachdem er in den Strudel der Parteisäuberungen geraten war, und Heinz Mode nahm 1948 einen Lehrauftrag in Halle-Wittenberg an. Von der hier betrachteten Emigrantengruppe blieb nur Fritz Sperling bis 1950 als kommunistischer Funktionär in Bayern. 1948/49 wirkte er sogar noch als Vertreter Bayerns im Frankfurter Bizonen-Wirtschaftsrat. Doch 1950 wurde er in die DDR beordert und geriet wie vorher Ludwig Ficker und nun auch Bruno Goldhammer in die Parteisäuberungen. Er gilt als verschollen. Goldhammer hingegen überlebte sechs Jahre Zwangsarbeit, wurde 1956 rehabilitiert, wieder in die SED aufgenommen und arbeitete noch bis zu seinem Tod 1971 an der journalistischen Nachwuchsausbildung der DDR mit. So erlebte die in Bayern besonders aktive kommunistische Exilgruppe aus der Schweiz ein doppelt tragisches Schicksal, wurde sie doch von den westlichen Besatzungsmächten politisch isoliert und von der eigenen Partei schließlich in den Tod oder in die Zwangsarbeit geschickt.

Eine andere Gruppe von in München geborenen Kommunisten ging nach Kriegsende aus dem Exil unmittelbar in die sowjetische Zone und machte dort Karriere. Dazu gehörte der spätere DDR-Kulturminister, der Schriftsteller Johannes R. Becher,[49] der spätere Intendant des Deutschlandsenders und Mitglied des Zentralkomitees Heinz Geggel, der hohe DDR-Beamte und zeitweilige Verkehrsminister Richard Staimer sowie der Münchner Räterepublikaner, zeitweilige Chefredakteur des Neuen Deutschland, Botschafter in Ungarn und stellvertretende Außenminister Sepp Schwab. Sie suchten ihre politische Integration nach 1945 nicht mehr in ihrem Geburtsort München, sondern in ihrer kommunistischen Wahlheimat DDR. Dort gelang vielen von ihnen schließlich auch eine beachtliche Karriere.

Zusammenfassend ist festzustellen, daß Remigranten in den ersten Nachkriegsjahren in vielen Teilen des politischen Spektrums an exponierter Stelle vertreten waren. Auch die bayerische SPD-Landtagsfraktion und der Landesvorsitz befanden sich fast ein Viertel Jahrhundert fest in den Händen von Exilrückkehrern. Es hatte also eine dauerhafte Legitimierung durch Wahlen stattgefunden, ein sicheres Zeichen für die Aufnahme in eine Elite. Diese Remigranten wirkten prägend an der bayerischen Nachkriegsentwicklung mit. Die Verdrängung der Kommunisten verlagerte die Frage nach deren Wirksamkeit in die DDR; die führenden bayerischen Parteivertreter der ersten Jahre konnten sich innerhalb der KPD nicht behaupten und gerieten in den Strudel parteiinterner Positionskämpfe.

Politische Remigration erweist sich erneut als Elitenphänomen. Wer aus politischen Gründen hatte emigrieren müssen, gehörte meist bereits vor 1933 zur exponierten Spitzengruppe. In der Emigration erwarben diese Politiker neben Weltläufigkeit und neuen Eindrücken oft ein dichtes Netz neuer Kontakte, das sie jetzt ihrer Partei dienstbar machten. Für die SPD-Politiker im englischen Exil wurden beispielsweise die Kontakte zur Labour-Party entscheidend, über die auch deutsche Nachkriegspolitik gemacht werden konnte.[50] Dies verstärkte ihre Bedeutung für ihre Partei, die so die Isolation der NS-Jahre und die eigene Provinzialität schneller abschütteln konnte.

Und wer kehrte nicht zurück? Dazu drei Beispiele. Im Exil blieb der Sozialdemokrat und ehemalige preußische Ministerpräsident Otto Braun, der aufgrund seiner frühen Flucht aus Deutschland die heftige Kritik seiner Parteigenossen auf sich gezogen hatte; er hätte 1945 für Preußen und Deutschland am liebsten den Status der Weimarer Zeit wiederhergestellt gesehen. Er wohnte in der Schweiz.[51] Im Exil in den USA blieb auch Hermann Rauschning, der konservativ-deutsch-nationale Politiker, der für die NSDAP Senatspräsident der freien Stadt Danzig geworden war, sich mit der Partei überwarf und nach enger Zusammenarbeit mit der bürgerlich-konservativen Emigration in der Schweiz in die USA ging, wo er als einer der wenigen deutschsprachigen Politiker bei amerikanischen Regierungsstellen gehört wurde. Aufsehen erregte 1940 sein Buch ‚Gespräche mit Hitler‘. Trotz mehrerer Vortragsreisen nach Deutschland blieb er letztlich als Farmer in Oregon, sah er doch die westeuropäische Integrationspolitik Deutschlands als Preisgabe nationaler Interessen an. Auch der Zentrumspolitiker und ehemalige Reichskanzler Heinrich Brüning konnte sich nicht in Westdeutschland integrieren und ging in die USA. 1951 war er an die Universität Köln berufen worden, doch faßte er im politischen Leben nicht mehr Fuß. Er war gegen eine einseitige Westorientierung und befürwortete eine Ostpolitik, die sich an Stresemanns Außenpolitik orientieren sollte. Außerdem galt er Konrad Adenauer als persönlicher Konkurrent.

Wer kam und aktiv am politischen Leben der Nachkriegszeit mitwirkte, fand sich also meist mit den Gegebenheiten der Nachkriegszeit ab. Der Bruch mit etlichen Vorstellungen der Weimarer Zeit war dafür eine Voraussetzung. Auch für überzogenen deutschen Nationalismus war kein Platz mehr nach 1945. Die remigrierten Politiker waren daher meist pragmatisch-realistisch und gaben sich keinen rückwärtsgewandten Illusionen hin. Auch in dieser Hinsicht war Bonn eben nicht Weimar.

Remigrantinnen

Viel ist nun über Remigranten berichtet worden, doch wie stand es um die Frauen? Anders gefragt: Gab es geschlechtsspezifische Formen der Remigration?[1] Konnten Emigrantinnen wie ihre männlichen Leidensgenossen nach einer Rückkehr ihre Exilerfahrungen einbringen, öffentlich wirksam werden und die Nachkriegsgesellschaft mitgestalten?

Das Thema hat viele Facetten. Sicherlich gab es einige wichtige Remigrantinnen, die als Politikerinnen, Wissenschaftlerinnen, Kulturmanagerinnen, Schauspielerinnen einen hohen Grad an öffentlicher Aufmerksamkeit und Ausstrahlung erreichten. Über sie wird im folgenden noch zu reden sein. Es gab jedoch auch Rückkehrerinnen, und das war die Mehrzahl, deren Tätigkeit nicht im engeren Sinne geschichtsmächtig wurde, sahen sie ihre Aufgabe doch vor allem in der Unterstützung ihrer politisch, wissenschaftlich oder künstlerisch tätigen Männer. Sie selbst, im Exil oft ebenso tätig wie ihre Männer, traten nun in deren Schatten zurück.

In einigen Erinnerungen von Frauen findet sich eine weitere Form der Exilbewältigung, die wohl als geschlechtsspezifisch zu bezeichnen ist: die Überwindung des Trennenden zwischen ‚innen' und ‚außen' durch die Liebe. Dies beschreibt die Schriftstellerin Grete Weil, die durch die Begegnung mit einem jungen Deutschen und die Liebe zu ihm ihren Abscheu vor Deutschland verlor. Nur im Zwischenmenschlichen, betont sie in einem Brief von 1947, sei das Trennende zu überwinden.[2] Ganz ähnliches erzählt die in Frankreich exilierte Münchnerin Marguerite Strasser, die bei ihrem Besuch in der Heimat im Jahr 1949, der ursprünglich nur der alten Haushälterin gelten sollte, einen jungen Kriegsheimkehrer traf, der ihr seine Scham und sein tiefes Bedauern darüber ausdrückte, was in Deutschland geschehen war: „Jetzt endlich konnte ich anfangen, mich von meinem Haß zu lösen, wenngleich es in der Folgezeit noch Jahrzehnte dauerte, bis meine Angst und mein Mißtrauen wichen. Mein ‚Heimkehrer' hat mir übrigens geholfen, in München wieder Wurzeln zu schlagen. Wir sind nunmehr seit 34 Jahren glücklich verheiratet."[3] Der Neubeginn wird hier durch eine persönliche Liebes- und Eheverbindung zwischen ‚innen' und ‚außen' symbolisch besiegelt.

Es gab aber auch strukturelle Benachteiligungen der Frauen, die sich im Rahmen von Rückerstattung, von Rentenzahlungen und Wiedereinstellungen zeigten. Da vor 1933 nur wenige Frauen verbeamtet an den Universitäten, in politischen Führungsämtern oder in hohen Verwaltungspositionen tätig waren, kamen sie jetzt auch nicht in den Genuß von Nachzahlungen oder nachträglichen Beförderungen. Ebenjene Schwerfälligkeit des deutschen akademischen wie öffentlichen Lebens schreckte daher auch etliche der inzwischen in den Exilländern in hochqualifizierten Positionen etablierten Frauen davon ab, nach Deutschland zurückzukehren.[4] Ihre Karriere und ihre berufliche Erfüllung hatten sie im Exilland erfahren – warum also zurückkehren?

In den politischen Parteien der Westzonen war es für Remigrantinnen überaus schwer, Mandate zu erhalten. Bis Ende der fünfziger Jahre nahm keine von ihnen einen Sitz im Bundestag ein.[5] Auch die Landtagsmandate lagen meist fest in Männerhand. In Hessen und in Nordrhein-Westfalen saß jedoch jeweils eine Remigrantin für einige Zeit im Landtag: in Hessen Nora Block-Platiel für die SPD, in Nordrhein-Westfalen Cäcilie Hansmann für die KPD.

Auf der unteren Ebene der Parteihierarchie hatten es Frauen offenbar leichter. So berichtet Susanne Miller, daß sie als junge Remigrantin aus England im April 1946 in Köln keine Schwierigkeiten hatte: „Ich wurde in der SPD sehr freundlich aufgenommen, war auch schon bald Distriktsleiterin. Wenig später kam ich in den Vorstand der Kölner SPD, dann in den Vorstand der SPD vom Mittelrhein, wurde also ziemlich schnell in die SPD integriert ... Ich hatte keine Schwierigkeiten, anzuknüpfen. Man hatte auch große Vorteile, wenn man aus dem Exil kam. Zum Beispiel, daß ich sehr gut Englisch konnte ... Auf Parteitagen habe ich gedolmetscht, mich um die ausländischen Gäste gekümmert ... Es stimmt nicht, daß man ihnen (den Rückkehrern, M.K.) keine Möglichkeit des Wirkens gegeben hat. Eine unbekannte und verhältnismäßig noch junge Frau wie ich wurde schon nach ein oder zwei Jahren Distriktsleiterin, in den Bezirksvorstand gewählt!"[6]

Möglicherweise galt dies aber doch eher für die weniger exponierten Vertreterinnen des Exils. Etliche der profilierten SPD-Parteipolitikerinnen der zwanziger Jahre kamen gar nicht erst zurück. Genannt sei hier nur Marie Juchacz. Eine der Ausnahmen war die bereits erwähnte, 1949 remigierte Nora Block-Platiel, vor 1931 einzige zugelassene Rechtsanwältin in Kassel. Sie wurde dort nach der Rückkehr Landgerichtsrätin und war seit 1954 SPD-Abgeordnete im hessischen Landtag.[7]

Das Alter der Emigrantinnen spielte – wie bei den männlichen Politikern – keine unwichtige Rolle für die Frage nach einer Rückkehr. Manche fühlen sich einfach zu alt, um nochmals neu anzufangen. Aber auch die Art der politischen Tätigkeit im Exilland sowie die politische Vernetzung waren wichtig. Oft wurde die Verbindung zu einem einzelnen politisch wichtigen Funktionär entscheidend, so bei Susanne Miller der Kontakt mit Willi Eichler, wie sie Mitglied des Internationalen Sozialistischen Kampfbundes und wichtiger SPD-Nachkriegspolitiker.

Gleiches galt für die Rückkehr und Wirkungsmöglichkeit von Kommunistinnen. Von besonderer Bedeutung war für sie das sowjetische Exilland. Unter den Kommunisten, die im Moskauer Exil alle Parteisäuberungen überstanden hatten und 1944 auf einen Einsatz in Deutschland warteten, befanden sich auch sehr viele Frauen. Von 264 für einen Einsatz in Nachkriegsdeutschland vorgesehenen Personen waren 137 Frauen, darunter wurden etliche für leitende Funktionen ins Auge gefaßt.[8]

Die Relevanz dieser Liste erweist sich bei einem Blick auf die DDR-Nachkriegspolitiker und -politikerinnen: 21 Kader dieser Liste wirkten nach dem Krieg als Mitglieder des Vorstands bzw. des Zentralkomitees der SED. Darunter waren mit Martha Arendsee, Lene Berg, Helene Fischer, Grete Keilson und Elly Schmidt fünf Frauen. 17 Funktionäre dieser Liste nahmen Positionen als Minister oder stellvertretende Minister der DDR ein, darunter mit Jenny Matern und Lore Pieck zwei Frauen. Trotz aller Förderungen gelang es jedoch auch in der DDR auf Dauer nicht, Frauen gleichberechtigt in Führungspositionen zu etablieren. Eine mögliche Erklärung dafür wäre der im Staatssozialismus verbreitete ,Patriarchalismus', der in der Nähe des Machtzentrums besonders deutlich zutage trat.[9]

Das Exil in der Sowjetunion hielt überdies viele Schrecken bereit. Die stalinistischen Säuberungen dezimierten die deutsche Kolonie drastisch, und auch viele deutsche Kommunistinnen verschwanden bis zu zwanzig Jahre in den Gulags. Wie Forschungen der letzten Jahre zunehmend sichtbar machen, war eine letztendliche Freilassung nur selten mit einer öffentlichen Rehabilitierung verbunden.[10] Etliche der betroffenen Frauen wurden zwar irgendwann in die DDR entlassen, unterlagen aber strengstem Schweigegebot. Eine von ihnen, Dorothea Garai, schrieb 1963 an Alfred Kurella, wie sie Emigrant in der Sowjetunion und inzwischen Mitglied der Akademie der Künste der DDR: „Ich lebe hier völlig isoliert. Dresden ist eine mir fremde Stadt, ich bin aus Berlin emigriert. Aber man hat mir 1955 Berlin nicht erlaubt … obwohl ich rehabilitiert bin. So bin ich dazu verurteilt, hier als Rentnerin zu leben, kein Verlag hat mir die Möglichkeit gegeben, meine alte (bis 1936) Arbeit wieder aufzunehmen. Ich habe ja nichts vorzuweisen – dort, wo ich war, konnte man ja schließlich keine Werke schreiben oder übersetzen … Meine jahrelangen diesbezüglichen Versuche hier in der DDR nach meiner Heimkehr 1955 blieben alle erfolglos."[11] Sie war zutiefst verletzt von dem Schweigegebot, Schweigen war für sie wie Sterben, es verhinderte auch, daß sie Beziehungen zu anderen Menschen aufbaute. Dennoch blieb sie eine gläubige Kommunistin. Der Schriftsteller Karl-Heinz Jakobs, der lange Gespräche mit ihr führte, schrieb dazu: „Man hat sich wahrscheinlich lange über sie unterhalten, bis man sich entschloß, ihr in Berlin keine Arbeit zu geben. Sie hatte alles, was ein neues Gesellschaftssystem benötigte von seinen freien Bürgern, sie war kühn, aufopferungsbereit, treu und verschwiegen. Selbst nach neunzehn Jahre währender Fahrt durch wüste Regionen hing sie eigensinnig und unbelehrt ihrem Jugendideal an." Die schweigenden Remigrantinnen aus der Sowjetunion stellen eine der großen Tragödien und eine Anklage gegen den zynischen Machtmißbrauch der DDR dar.

Die politische Tätigkeit im Exil setzte vielfach politische Paare voraus. Mit einem aktiven Kommunisten oder Sozialdemokraten konnte eine Frau kaum verheiratet sein, ohne selbst eine politisch denkende und handelnde Person zu sein. Anders wäre das Gewicht der Politik für das Privatleben nicht zu ertragen gewesen. Doch die Rolle der Frauen war oft wieder auf andere Bereiche festgelegt: „Die politischen Emigranten lebten für die Politik, während ihre Frauen versuchten, Geld zu verdienen. Ich hielt das für typisch für viele solche Ehen, in denen die Frau arbeiten mußte, damit der Mann politisieren konnte",[12] berichtete der Sozialdemokrat Otto Fiedländer.

Die Frauen von politischen Emigranten nahmen alle klassischen Einwanderertätigkeiten an, wurden Haushälterinnen, Schneiderinnen, Babysitter, Büroangestellte.

So auch die spätere Marianne Kühn, die 1938 ihrem Verlobten ins Exil folgte: Es war Heinz Kühn, der nach dem Krieg Landtagsmitglied in Nordrhein-Westfalen, dortiger SPD-Vorsitzender, Bundestagsabgeordneter und 1966 dann nordrhein-westfälischer Ministerpräsident werden sollte.[13] Im Exil lebte das Paar in Brüssel in der Illegalität. Marianne Kühn arbeitete als Schreibkraft, auch um politisches Material zu vervielfältigen. Ihr Kind kam bereits nach der Landung der Amerikaner in der Normandie zur Welt; doch unmittelbar vorher wurde sie noch von den Royalisten verhaftet und mehrere Tage eingesperrt. Die Engländer ließen sie nicht nach Köln einreisen, wo ihr Mann bereits seit 1945 wieder tätig war. 1946 konnte dann auch sie zurückkehren: „Bekannte und Freunde von früher freuten sich, uns wiederzusehen, und andere, fremde Leute, begegneten uns auch freundlich und höflich – jedenfalls taten sie so, so daß ich selbst mich nicht beklagen kann. Jedoch habe ich öfter gehört, die Leute würden wegen der Emigranten maulen, die hätten dableiben sollen, von wo sie herkamen, sie haben sowieso nichts am Schicksal der Deutschen mitgetragen und haben draußen herrlich und in Freuden gelebt. Mir persönlich ist das nicht gesagt worden, auch meinem Mann nicht und auch unseren Freunden Willi Eichler und Susi Miller nicht – zumindest waren solche Leute zu feige, uns das ins Gesicht zu sagen."

In manchen Fällen verzichteten die politisch aktiven Frauen sogar bewußt auf eine eigene politische Karriere zugunsten ihres Mannes. Die Frau des Hamburger SPD-Politikers Herbert Weichmann, Elsbeth Weichmann, trat zwar 1957 gleichzeitig mit ihm in die Politik ein und blieb auch Mitglied der Hamburgischen Bürgerschaft, nachdem ihr Mann Erster Bürgermeister geworden war. Doch eine Analyse ihrer Autobiographie ,Zuflucht. Jahres des Exils' zeigt, daß in der Beschreibung ihrer Exiljahre immer wieder die Biographie ihres Mannes ihre eigene überdeckt.[14] Das „Ich" verschwindet hinter einem „Wir", die Erlebnisse des Mannes werden sehr viel wichtiger genommen als die eigenen Erfahrungen und Gefühle. Ähnliches zeigt die Autobiographie von Karola Bloch, die gemeinsam mit ihrem Mann, dem Philosophen Ernst Bloch, in die USA ausgewandert war und mit ihm nach Leipzig zurückkehrte, wo er eine Profes-

*Überzeugte Kommunistin. Die Schriftstellerin Anna Seghers
kurz nach ihrer Rückkehr aus Mexiko während einer
Feierstunde zum Gedenken an die Bücherverbrennung in
der Ostberliner Humboldt-Universität, 10. Mai 1947*

sur antrat. Die Architektin und Schülerin von Walter Gropius
jobbte in Amerika als Kellnerin, um ihm die Arbeit an seinem großen Buch ‚Das Prinzip Hoffnung‘ zu ermöglichen.[15]

Auch hier zeigt sich ein geschlechtsspezifischer Aspekt. Aus den
überlebensstarken Heldinnen des Exils wurden nach 1945 in der
Fremd- wie in der Selbstwahrnehmung wieder ‚Frauen an seiner
Seite‘, deren eigene politische Persönlichkeit nicht mehr so wichtig
war. In manchen Ehen erschien es so, als habe sich in den Jahren des
Exils nichts geändert. So schildert Herbert Weichmann das Ehepaar
Brauer in einem Brief an seine Frau bei der Wiederbegegnung 1948

so: „... und da saß der gute alte Brauer, jung, lachend, strahlend, ganz Freund und Wärme, und daneben Frau Brauer, wie gewöhnlich ein bißchen schwerer, schimpfend, daß ihr Mann Flecke aufs Tischtuch machte und die Kuchenkrümel auf den Boden fallen ließ, und ich war ganz zu Hause."[16] Dieses Zuhause-Fühlen, das durch Exil und Remigration so leicht abhanden kam, hatte eben vielfach vor allem mit den Frauen zu tun, die in all dem sich Ändernden Kontinuität verkörperten.

Politisch aktive Emigrantinnen mußten nicht unbedingt später Politikerinnen werden. Profilierte Intellektuelle gab es vor allem unter den kommunistischen Emigrantinnen aus Künstlerkreisen. Sie wurden im Nachkriegsdeutschland meist in der SBZ/DDR tätig. Als eine der wichtigsten Exponentinnen ist hier Anna Seghers zu nennen, die 1947 aus ihrem Exil in Mexiko in die SBZ zurückkehrte. Ihre Romane ‚Transit‘ und ‚Das siebte Kreuz‘ gehören zu den zentralen Werken der Exilliteratur. Sie war unter anderem Gründungsmitglied der Akademie der Künste in der DDR, Mitglied der SED und Mitglied des deutschen PEN-Klubs in London. Sie erhielt den Georg-Büchner-Preis, mehrfach den Nationalpreis der DDR sowie den Ehrendoktor der Universität Jena.[17] Sie war und blieb, wie viele andere Rückkehrer, eine gläubige Kommunistin. Ihre Einzigartigkeit beruht auf der Qualität ihrer Arbeiten. Sie gehört zu den wenigen Frauen, deren Werk von der Literaturgeschichte gleichwertig neben das der Männer gestellt wird.

Bei Künstlern gab es unter den zurückkehrenden Kommunisten ebenfalls etliche politische Paare; für den Theaterbereich sind hier vor allem Bert Brecht und Helene Weigel zu nennen. Helene Weigel wurde zur tragenden Schauspielerin in Brechts Berliner Ensemble und zu seiner akribischen Nachlaßverwalterin. Die Graphikerin Lea Grundig, Jüdin und Kommunistin, kehrte nach vielen Mühen aus Palästina nach Dresden zurück.[18] Ihren Mann, den Maler Hans Grundig, hatte sie seit fast zehn Jahren nicht gesehen. Er saß seit 1940 im Konzentrationslager Sachsenhausen, wurde 1944 zur Wehrmacht eingezogen, lief zur Roten Armee über und lebte bis 1946 in der Sowjetunion. Ab 1946 war er wieder in Dresden tätig. Doch für Lea Grundig, die mit ihren Zeichnungszyklen zur Judenverfolgung in Palästina und auch in Deutschland Erfolg hatte, dauerte es noch über zwei Jahre, bis sie ihren Mann in Dresden wiedertraf. Sie übernahm eine Dozentur an der Dresdner Akademie und wurde freundlich aufgenommen: „Eine Langerwartete, Leah Grundig, ist endlich aus Palästina bei uns eingetroffen. Wir brauchen sie. Wir freuen uns auf sie", hieß es in der Sächsischen Zeitung. Lea Grundig war bald eng in den DDR-Kunstbetrieb eingebunden und betonte stets bei aller künstlerischen Originalität ihre enge Verbindung zur Partei. Bald begann ihr Ruhm den ihres Mannes zu überragen. 1958 erhielt das Paar im Todesjahr von Hans Grundig den Nationalpreis 2. Klasse, 1961 wurde sie als erste Frau in die Sektion Bildende Kunst der Akademie aufgenommen. Im Auftrags- und Ausstellungswesen nahm sie eine Machtstellung ein, die ihr die Abneigung der Kollegen und negative Urteile aus der Bundesrepublik eintrug. Der Kommunismus blieb ihr Lebensinhalt.

Ein anderes Beispiel zeigt, wie schwierig die Entscheidung nach 1945 wurde, wenn nicht beide Ehepartner der gleichen politischen Überzeugung anhingen. Beatrice Zweig, die Frau des DDR-Dichterpreisträgers und bedeutenden Exilautors Arnold Zweig, war Malerin. Gemeinsam mit ihrem Mann trat sie 1948 die Rückreise aus Palästina nach Deutschland an.[19] Doch sie wäre viel lieber in Palästina geblieben und wurde in der DDR nie ganz heimisch. Mehrere Jahre litt sie unter schwersten Depressionen. Ihre großbürgerliche Herkunft machte ihr das Leben in der DDR schwer und ihr Werk trat hinter der Aufmerksamkeit für den großen Autor Arnold Zweig, den Präsidenten der Akademie der Künste und Volkskammerabgeordneten zurück.

Frauen konnten im Nachkriegsdeutschland sehr wohl gestaltend tätig werden, wenn die politischen Rahmenbedingungen stimmten und die persönlichen Fähigkeiten und Neigungen dazu paßten. Mit großer Energie und Überzeugungskraft wußten Remigrantinnen ihre Sache zu vertreten. In Westdeutschland war hierzu die Einbindung in westalliierte Beziehungsgeflechte ebenso nützlich wie in der DDR die Verbindung zum Kommunismus.

Eine solche Ausnahmefrau war in der DDR sicherlich Hanna Wolf, eine gläubige Kommunistin jüdischer Abkunft, die das Exil in der Sowjetunion erlebte.[20] Sie war wissenschaftliche Mitarbeiterin an der Leninschule, Anwärterin der KPDSU, Rundfunkmitarbeiterin. Walter Ulbricht berief sie an die Antifa-Schule in Krasnogorsk, wo sie mit anderen profilierten kommunistischen deutschen Emigranten an der Umerziehung deutscher Soldaten mitwirkte. 1947 wurde sie Leiterin der Schule. Nach der Gründung der DDR erlebte sie in Deutschland eine steile Karriere, die nicht von Parteisäuberungen betroffen war. Von 1950 bis 1983 leitete sie die Parteihochschule Karl Marx, von 1958 bis zum Ende der DDR war sie Mitglied des Zentralkomitees der SED. Ihre Tätigkeit erfüllte sie ganz, „umso mehr ich die Arbeit mit Menschen, die Umerziehung der Menschen mit Hilfe des Marxismus-Leninismus als höchste Ehre und ehrenvollsten Parteiauftrag betrachte".[21] Sie blieb eine begeisterte Kommunistin und Ideologin. Im Februar 1990 schloß die PDS Hanna Wolf mit 82 Jahren aus der Partei aus.

Ein Beispiel für eine ganz andere Karriere in Westdeutschland bietet die emigrierte Stuttgarterin Jella Lepman, deren Initiative und Durchsetzungsvermögen die Erste Internationale Jugendbuchausstellung von 1946 sowie die Gründung der Internationalen Jugendbibliothek in München 1949 zu verdanken sind.[22] Trotz ihres umfänglichen Tätigkeitsfeldes in Deutschland ist sie jedoch nur bedingt als Remigrantin zu bezeichnen. Sie ist damit auch ein Beispiel für die unter Emigranten verbreitete ‚Rückkehr auf Zeit'. Deutschland war ein wichtiges Wirkungsfeld, es war Herkunftsland und stand im Mittelpunkt der Aktivitäten. Aber man behielt Distanz. Im Januar 1949 schrieb Jella Lepman an ihre deutsche Mitarbeiterin: „Auch der Rockefeller-Foundation muß klar gemacht werden, daß ich meine Mission nur als Berater wahrnehmen kann, angestellt von einer ausländischen Organisation. Keinesfalls werde ich mich von einer deutschen Organisation anstellen lassen, ich würde dies nie, nie akzeptieren. Es würde nicht funktionieren, selbst wenn ich es könnte. Ich kann es nicht."[23] Ihre ganze Kraft widmete sie der Idee der Völkerverständigung durch Kinderbücher; doch dies sollte nur unter alliierter Ägide geschehen – von Deutschland und den Deutschen wollte sie nie im Leben mehr abhängig sein.

Vor der NS-Zeit hatte Jella Lepman als politisch engagierte Journalistin in ihrer Heimatstadt gearbeitet. Ab 1940 schrieb sie für die BBC, später für die amerikanische Rundfunk-Station ABSIE. Ihr Sohn diente in der britischen Armee. Im Herbst 1945 ging sie im Dienste der US-Army nach Bad Homburg, um im amerikanischen Hauptquartier als Beraterin für Frauen- und Jugendfragen zu wirken. Nach vielen Gesprächen und Reisen in der US-Zone entwickelte sie ihre völkerversöhnende Idee. In ihrem Buch ‚Die Kinderbuchbrücke' beschrieb sie diese so: „Als eine der Hauptmaßnahmen

Völkerverständigung durch Kinderbücher.
Jella Lepman, Major der US-Streitkräfte, bei der Auswahl von Illustrationen
für eine Ausstellung in München, 1946/47

schlug ich eine Ausstellung der besten Kinder- und Jugendbücher verschiedener Nationen vor. ‚Lassen Sie uns bei den Kindern anfangen, um diese gänzlich verwirrte Welt langsam wieder ins Lot zu bringen. Die Kinder werden den Erwachsenen den Weg zeigen'."[24] Als ersten Ausstellungsort hatte sie das Haus der Kunst in München ausersehen, Schauplatz der großen nationalsozialistischen Kunstausstellungen und 1945 amerikanische Offiziersmesse: „... die internationalen Kinderbücher würden in diesen Heidentempel einziehen und ihre guten Geister die schlimmen verjagen!"[25] Die Kinderbuchschau wurde die erste internationale Ausstellung in Deutschland nach dem Krieg.

In einem zweiten Schritt kämpfte Jella Lepman bei der UNESCO und der Rockefeller-Foundation um Zuschüsse für eine Internationale Jugendbibliothek in Deutschland. Gerade von hier aus sei mit der Völkerverständigung zu beginnen. Schließlich sagte die Rockefeller-Foundation zu. Bis 1958 wirkte Jella Lepman als Beraterin der IJB. Danach unternahm sie im Auftrag der Foundation eine Reise nach Amerika und in den Nahen Osten. Ihre letzten Lebensjahre widmete sie ganz dem International Board of Books for Young People (IBBY).[26] Sie starb 1970 in Zürich.

Trotz dieses langen Deutschlandaufenthalts, trotz ihrer großen selbstgestellten Aufgabe in der Jugendbibliothek, trotz vieler intensiver Kontakte zu Deutschland und den Deutschen kehrte sie nie eigentlich nach Deutschland zurück. Ihr Sohn, der heute in Belgien lebt, beschreibt dies in einem Brief so: „Ich glaube nicht, daß sie ihre Zeit in München als Rückwanderung in die Heimat empfand ... Es waren die menschlichen Beziehungen, die ihr wichtig und teuer waren, nicht das Land, das sie so verletzt hatte."[27] Auch Jella Lepmans Tochter, die in Italien lebt, bestätigt, daß ihre „Mutter niemals nach Deutschland kam, um zurückzukehren".[28]

Eine Deutsche, die im Dienste der Amerikaner als Engländerin in Deutschland arbeitet und in Zürich ihren Lebensabend verbringt; ihre Kinder, die in England lebten und sich nun in Italien und Belgien zu Hause fühlen – das sind die Folgen der Emigration. Die Abneigung, sich wieder in eine Abhängigkeit von Deutschland zu begeben, saß bei Jella Lepman tief. Wenn sie einem Brief an deutsche Amtsträger Nachdruck verleihen wollte, schrieb sie ihn englisch, sie trug häufig Uniform und trat einheimischen Amtsträgern gegenüber eher fordernd auf. Sie verstand es aber auch, viele Menschen von ihrer Idee zu begeistern, so Erich Kästner, der einer der wichtigsten Förderer der Jugendbibliothek wurde. Frauenspezifisch war an ihrer Tätigkeit vor allem das Arbeitsgebiet; Frauen- und Jugendfragen vertrauten die Besatzungsmächte lieber einer Frau an. Damit profitierte sie von dem anderen Frauenbild der Alliierten, die in solchen Positionen und in der Army Frauen zuließen. Ihre Idee der Völkerverständigung durch Kinderbücher wiederum knüpfte an

*Stimme des Volkes. Die Schauspielerin Therese Giehse
im Brecht-Hörspiel ‚Die wartende alte Frau‘,
undatiert*

geschlechtsspezifische Sozialisationen an. Ansonsten verfügte Jella
Lepman jedoch über alle die Eigenschaften, die Mann wie Frau für
die Verwirklichung einer große Aufgabe brauchen.

Jella Lepman blieb eine Ausnahme. In den meisten wichtigen Bereichen des gesellschaftlichen Lebens spielten Remigrantinnen
keine Rolle. Zwar konnte sich mit Elisabeth Blochmann 1952 eine
remigrierte Professorin wieder an der Universität etablieren, und
mit Anna Siemsen wurde eine weitere Pädagogin zumindest teil-
weise rehabilitiert.[29] Hannah Arendt erhielt wohl nur aufgrund der
Geltung ihres Namens in dem Wiedergutmachungsverfahren um

ihre 1933 verhinderte Habilitation recht.[30] In der Wissenschaft, so das Resümee, fand weibliche Remigration nicht statt.

Im Theaterbereich hingegen gab es einige wichtige Rückkehrerinnen. Helene Weigel wurde bereits erwähnt. Therese Giehse kam aus der Schweiz und spielte in Wien, am Berliner Ensemble, 1952 bis 1973 dann an den Münchner Kammerspielen, ebenso in Film und Fernsehen. Johanna Hofer kehrte mit ihrem Mann Fritz Kortner aus den USA zurück und spielte in München und Berlin Theater sowie etliche Film- und Fernsehrollen. Ida Ehre remigrierte ebenfalls. Käthe Nevill, wichtige Schauspielerin bei Max Reinhardt in Berlin und an den Münchner Kammerspielen der zwanziger Jahre, kam 1951 aus Italien zurück und wurde Schauspiellehrerin an der Otto-Falckenberg-Schule in München. Tilla Durieux, während des Krieges im aktiven antifaschistischen Widerstand in Zagreb, zog 1955 endgültig wieder nach Westberlin und spielte im Theater sowie in Film und Fernsehen.[31] Die Diseuse des berühmten Kabaretts ‚Die elf Scharfrichter‘, Marya Delvard, remigrierte mittellos nur noch zu einem traurigen Lebensabend in einem deutschen Altersheim. Eine weltberühmte Schauspielerin wie Marlene Dietrich kam nicht zurück. Sie wurde zu einer der Repräsentantinnen des Exils, die Abneigung und Groll der Deutschen auf sich zogen: „Marlene, go home" mußte sie sich von den Berlinern zurufen lassen.

Auch einige wenige Schriftstellerinnen remigrierten: Anna Seghers, Irmgard Keun, Grete Weil, Hilde Domin, Annette Kolb, sehr spät auch Elisabeth Castonier. Andere Emigrantinnen kamen nach Europa, aber nicht nach Deutschland. Erika Mann, eine der profiliertesten Kritikerinnen deutscher Schuldvergessenheit, visionär, umstritten, verleumdet,[32] ließ sich mit ihren Eltern Thomas und Katia Mann in Zürich nieder. Ihr Verhältnis zu Deutschland blieb spannungsreich und distanziert.

In den Geschichten dieser mehr oder weniger bekannten Emigrantinnen und Remigrantinnen spiegelt sich all die Ambivalenz, das Zögern und Verdrängen, die Bindung und Ablehnung, Enttäuschung und Heimkehrfreude, die auch in den Interviews mit Rückkehrerinnen ohne große Namen zu finden sind. Dieses Gefühlsspektrum läßt sich vor allem bei Jüdinnen finden, die selbstverständlich die NS-Verfolgung nicht einfach vergessen konnten. Hier gibt es inzwischen einige Publikationen, die auf Interviews beruhen und in denen diese Frauen zu Wort kommen – ein wichtiger Schritt, sich den Erfahrungen der nicht berühmten Rückkehrer und Rückkehrerinnen zu nähern.[33] Aus Israel kehrten einige der Frauen zurück, weil sie das Klima nicht vertrugen, weil ihre Männer oder sie selbst keine angemessene Arbeit fanden, aus Heimweh. Viele der interviewten Frauen hatten ein besonderes Heimatgefühl. Sie lebten innerlich zwischen den Kulturen und hatten keine Heimat mehr: „Wissen Sie, es ist ja der Fall, daß die meisten von uns, ich möchte sagen, mehr die Frauen als die Männer komischerweise, sich weder hier noch dort zu Hause fühlen. Man steht mit einem Bein hier und mit einem Bein dort. Ich könnte heute nicht mehr in Israel leben. Aber echt zu Hause fühlen? In meinen vier Wänden, ja, aber als solches, kann ich nicht sagen."[34] Wenn die Ehemänner die Rückwanderung betrieben hatten, fühlten sich die inzwischen verwitweten Frauen besonders isoliert und entwurzelt. Vielfach hatten sie keine eigene berufliche Existenz mehr aufbauen können, waren nicht mehr in ein soziales Netz integriert worden und begriffen sich als Fremde in Deutschland. Heimatgefühl weckten Landschaften, bestimmte Städte, Kinder und Enkel. Deutschland blieb für sie eine verlorene Heimat.

Jüdische Remigration und Antisemitismus

Im Gegensatz zur Emigration, die zu weit über neunzig Prozent Juden oder von den Nationalsozialisten zu Juden erklärte Menschen betroffen hatte, war die Remigration viel stärker eine Sache der politisch Verfolgten. Für viele Juden schien es nicht vorstellbar, in ein Land zurückzukehren, durch dessen Verfolgung ihre Familien und Freunde um Leben gekommen waren, das sie selbst ausgestoßen und um Hab und Gut gebracht hatte. Das Thema Rückkehr war für Juden daher mit starken Tabus besetzt. Dies galt in verstärktem Maße für die Rückkehr aus Palästina bzw. Israel.[1] Von den Juden, die den Holocaust in Europa überlebt hatten, verließen viele in den Nachkriegsjahren Deutschland. Ihre Zahl überwog die der jüdischen Remigration bei weitem, deren Umfang auf nur vier bis fünf Prozent der nach 1933 Emigrierten geschätzt wird, das sind etwa 12 000 bis 15 000 Menschen.[2]

Nun muß bei der Frage nach der Rückkehr von Juden zunächst eine Grenzziehung versucht werden: Unter Juden sollen hier vor allem Anhänger des jüdischen Glaubens verstanden werden, nicht – in unheilvoller Fortschreibung rassistischer Politik – diejenigen, die unter die von den Nationalsozialisten erlassenen ‚Nürnberger Rassengesetze‘ fielen. Doch diese Unterscheidung ist oft schwer einzuhalten. Das Verdikt ‚Jude‘ traf vor, während und noch nach der NS-Zeit auch viele derjenigen, die nur unter NS-Rassegesichtspunkten als Juden zu bezeichnen waren. Rückkehrer aus einem auch nur einigermaßen erträglichen Exilland waren aber meist keine Menschen, die sich vor allem als gläubige Juden definierten. Sie kamen vielmehr als deutsche Sozialdemokraten und Kommunisten, Wissenschaftler oder Künstler zurück. Dennoch wurde ihnen die Rolle als verfolgte Juden immer wieder angetragen. Peter Blachstein, zurückgekehrter SPD-Politiker in Hamburg, antwortete ärgerlich auf die Anfrage, er möge doch als Jude an einer Diskussionsveranstaltung teilnehmen: „Ich bin kein Jude, ich bin Sozialist."[3] Auch viele überzeugte Kommunisten holte diese rassistische Zuschreibung ein. Sie wurden Ende der vierziger,

Anfang der fünfziger Jahre in der DDR wieder als Juden in die Isolation gedrängt.

Unter den politisch aktiven Rückkehrern, die sich auch als Juden verstanden, sind Herbert und Elsbeth Weichmann in Hamburg zu nennen, des weiteren der spätere Justizminister von Nordrhein-Westfalen, Josef Neuberger, der spätere DGB-Vorsitzende Ludwig Rosenberg, die Politologen Richard Loewenthal und Ernst Fraenkel, die Soziologen Max Horkheimer und Theodor W. Adorno. Nach Ostdeutschland gingen die späteren SED-Funktionäre Albert Norden und Gerhart Eisler, die Schriftsteller Arnold Zweig, Anna Seghers und Stefan Heym, die Literaturhistoriker Hans Mayer und Alfred Kantorowicz. Viele dieser Rückkehrer nahmen jedoch in der Folgezeit wenig oder gar keinen Anteil am Wiederaufbau der jüdischen Gemeinden.[4]

Der Antisemitismus, seit 1945 öffentlich tabuisiert, grundierte in vieler Hinsicht das Verhältnis der Dagebliebenen zu den Emigranten. Die Rückkehr der Emigranten war auch unerwünscht, weil viele von ihnen als Juden galten. Offen wagte man diese Haltung kaum zu vertreten. Doch hinter verschlossenen Türen, wenn beispielsweise in geheimen Personalausschußsitzungen Anstellungen verhandelt wurden, trat der Antisemitismus uneingeschränkt zu Tage: „Ich bin kein Antisemit", so ein Münchner Stadtrat im Januar 1946 zur Anstellung eines jüdischen Arztes an einem städtischen Krankenhaus, „wieso man aber ausgerechnet auf einen Ostjuden aus einem Getto verfällt, verstehe ich nicht".[5] Michael Brenner benennt für die Westzonen auch antisemitische Ausschreitungen auf lokaler Ebene, die jedoch von den Behörden und der Bevölkerung nicht gestützt wurden.[6] Besondere Abneigung mußten die überlebenden osteuropäischen Juden erdulden, deren Auswanderung man vielfach zu beschleunigen suchte. Der Antisemitismus war überdies im Westen häufig an den Antikommunismus gekoppelt;[7] dies traf vor allem die linken Remigranten in der Bundesrepublik. Nach der Wende zum Kalten Krieg konnte das auch wieder öffentlich vertreten werden. In tragischer Gleichzeitigkeit brach im Osten Deutschlands, ausgehend von der Sowjetunion, die unselige Verbindung von Antisemitismus und Antikapitalismus wieder auf.[8]

Auch in Westdeutschland kam es in den folgenden Jahren zu antisemitischen Ausschreitungen. An Weihnachten 1959 schmierten zwei jugendliche Mitglieder der Deutschen Reichspartei Hakenkreuze und Parolen wie „Juden raus" an die kurz vorher eingeweihte Synagoge in Köln sowie an das Denkmal für die Opfer des Nationalsozialismus. Dies war der Auftakt einer Welle antisemitischer Vorfälle, an denen sich vor allem Jugendliche beteiligten. Obwohl sich dies nicht fortsetzte, stellten die Ereignisse für jüdische Remigranten in der Bundesrepublik einen tiefen Schock dar. Max Horkheimer erwog sogar eine erneute Emigration in die USA. Von der frühen Euphorie nach der Rückkehr war nicht viel übriggeblieben.

Zunächst nun zur Remigration von Juden aus den Exilländern; die Rückkehr von Juden aus den Konzentrationslagern soll hier nicht thematisiert werden, da sie den Rahmen des Remigrationsthemas sprengen würde.[9] Juden kamen aus unterschiedlichen Gründen aus ihren Zufluchtsländern zurück. So waren etwa die Verhältnisse in Schanghai, einer der letzten Fluchtenklaven, so schwierig, daß von dort 732 jüdische Emigranten zurückkehrten, von denen sich 429 in der sowjetischen, 234 in der britischen und 69 in der amerikanischen Zone niederließen.[10] Einige von ihnen integrierten sich schnell wieder, darunter z. B. zwei der ehemaligen Berater Chiang Kai-scheks: Der Jurist und Journalist Ernst Halper-Szigeth, der im Finanzdepartment der Internationalen Niederlassung Schanghai gearbeitet hatte, wurde Pressereferent im bayerischen Finanzministerium. Der Ingenieur und Unternehmensberater Alois Robert Böhm lehrte an der von ihm mitbegründeten Hochschule für Politik in München.[11]

Die wenigsten jüdischen Remigranten kehrten den USA oder England wieder den Rücken. Es kamen jedoch etliche aus Palästina bzw. Israel. Dies war ein Politikum, sowohl in Israel selbst wie in den jüdischen Gemeinden in Deutschland.[12] Manche Rückkehrer nannten gesundheitliche Gründe, andere die schwierigen Lebensverhältnisse, das Klima, Arbeitslosigkeit und Wohnungsnot. Wirtschaftliche Gründe standen wohl im Vordergrund. Manche gingen zunächst nur in Geschäften oder wegen Wiedergutmachungsfragen zurück, blieben aber dann doch ganz in Deutschland. In Israel galt die Rückwanderung in das Land der Mörder als Landesverrat, als egoistisch und unsolidarisch. In den fünfziger Jahren wurde sie sogar zur Bedrohung des jungen Staates stilisiert. Dabei ging es besonders um den Vorwurf des ‚Kopfgeldes'. Da die jüdischen Gemeinden den wirtschaftlichen Neubeginn mittelloser Glaubensgenossen nicht tragen konnten, bezahlte die Bundesregierung seit

Remigration aus der Hoffnungslosigkeit. Aus Schanghai,
der letzten Fluchtstation für Juden, kamen einige Rückkehrerschiffe
in Bremerhaven an, 1950

1956 auf Bitten des Zentralrats der Juden in Deutschland für jeden
Rückwanderer, der zwischen 1933 und 1945 ausgewandert war
und nach dem 1. Mai 1945 zurückkehrte, eine „Soforthilfe" von
DM 6000. Dies löste eine Remigrationswelle aus. Weitere Gründe
der Rückwanderung waren die hohe Besteuerung der langsam an-
laufenden deutschen Wiedergutmachungszahlungen durch Israel,
ebenso das beginnende Wirtschaftswunder in Deutschland. So
nennt Harry Maor nach seiner Befragung von fünfzig jüdischen
Gemeinden in Deutschland für die Jahre 1955 bis 1959 die Zahl von
5580 Rückkehrern, von denen 63 Prozent aus Israel kamen.[13] Karola Fings schätzt jedoch, daß rund fünfzig Prozent der Rückkehrer aus Israel mit den jüdischen Gemeinden keinen Kontakt auf-
nahmen, da sie dort wiederum gefragt wurden, wie sie es mit ihrem
Gewissen vereinbaren konnten, aus Erez Israel nach Deutschland
zu kommen. Israel war eben für gläubige Juden, besonders aber für
Zionisten, kein Land, das man wieder verließ, schon gar nicht für
Deutschland. Etliche der in Israel geborenen Kinder gingen später
wieder dorthin zurück.

Hauptziel der Rückkehrer waren die großen Städte. Bis 1952 verzeichnete die Berliner Jüdische Gemeinde 650 Remigranten, die Hamburger 114, die Kölner 210. Das waren in Hamburg und Berlin rund elf Prozent der Gemeindemitglieder, in Köln sogar fast dreißig Prozent.[14] Nach Süddeutschland kamen sehr viel weniger jüdische Emigranten zurück,[15] in Saarbrücken hingegen machten die Remigranten 88 Prozent der jüdischen Bevölkerung aus, hatten doch relativ viele von ihnen im nahen Frankreich überlebt.

Nur wenige der Exilrückkehrer wurden in den Nachkriegsjahren zu führenden Vertretern der jüdischen Gemeinden. Ausnahmen bildeten der Generalsekretär des Zentralrats der Juden in Deutschland, Hendrik van Dam, und der Journalist Karl Marx, der zusammen mit seiner Frau Lilly das jüdische Pressewesen in Deutschland entscheidend prägte. In Würzburg wurde der Israel-Rückkehrer David Schuster Vorsitzender der Jüdischen Gemeinde, später Vizepräsident des Landesverbands der Israelitischen Kultusgemeinden in Bayern. In den sechziger und siebziger Jahren erreichten einige der damals jüngeren Rückwanderer wichtige Positionen. So z. B. in München Hans Lamm, der 1946 aus dem amerikanischen Exil gekommen war, oder in Nürnberg Arno Hamburger, der während des Krieges in der Jüdischen Brigade gedient hatte.

Letzterer schildert seine anrührende Geschichte der Rückkehr des verlorenen Sohnes. Er hatte 1939 als Jugendlicher nach Palästina emigrieren können und meldete sich 1941 zur britischen Armee.[16] Bei Kriegsende war er in Italien stationiert und kam im März 1945 mit vielen Hindernissen nach Nürnberg, um seine Eltern zu suchen: „Dort klingelte ich am jüdischen Friedhof, und der Herr Baruch ist herausgekommen, den ich von Kindheit kannte ... Er hat also einen englischen Soldaten gesehen und gefragt, was er für mich tun könne. Ich habe ihm geantwortet, ich bin der Arno Hamburger, ob er mich denn nicht erkenne. Daraufhin ist er totenbleich geworden. Ich habe ihn gefragt, ob er irgendeine Ahnung hätte, was mit meinen Eltern sei. Ja, sie würden hinten in der Leichenhalle in einem Zimmer wohnen ... Herr Baruch hat meinen Vater, der seit 1939 als Gleisbauarbeiter eingesetzt war, herausgeholt. Er kam mir entgegen und hat mich natürlich nicht gleich erkannt. Erst, als ich meine Mütze abgenommen habe, erkannte er mich. Er hat furchtbar geschrien, mich umarmt. Und dann kam meine Mutter, hat uns gesehen in der Umarmung, sie ist sofort ohnmächtig hingefallen." Beide Eltern hatten in Nürnberg überlebt. Hamburger kam dann auf Wunsch seines Vaters ganz nach Deutschland zurück, da dieser nicht mehr auswandern wollte. Er engagierte sich später auch als Stadtrat der SPD.

Die Rückkehr enthielt für die meisten jüdischen Emigranten einen tiefen, oft nie zu überbrückenden Zwiespalt zwischen ihrem Jude-Sein und ihrem Deutsch-Sein, zwischen der Kenntnis über das schreckliche Deutschland und der Liebe zur heimatlichen Sprache und Umgebung. So schreibt Max Fürst, der 1950 nach Deutschland zurückgekehrt war: „Ich kann eigentlich über mein Judentum gar nicht schreiben, genauso wenig wie über mein Deutschtum: Beide habe ich nicht, sondern sie haben mich. Man ist hineingeboren, hat eine Erziehung erlitten, und dann hat es einen, ohne daß man viel dazu tun muß. Gerade das Judentum ist sehr anhänglich, es klebt wie Pech, und es bedarf schon einer großen Anstrengung, um es loszuwerden; viele haben es ganz vergeblich versucht."[17] Durch Ausgrenzung, Verfolgung und Emigration waren sich viele ehemals religiös indifferente Juden notgedrungen ihres Jude-Seins sehr bewußt geworden. Kaum einer unter ihnen reflektierte nicht über sein individuelles Verhältnis zu den Polen ‚deutsch' und ‚jüdisch'.

Für manche löste sich in der Rückkehr zumindest ein Teil dieses „Emigrantensyndroms".[18] Die Schriftstellerin Hilde Domin erinnert sich: „Vielleicht hat mich das Glück der Rückkehr in das Land meiner Sprache, meiner Kindheit, also mein Land, blind gemacht. Ich war ja ganz betrunken vor so viel Wiedersehen … Sicher hat dabei eine Rolle gespielt, daß in der Rückkehr Freiheit war; im Gegensatz zu all den Fluchten und Exilen, Freiwilligkeit der Entscheidung. Die Rückkehr, nicht die Verfolgung, war das große Erlebnis meines Lebens. Ein Erlebnis von äußerster Zerbrechlichkeit."[19]

In Westdeutschland gab es ein ganzes Spektrum von Reaktionen auf den Wiederbeginn des jüdischen Lebens; meist überwog ein bemühter Philosemitismus, der mit dem Weg Deutschlands zur Westintegration in Verbindung stand. Die vielerorts entstehenden Gesellschaften für deutsch-jüdische Zusammenarbeit suchten Kontakte zu knüpfen und Brücken zu schlagen. Es konnte kein ‚normales' Verhältnis mehr werden. Dennoch gelang es, in der Bundesrepublik wieder ein bescheidenes jüdisches Kultur- und Gemeindeleben aufzubauen. Mit den Einladungen deutscher Großstädte an ihre ehemaligen jüdischen Bürger seit den sechziger Jahren kam es auch wieder zu Kontakten dieser Emigranten mit Deutschland.[20] Mancher Emigrant kam in den folgenden Jahren dann öfter und für längere Zeit nach Deutschland. Die Bundesrepublik war mit gewissen Abstrichen auch für Juden wieder ein Land geworden, dessen Besuchs man sich nicht schämen mußte.

In Ostdeutschland kam es zu einer anderen Entwicklung. Zunächst waren SBZ und DDR das wichtigste Rückkehrziel jüdischer Intellektueller und kommunistischer Parteifunktionäre mit jüdischem Familienhintergrund. Dahinter stand eine große Hoffnung. Der Literaturwissenschaftler Hans Mayer formulierte diese so: „Die ganze Dauer meines Exils hindurch habe ich an meiner These von der Lösbarkeit der Judenfrage in einer nicht mehr klassengespaltenen Gesellschaft festgehalten. Wenn die jüdische Emanzipation unter der bürgerlichen Gesellschaft offenkundig mißlungen war, wie die mörderische Praxis des Dritten Reiches bewies, so war damit, wie ich meinte, noch nichts ausgesagt gegen Lösungsmöglichkeiten jenseits der Bürgerwelt. Es kam hinzu, daß ich auch in den schwierigen Zeiten des Exils keine Erfahrungen zu machen hatte, die ein Bewußtsein meiner gleichsam existentiellen Fremdheit als Jude hervorgerufen hätten ... Im Umgang unter politischen Emigranten gab es keinen Unterschied zwischen Juden und Nichtjuden."[21] Ein sozialistischer Staat auf deutschem Boden, mitgestaltet von Verfolgten und Remigranten, schien die sicherste Gewähr zu bieten gegen ein Wiederaufflammen des Antisemitismus.

Doch dies blieb eine trügerische Hoffnung. Anfangs spielte der jüdische Familienhintergrund wirklich keine Rolle und bewährte Kommunisten erhielten wichtige Positionen, wie immer die Nationalsozialisten ihre Familien definiert hatten. Mit dem Kalten Krieg kam es jedoch zu einer Stalinisierung der SED. Damit verbunden war die Verdrängung eines wichtigen Teils treuer Kommunisten aus der Westemigration. Dies diente gleichzeitig der Festigung der Macht der Moskau-Remigranten, die deshalb geschmeidig den neuen Kurs gegen alte Weggenossen mittrugen. Prominentes Opfer wurde das Zentralkomitee-Mitglied Paul Merker, ein Mexiko-Remigrant ohne jüdischen Familienhintergrund, der wegen seiner Haltung zu jüdischen Fragen seine Ämter verlor, ins Gefängnis kam und in einem Schauprozeß verurteilt wurde.[22]

In diesen Jahren entstand das ganze Arsenal an Lenkungsinstrumenten einer Diktatur. Da war zunächst die Zentrale Parteikontrollkommission, die unter Führung des Moskau-Rückkehrers

Hermann Matern ,Abweichler' zu entdecken wußte. Allein 1950 verurteilte das Oberste Gericht der DDR über 78000 Menschen wegen politischer Vergehen. Im Februar 1950 wurde das Ministerium für Staatssicherheit gegründet. Die Parteimitglieder forderte man zu „revolutionärer Wachsamkeit" gegen Trotzkisten, Titoisten und sozialdemokratische Relikte auf. 1951 wurden 150000 Menschen aus der SED ausgeschlossen, die meisten ehemalige Sozialdemokraten. Manche waren auch allein durch ihre Sozialisation verdächtig, so besonders Westemigranten und Menschen nichtproletarischer Herkunft. Diese Kriterien trafen in der SED überdurchschnittlich oft auf diejenigen zu, die von den Nationalsozialisten als Juden verfolgt worden waren.[23] Die Kampagne gegen den „Kosmopolitismus" zeichnete ebenfalls ein Feindbild, das stark antisemitische Klischees enthielt.

Bereits bei den Diskussionen um die gleichwertige Anerkennung rassisch und politisch Verfolgter als „Opfer des Faschismus" in den Jahren 1947/48 hatte sich gezeigt, daß es mit der Solidarität aller Opfer des Nationalsozialismus unter kommunistischer Ägide nicht weit her war. Es gab eine Zwei-Klassen-Gesellschaft der kommunistischen „Kämpfer" und der jüdischen „Opfer". Auf die Bemühungen der jüdischen Vertreter um finanzielle Hilfen erwiderte die Moskau-Remigrantin Jenny Matern, die Frage finanzieller Unterstützung „spiele in diesen (jüdischen) Kreisen eine Rolle, die oft nicht sehr glücklich ist".[24] Diese Argumentation verdichtete sich im Zuge der Wiedergutmachungsdebatten. Vor allem Paul Merker und sein Leidensgenosse aus dem mexikanischen Exil, Leo Zuckermann, sowie der zuständige Sekretär für Arbeit und Sozialfürsorge, Helmut Lehmann, setzten sich für eine umfassende Wiedergutmachung für jüdische Opfer ein. Doch selbst Leo Zuckermann wollte keine Zahlungen ins Ausland leisten, da das hieße, Wiedergutmachung „in den Dienst ausländischer Wirtschaftsinteressen" zu stellen.[25] Für zurückgekehrte Emigranten gelte dies jedoch nicht, sie sollten Entschädigungen erhalten. Diese Argumentation zeigt die stark nationale Komponente der Diskussion um Wiedergutmachung, die sich übrigens ebenso in westdeutschen Stellungnahmen gegen Entschädigungsleistungen ins Ausland finden läßt. Erst hatte man die Juden ins Ausland vertrieben und sich an ihren Besitztümern bereichert, nun galten sie als Ausländer, denen man ihr Vermögen deshalb nicht wiedergeben wollte.[26]

Die orthodox-kommunistischen Einwände, die sich bereits 1948 gegen die Gesetzentwürfe zur Wiedergutmachung erhoben, enthielten alle Elemente der klassischen Verbindung von Antisemitismus und Antikapitalismus: Schadenersatz für ausländische Juden stärke nur die jüdischen Kapitalisten, jüdische Emigranten seien kein Teil der Arbeiterklasse und damit auch nicht berechtigt, Ansprüche zu stellen, eine Anerkennung des jüdischen Staates bedeutete eine Anerkennung der Ansprüche von Monopol- und Trustherren. Wiedergutmachung käme damit einer Zahlung an den Klassenfeind gleich. Götz Berger, Mitarbeiter der Justizabteilung des Zentralsekretariats der SED, betonte sogar, dies würde nichts anderes bedeuten, als daß „die Sozialisierung vor jüdischem Kapital halt machen sollte und daß jüdischen Kapitalisten Sondervergünstigungen eingeräumt werden sollen".[27]

1948/49 kam es auf sowjetischen Druck zur Kampagne gegen Westemigranten. Mitte 1950 geriet das KPD-Exil in der Schweiz und in Frankreich in die Schußlinie. Der amerikanische Quäker und Kommunist Noel Field wurde beschuldigt, als Doppelagent tätig gewesen zu sein, um die kommunistische Emigration zu unterwandern und eine Teilung Deutschland zu forcieren, dessen westliche Hälfte als Aufmarschbasis gegen die Sowjetunion dienen sollte. 1951 ging es dann gegen das mexikanische Exil. Eine dritte Welle gegen das skandinavische und englische Exil kam dank Stalins Tod 1953 nicht mehr zum Tragen.[28] Insgesamt betrafen die Säuberungen etwa dreihundert deutsche Remigranten. Viele von ihnen verloren ihre Funktionen und verbüßten mehrjährige Zuchthausstrafen. Die Urteilsüberprüfungen seit 1956 führten dann zwar zu Rehabilitierungen, die jedoch nicht öffentlich gemacht wurden.

Bereits frühzeitig gerieten Repräsentanten und Mitglieder der Jüdischen Gemeinden in Verdacht. Dies zeigte Ende 1948 die Verhaftung Fritz Kattens, Vorstandsmitglied der Jüdischen Gemeinde, der Berliner VVN und SED-Mitglied.[29] Katten kam noch einmal frei, wurde 1949 erneut verhaftet und verschwand spurlos. Angeblich war Katten als amerikanischer Agent verdächtig und hatte sowjetischen Juden die Auswanderung nach Israel ermöglicht. Auch Kontakte mit jüdischen Hilfsorganisationen galten als verdächtig.

Seit 1949 wurden Rückkehrer jüdischer Abkunft besonders beobachtet, unterstellte man ihnen doch Verbindungen zum amerikanischen Geheimdienst und zur „zionistischen Bewegung". Als zionistisch galt jede speziell jüdische Belange betreffende Aktivität oder Äußerung. Eine Steigerung bedeutete der Vorwurf der Nähe zur „trotzkistisch-jüdischen Bewegung".[30] In ausführlichen Charakterisierungen der Verdächtigen findet sich die jüdische Herkunft meist extra vermerkt.

Verhaftet wurden unter anderen Leo Bauer, Lex Ende, Rudolf Feistmann und Bruno Goldhammer, alle jüdischer Herkunft und Westemigranten.[31] Dem späteren Kulturminister Alexander Abusch, ebenfalls Jude und Westemigrant, war offenbar eine prominente Rolle in dem geplanten Schauprozeß zugedacht. Er konnte sich jedoch herauswinden, wurde Mitarbeiter der Staatssicherheit und lieferte hinfort Berichte über die Intellektuellen der DDR. Den übrigen Betroffenen wurde der Umgang mit Noel Field und seinem Unitarian Service Committee in der Schweiz vorgeworfen und damit Verrat an den Klassenfeind. Angeblich hatte Field fast alle im Westen exilierten Kommunisten für den amerikanischen Spionagedienst angeworben.[32] In Ungarn fand mit dem Rajk-Prozeß der erste der stalinistischen Schauprozesse außerhalb der Sowjetunion statt, auch hier war das angebliche Spionagenetz von Noel Field der Aufhänger. Hunderte von Kommunisten im ganzen Ostblock, denen man eine Verbindung zu Field nachweisen konnte, erlitten Gefängnis oder Tod, Tausende weitere wurden liquidiert, weil sie wiederum diese Verurteilten kannten.[33] Auch in Ostdeutschland wurde dies für viele zum Fluch. Lex Ende starb 1951 während der „Bewährung in der Produktion" als Lohnbuchhalter in Freiberg wohl an Herzversagen, Rudolf Feistmann beging während der Befragungen Selbstmord. Leo Zuckermann konnte nach Westberlin fliehen und ging ein zweites Mal ins Exil nach Mexiko. Es kam zu einem nicht enden wollenden Überprüfungsprozeß mit Parteiausschlüssen und Funktionsenthebungen. Betroffen davon waren unter vielen anderen auch die Brüder Wieland Herzfelde und John Heartfield. Das Vorgehen erinnert an Hexenprozesse; wie dort beruhten große Teile der Anklage auf Denunziationen, Beschuldigungen, halben Verdachtsmomenten. Es gab kein rechtsstaatliches Verfahren, das Urteil stand bereits vorher fest.

Eine weitere Zuspitzung trat 1952/53 ein. Der Slansky-Schauprozeß in der Tschechoslowakei endete im Mai 1952 mit einer Verurteilung des ehemaligen Generalsekretärs der tschechischen Kommunistischen Partei, Rudolf Slansky, und seiner elf Mitangeklagten jüdischer Herkunft wegen eines „trotzkistisch-titoistisch-zionistischen Komplotts". Umfassende antisemitische Maßnahmen folgten.

Von der Sowjetunion ausgehend, ergriffen die Verfolgungen auch die DDR. Paul Merker wurde als angeblicher zionistischer Agent verhaftet, hatte er doch die Sache der Juden viel zu energisch zu seiner eigenen gemacht. Nach Hermann Materns öffentlich vertretener Auffassung war Merker in die Slansky-Verschwörung verwickelt. Die zionistische Bewegung, die Merker gefördert habe, werde „beherrscht, gelenkt und befehligt vom USA-Imperialismus" und diene „ausschließlich seinen Interessen und den Interessen der jüdischen Kapitalisten".[34] Das Ziel solcher Leute sei es, „die Werktätigen mit dem Gift des Chauvinismus und Kosmopolitismus, mit der reaktionärsten bürgerlichen Ideologie zu verseuchen". Tonart und Sprachduktus sind bekannt: Ähnlich hatten die Nationalsozialisten ihre Maßnahmen gegen Juden gerechtfertigt, die angeblich eine kapitalistische „jüdische Weltverschwörung" planten. Merker wollte, so Hermann Matern weiter, durch die Entschädigung jüdischer Vermögen dem US-Finanzkapital ein Eindringen in Deutschland ermöglichen, er sei von den amerikanischen Imperialisten dafür bezahlt worden. Die Arisierung jüdischer Vermögen habe nur die „den Arbeitern abgepreßten Maximalprofite der Monopolkapitalisten" in andere Hände übergehen lassen. Zurückerstatten dürfe man sie auf keinen Fall.

Der Antisemitismus griff nun rasch um sich. Im Januar 1953 wurde auch Julius Meyer von der Berliner Jüdischen Gemeinde vorgeladen und vernommen.[35] Es gab elf Gemeinden mit weit über tausend Mitgliedern in der DDR. Die Ostberliner Gemeinde war noch mit der Westberliner zusammengeschlossen.[36] Meyer warnte die Vorstände der übrigen jüdischen Gemeinden, und viele wichtige Vertreter der Juden in der DDR flohen wenige Tage später nach Westberlin. In der Sowjetunion kam es zu einer Anklage gegen jüdische Kreml-Ärzte. Sie hatten angeblich Politiker vergiftet. Das führte zu einer Überprüfung jüdischer Ärzte in den Krankenhäusern. Weitere Mitglieder der jüdischen Gemeinden flohen daraufhin in den Westen. Sogar altgediente Kommunisten wie Arnold Zweig und Gerhart Eisler verloren ihre Posten.[37] Stalins Tod im März 1953 nahm jedoch einer weiteren geplanten Überprüfung von Westemigranten den Stachel. Ab Herbst 1953 ebbte die Verfolgung der Westemigranten ab.

Doch die Illusion eines sozialistischen Lebens ohne Antisemitismus war verflogen. Zu einer Wiederbelebung jüdischer Kultur in der DDR kam es nicht mehr, obwohl sich in späteren Jahren eine Politik der größeren Toleranz durchsetzte, wollte doch die DDR nicht als antifaschistisches Land ganz ohne Juden erscheinen.

Die Begegnung mit der Bürokratie
Zuzug, Rückerstattung, Wiedergutmachung

Die Belastungen der Remigration wurden multipliziert durch die bürokratischen Probleme, mit denen sich die Rückkehrer konfrontiert sahen. Sicherlich hatten sie im Exil „Geduld gelernt", wie es der exilierte Schriftsteller Oskar Maria Graf ausdrückte,[1] aber die aus ihrer Heimat Gejagten waren mit ihrer Geduld gegenüber Deutschland auch bald am Ende. Ob Einreise oder Rückerstattung des Geraubten, alles unterlag Bestimmungen und langwierigen bürokratischen Prozeduren. Diese bürokratische Behandlung ihres Schicksals verletzte die Betroffenen erneut und war eine schlechte Voraussetzung für einen Neuanfang.

In den ersten Nachkriegsjahren blieb Deutschland zunächst, nimmt man die alliierten Besatzer aus, noch fast ebenso von der übrigen Welt abgeschlossen wie während der letzten Kriegsjahre. So durfte, laut Proklamation Nr. 2 des Alliierten Kontrollrates und Gesetz Nr. 161 der Amerikanischen Militärregierung, niemand ohne alliierte Genehmigung das Land betreten oder verlassen. Dies galt auch für Emigranten, von denen viele längst keine deutschen Staatsbürger mehr waren. Entweder hatten sie die Staatsbürgerschaft ihres Aufnahmelandes erhalten, oder sie blieben nach der Ausbürgerung aus Deutschland staatenlos. Vor allem ‚verdächtige' Pazifisten, Sozialisten und Kommunisten taten sich in der Westemigration bei solchen Fragen schwer. Als Staatenlose durften sie zwar jederzeit ausreisen; ob sie die Genehmigung zur Einreise nach Deutschland bekommen hätten, blieb jedoch unsicher, und zurück konnten sie nicht mehr, wenn sie das Fluchtland einmal verlassen hatten. Dies hielt viele Emigranten noch jahrelang sogar von einem Besuch Deutschlands ab.[2]

Eine Rückkehr lag also keineswegs nur im Ermessen der Emigranten. Viele warteten sogar sehnsüchtig auf die Rückkehrmöglichkeit und setzten dafür alle Hebel in Bewegung. Doch neben den grundsätzlichen Schwierigkeiten mit der Staatsangehörigkeit gab es für die Einreise noch andere Behinderungen. So mußten Emigranten, die zurück wollten, eine Wohnung an ihrem Zielort sowie eine lokale Zuzugsgenehmigung vorweisen können, bevor sie einreisen durften; überdies sollten die Rückkehrwilligen den Nachweis führen, daß sie in der alten Heimat gebraucht würden. Doch bereits für Ortsansässige war es schwierig, in Großstädten Unterkunft und damit eine Zuzugsgenehmigung zu erhalten. Vom Ausland aus gelang dies meist nur mit der nachdrücklichen Hilfe von Freunden oder politisch einflußreichen Persönlichkeiten.

Daher blieben mögliche Rückkehrer zunächst auch aus praktischen Gründen in der Emigration, obwohl jedes weitere Jahr dort Deutschland für sie mehr in die Ferne rückte. Im Zusammenhang mit ihren Rückerstattungs-, Entschädigungs- und Wiedergutmachungsverfahren kamen sie dann auf juristischem Wege erneut mit der Vergangenheit in Berührung und machten dabei Erfahrungen mit der meist abweisenden und überforderten deutschen Bürokratie. Dies betraf einmal die Verzögerungen der Gesetzgebung, dann aber auch den langen Prozeßweg, der bei manchen Rückerstattungen nötig wurde, um Fragen des ‚angemessenen‘ Verkaufspreises für eine Firma, ein Grundstück oder einen zwangsversteigerten Hausrat zu klären. Bei Entschädigungs- oder Wiedergutmachungsverfahren wurde dann noch deutlicher, daß die deutschen Behörden die Verantwortung für das begangene Unrecht während der NS-Zeit nur höchst widerwillig übernahmen. Wenn nicht wirtschaftliche Erwägungen eine Rückkehr nahelegten, steigerte diese Berührung mit der deutschen Justiz nur selten die Sehnsucht der Emigranten nach der alten Heimat.

Unterlag die Einreise anfangs noch weitgehend alliierten Auflagen, so waren bei der Zuzugsgenehmigung und der Wohnungszuteilung die deutschen Behörden gefragt. Manche Emigranten, die eigentlich zurückkommen wollten, scheiterten an der Bürokratie. So war Stefan Andres 1937 nach Italien emigriert, weil seine ‚halbjüdische‘ Frau in Deutschland nicht mehr sicher sein konnte. Seit Ende 1948 bemühte er sich um eine Rückkehr.[3] Der Piper-Verlag wie der Schriftsteller Wilhelm Hausenstein setzten sich bei dem Münchner Kulturbeauftragten Hans Ludwig Held für Andres ein. Dennoch schrieb Andres nach einem Besuch in München enttäuscht an Hausenstein: „Ich bemühte mich sogar um eine Wohnung in München, doch hatte ich den Eindruck, daß außer Prof. Held und der amerikanischen Militärbehörde niemand von den

Regierenden in München mich besonders gerne dort haben wollte. Ich werde also womöglich an den Rhein ziehen, wo ich ja auch eigentlich hingehöre, in die Nachbarschaft von Bonn z. B., von wo man mich mit einzigartiger Herzlichkeit einlud. Vielleicht hätte ich in München den reichern menschlichen Anschluß, aber ich möchte auch nicht als ‚Ausländer' innerhalb der deutschen Grenzen angesehen werden."

Held erreichte im Mai 1949 sogar noch einen Beschluß des städtischen Kulturausschusses: „Die Rückkehr des emigrierten deutschen Dichters Stefan Andres nach München ist mit allen Mitteln zu fördern. Das Referat 7 – Herr Stadtrat Wüstendörfer – wird ersucht, durch Bereitstellung eines entsprechenden Wohnraums die wesentliche Voraussetzung dafür zu schaffen." Dennoch lehnte das Wohnungsreferat im August 1949 die „bevorzugte Zuweisung einer Wohnung (Sonderfall) an Herrn Stefan Andres im Gleichrang mit Wohnungselendsfällen" ab. Den untergeordneten Behörden war nicht verständlich zu machen, daß es sich bei diesen Rückkehrern um Leute handelte, die aufgrund des ihnen zugefügten Unrechts ein Anrecht auf bevorzugte Behandlung hatten, und daß sie keineswegs als Bittsteller zu betrachten waren. Wie auch der bayerische Ministerpräsident Hans Ehard in einer Ministerratssitzung vom Juli 1947 formulierte, konnte man diesen „nicht nur ein primitives Leben garantieren, sondern müsse für eine entsprechende Unterkunft, Arbeitstätigkeit usw. sorgen".[4]

In dem Stadtstaat Hamburg ging die Verwaltung sensibler und geschickter mit solchen Anfragen um. Im Auftrag des Remigranten und Bürgermeisters Max Brauer bemühten sich die zuständigen Beamten sehr um einen verbindlichen Ton und kleideten ihre Absagen in freundliches Bedauern.[5] Alle Wege erschienen hier kürzer. Auch das Wohnungsamt zeigte bei Vorstellungen der Wiedergutmachungsstellen sehr viel mehr Verständnis und war bemüht, Konflikte zu entschärfen.[6]

Die Einreise war der erste Schritt zur Rückkehr; Zuzug, Wohnung und damit Arbeitsmöglichkeit verhalfen den Remigranten dann zu einem Neuanfang in Trümmerdeutschland. Nicht genau zu bemessen, jedoch von eminenter Bedeutung war dabei die Art der Aufnahme. Ein bürokratischer und formalistischer Ton vermittelte den ein Jahrzehnt vorher des Landes Verwiesenen den Eindruck einer ‚typisch deutschen' Abwehr und Ablehnung.

Die Situation im zerstörten Nachkriegsdeutschland bot sicherlich keine ideale Ausgangsbasis für einen Neuanfang. Auch der ‚Normalverbraucher‘, der nicht durch die Hölle von Verfolgung und Konzentrationslager gegangen war, litt Hunger, hatte kein Dach über dem Kopf und war nur sehr unzureichend mit dem Lebensnotwendigsten versehen. Viele ausgebombte Großstädter lebten auf dem Land in der Evakuierung und hatten keinen sehnlicheren Wunsch, als in die Stadt zurückzukehren, in der es viel eher Arbeit und Kommunikationsmöglichkeiten gab. Die Städte erließen strenge Zuzugssperren.[7] Neben den Evakuierten, den zurückkehrenden Kriegsgefangenen und den Displaced Persons waren es vor allem die nach Deutschland ausgewiesenen Flüchtlinge und Vertriebenen, die in die größeren Städte drängten.

Dadurch gewann das Recht der Verfolgten auf freie Wahl des Aufenthaltsortes an Bedeutung. Die für die rassisch, religiös und politisch Verfolgten zuständigen Behörden konnten eine gewisse Anzahl von Personen für den Zuzug vorschlagen. Wie dies aussah, schildert beispielsweise Rolf Kralovitz: „In München … ging ich zunächst mit ein paar anderen, die auch von Berlin mit mir gekommen waren, durch die jüdische Gemeinde und fragte da, wie kommt man hier unter, wie kann man hier leben, was kann man hier machen … Man mußte in München eine Zuzugsgenehmigung haben, das war das A und O. Wenn man keine Zuzugsgenehmigung hatte, bekam man keine Lebensmittelkarten, und dann bekam man kein Zimmer, also man konnte eigentlich nur auf der Straße stehen, schlafen und nichts essen, so war die Situation. Es war ja auch sehr viel kaputt … der G. kannte den Philipp Auerbach, … der war Staatskommissar geworden … und machte es möglich, daß ich innerhalb ganz kurzer Zeit, ich glaub' eine Woche oder zwei, tatsächlich eine Zuzugsgenehmigung bekam, die damals auf dem schwarzen Markt mit furchtbar hohen Preisen gehandelt wurde. Aber ich bekam sie Gott sei Dank umsonst, ich hatte auch gar kein Geld, um mir diese kaufen zu können."[8]

Die Einweisung in eine Wohnung bedeutete dann das ersehnte Dach über dem Kopf. Die Schwierigkeiten und Reibungsflächen, die zwischen den oft durch ihre nationalsozialistische Parteimitgliedschaft belasteten Wohnungsinhabern und den so Zugewiesenen entstehen mußten, lassen sich unschwer nachvollziehen. Die Empfindlichkeiten, die hier auch auf seiten der Verfolgten bestanden, zeigt ein Brief des bayerischen Staatskommissars für die politisch und rassisch Verfolgten, Philipp Auerbach, an den Münchner Oberbürgermeister Scharnagl vom März 1947: „Die uns zugeteilten Kontingente bestehen in Scheinen, für die keine Deckung vorhanden ist ..., da entweder die Wohnungen zerstört oder unbewohnbar oder illegal von Nazis oder nicht Befugten besetzt sind. Herr Stadtrat Gerstl hat so viel Mitleid, diese illegalen Einwohner nicht herauszusetzen, hat sich aber nicht überlegt, was mit unseren Betreuten geschieht, die zwei Jahre nach der Befreiung noch keinen ausreichenden Wohnraum ihr eigen nennen können. Wir behaupten und stellen unter Beweis, daß wir Fälle haben, in denen acht bis zehn Personen in einem Zimmer hausen müssen, oder politisch und rassisch Verfolgte, die jahrelang im Konzentrationslager gewesen sind, in feuchten Kellerwohnungen hausen."[9]

Das Gefühl, zurückgesetzt zu werden, blieb. Es äußerte sich Jahre später wiederum bei einem Vergleich mit den aus Rußland heimkehrenden Kriegsgefangenen. So schrieb der Arbeitsausschuß der Organisation ehemals Verfolgter in Hamburg im Oktober 1955 an den Senat: „Wir empfinden zunächst den Gegensatz zwischen der Behandlung der Heimkehrer und der der Wiedergutmachungsberechtigten. Wenn ein ehemals Verfolgter aus der Emigration zurückkehrt, so erhält er 300 Mark und muß im übrigen für sich selbst sorgen, insbesondere sehen, wie er zu einer Wohnung kommt. Will ein ehemals Verfolgter eine Entschädigung für erlittene KZ-Haft, so muß er sich einem langwierigen Verfahren unterziehen und genauestens nachweisen, daß er lediglich als Gegner des Nationalsozialismus inhaftiert war. Ein Heimkehrer hingegen erhält ohne Nachweis seiner politischen Unbescholtenheit sofort 600 Mark, eine Wohnung und sonstige Betreuung. Nicht daß wir dem Heimkehrer das Seine mißgönnen – wir sehen den Unterschied gegenüber der Wiedergutmachung."[10] In den heimkehrenden Kriegsgefangenen erkannten die Deutschen sich selbst, von ihnen erhofften sie sich sogar in fast mythischer Überhöhung Hilfe für einen Neuanfang – von den rückkehrenden Emigranten nicht.

Die weitverbreiteten Vorurteile der Bevölkerung führten manchmal auch zu der Befürchtung, der neue Untermieter werde möglicherweise die Wohnung ausräumen. Angenehm waren die wenigsten der auf diese Weise vermittelten Zimmer. Rolf Kralovitz schildert seine Wohnungssuche mit einer Zuzugsgenehmigung:

„Und nun konnte ich mir ein Zimmer aussuchen, aber wo, es gab ja keine, denn auch Zimmer waren beschlagnahmt ... Ich bekam eins in der Ludwigshöhe hieß das, ... das war damals ein eiskalter Winter, das war 46/47, und ich weiß noch, das war ein möbliertes Zimmer, und die Bettdecke war innen an der Wand angefroren, so kalt war es."[11] Die Einheimischen setzten sich überdies massiv gegen Zwangseinweisungen zur Wehr und machten den ungeliebten Zwangsgästen das Leben schwer. Manche wandten sich um Unterstützung an die Wiedergutmachungsbehörden, die sich dann oft sehr eindeutig gegenüber den Unterbehörden äußerten.

Auch den untergeordneten Behörden, hier vor allem den Wohnungsämtern, machte man immer wieder den Vorwurf, sie zögen einheimische Ausgebombte oder Evakuierte den Verfolgten vor. So berechtigt dies im Einzelfall gewesen sein mag, so ist es nicht immer mit grundsätzlichem politischen Ressentiment zu erklären; manchmal war es auch ein Zeichen persönlicher Abstumpfung gegenüber dem Elend und der bürokratische Versuch, alle gleich und keinen gleicher zu behandeln. Diese scheinbare Gerechtigkeit gegenüber allen betroffenen Kriegsgeschädigten zeigt jedoch, daß in der Bevölkerung kein klares Bewußtsein über die moralische Sonderstellung der Verfolgten festzustellen war, sei es nun aus schlechtem Gewissen gegenüber dem eigenen Versagen in der Konfrontation mit dem NS-System oder aus dumpfer Gleichgültigkeit. Auch der ganz persönliche Egoismus in einer Notzeit spielte eine Rolle, der jeden zusätzlichen Esser oder Mitbewohner erst einmal zu einem potentiellen Feind stempelte.

Wer immer mit Behörden zu tun hatte, brauchte viel Geduld. Die deutsche Nachkriegssituation verschärfte den Papierkrieg, es blühte die Bürokratie der Mangelverwaltung.[12] Alle Güter des täglichen Bedarfs waren bewirtschaftet, offiziell gab es nichts ohne Bezugsschein und Berechtigungsnachweis. Neben der deutschen wirkte die amerikanische Verwaltung, die ebenfalls jeden Antrag in sechsfacher Ausfertigung verlangte. Zwar hatten Verfolgte kleine Privilegien in diesem bürokratischen Dschungel, doch auch sie hingen im Netz der Zuteilungen und Bezugsscheine.

Dies war für einige Rückkehrer der offensichtliche Beweis ihrer Unerwünschtheit. So schrieb Fred Gintz, der auf den Aufruf der Ministerpräsidentenkonferenz von 1947[13] aus Holland zurückgekommen war, 1949, er habe weder die beantragte Lizenz für ein Import-Export-Geschäft bekommen noch einen Telephonanschluß und auch keinen Ersatz für seine von den Nationalsozialisten geraubte Wohnung und sein Geschäft:[14] „Ja, dies Alles ist meine Heimat! Meine ganze Familie (36 Personen) sind in Auschwitz umgekommen. Ich habe in der Zeitspanne meines Hierseins meine Ersparnisse hingeben müssen. Der letzte Rest ist mir bei der Währungsreform auch noch abhanden gekommen. Heute stehe ich nun ohne geldliche Mittel da. Ich möchte Sie bitten (falls nach wie vor… Wert darauf gelegt wird, daß deutsche Juden hier bleiben und zurückkommen sollten), mir einen Staatskredit… zum Wiederaufbau einer Existenz in der Heimat bewilligen zu wollen… Sollte dieser, es ist wirklich mein letzter, Schritt auch ohne Erfolg sein, so muß ich dann mich umsehen für meine neue Auswanderung. Ich bin müde von den unerfolgreichen Behördenwegen und deren undemokratischem Verhalten."

Ob solche Klagen nun im Einzelfall berechtigt waren oder nicht, das Gefühl, nicht erwünscht zu sein, blieb. Wer sich nicht mit Arbeit, Wohnung und Freundeskreis etablieren und integrieren konnte, blieb fremd und entwurzelt, ein Wanderer zwischen den Welten von Emigration und Heimat.

Das wurde noch verstärkt durch die Prozedur für den Wiedererwerb der (west)deutschen Staatsbürgerschaft; in der SBZ/DDR handhabe man diese Frage bei denen, die einreisen durften, sehr viel unbürokratischer. Der Länderrat der Westzonen beschloß jedoch im Dezember 1947,[15] die Aberkennung der deutschen Staatsangehörigkeit durch die Nationalsozialisten keineswegs als juristisch von vorne herein ungültig zu erklären, wie dies Wilhelm Hoegner im Länderrat gefordert hatte. War der ursprüngliche Einwand des Alliierten Kontrollrates noch gewesen, man dürfe Emigranten nicht gegen ihren Willen die Staatsbürgerschaft wieder verleihen, so wurde nun ein regelrechtes Prüfverfahren daraus. Die Ausgebürgerten mußten über ihre Vergangenheit Rechenschaft ablegen und alle Orte angeben, an denen sie sich seit ihrer Geburt länger aufgehalten hatten. Im Rahmen der Einzelfallprüfung konnten regelrechte ‚Ermittlungen' eingeleitet werden, mit Zeugenvernehmungen und der Auswertung von polizeilichen Strafakten. Die Bürokratie behielt sich also vor, darüber zu befinden, wer wieder Deutscher sein durfte. Manche erhielten ihre entzogene deutsche Staatsbürgerschaft nie zurück.

Eine weitere Begegnung mit der deutschen Bürokratie war gegeben, wenn sich zurückgekehrte oder im Ausland lebende Geschädigte des NS-Regimes um Rückerstattung, Entschädigung oder Wiedergutmachung bemühten. Nach den Rechtsunsicherheiten der ersten Jahre, als es kaum gesetzliche Grundlagen gab, meist nur die Feststellung eines Anspruches zu erreichen war und Zahlungen ins Ausland noch von der Militärverwaltung verboten wurden, kamen diese Prozesse Anfang der fünfziger Jahre in größerem Umfang in Gang. Noch Mitte der fünfziger Jahre landeten Zahlungen – zehn zu eins, in Härtefällen fünf zu eins abgewertet – vorerst auf Sperrkonten; der Verlust auch bei diesen Restsummen betrug anfangs bis zu siebzig, später noch bis zu vierzig Prozent der Dollarparität. Versorgungsbezüge durften nicht ins Ausland bezahlt werden.[16]

Die Rückerstattung, an sich ein in der Konzeption einfaches Verfahren, konnte in vielen Fällen nicht durchgeführt werden, da der zurückgeforderte Hausrat in alle Winde zerstreut, die Häuser zerbombt, die Aktien wertlos waren. Hier ging es dann zunächst darum, die Berechtigung und die Schadenshöhe gerichtlich festzusetzen. Besonders aufschlußreich sind hierfür etliche Fälle, die in Hamburg verhandelt wurden. Es ging dabei um die vielen tausend (in einer gerichtlichen Feststellung ist von zwei- bis dreitausend die Rede)[17] Umzugskisten, „Lifts" genannt, die nach Kriegsausbruch ihren aus ganz Deutschland stammenden emigrierten Besitzern nicht mehr nachgesandt worden waren. Sie lagerten zunächst im Hamburger Freihafen und wurden laut Verordnungen vom Oktober und November 1939 als „Feindvermögen" unter Abwesenheitspflegschaft gestellt.[18] In der zweiten Hälfte des Jahres 1940 gab der Hamburger Reichsstatthalter als oberster Verwaltungschef die Anweisung, die Möbelkästen wegen ihrer angeblichen Feuergefährlichkeit bei Luftangriffen ins Hafengelände auszulagern. Etliche wurden beschlagnahmt und versteigert. Auch die Hamburger Sozialbehörde ersteigerte vorsorglich Möbel und Kleidung für zukünftige Luftkriegsschäden. Die Gelder gingen an die Gestapo.

Sachverständigengutachten der Nachkriegszeit ergaben, daß der wahre Wert meist um das Eineinhalb- bis Zweieinhalbfache über dem Versteigerungserlös lag,[19] vorausgesetzt, die Stücke waren nicht bereits vorher gestohlen worden. Bei hochwertigen Antiquitäten gab es unterschiedliche Schätzungen: Der Auktionator Carl Schlüter schätzte ihren wahren Wert auf das Zweieinhalb- bis Dreifache,[20] der Gerichtsvollzieher Bobsien hingegen behauptete, echte Antiquitäten hätten 1941/42 sogar noch höhere Preise erzielt als vor oder nach dem Krieg.[21]

Bei der Feststellung des Schadensersatzanspruchs entstand nach Kriegsende in vielen Fällen eine geradezu tragikomische Situation. Hatte der öffentlich bestellte „Abwesenheitspfleger" korrekt gehandelt und der Gestapo das erzielte Geld (abzüglich der fünfzehn- bis zwanzigprozentigen „Zollabgabe" für jüdisches Eigentum sowie der Versteigerungsgebühren) nicht herausgegeben, sondern dieses ordnungsgemäß auf einem Sparbuch deponiert, so blieb den Emigrierten meist nur eine lächerliche Summe. In einem Fall waren es nach der Währungsreform 251,95 DM bei einem Versteigerungserlös von 7451,50 RM, der wohl einem realen Wert von rund 15 000 RM entsprochen hatte.[22] Am besten standen diejenigen Geschädigten da, deren Umzugsgut nachweislich und relativ früh von der Gestapo widerrechtlich beschlagnahmt und versteigert wurde und – dank deutscher Buchführung auch im größten Unrecht – in den Erlösen Stück für Stück nachvollziehbar war. Dies galt als „Entziehungshandlung", die juristisch zu ahnden war, hier entstanden Schadensersatzansprüche. Die Hamburger Sozialbehörde entzog sich jeder Verantwortung ebenso wie die Abwesenheitspfleger mit dem Hinweis auf die damals geltende Rechtslage. Auch die Wertminderung, die durch Wasserschäden, Diebstähle oder Bombenschäden vor der „Entziehung" entstanden waren, glaubten die Behörden nicht verantworten zu müssen, obwohl dies den Erlös natürlich beträchtlich gemindert hatte.[23]

Es lassen sich zwar viele Hinweise darauf finden, daß die Wiedergutmachungskammer bemüht war, den Geschädigten entgegenzukommen. Doch es wurde beispielsweise nie die rechtliche Gleichsetzung des Emigranten-Umzugsguts mit „Feindvermögen" in Frage gestellt.[24] Hätte man dies getan, wäre eine völlig andere Rechtslage entstanden, die viel mehr den wirklichen Tatsachen entsprochen hätte. So konnte man sich jedoch hinter die scheinbare Rechtmäßigkeit der Verordnungen des Unrechtsregimes zurückziehen – zu Lasten der auf diese Weise doppelt Geschädigten.

Auf Entschädigungszahlungen und Rentenbescheide warteten die Betroffenen oft jahrelang. Die Auslandsanträge blieben dabei meist noch länger liegen als die Forderungen von Geschädigten aus dem Inland; so zeigt eine Statistik vom Mai 1950, zwei Monate nach

dem ersten Endtermin für die Anmeldung von Haftentschädigungs-
ansprüchen, unter knapp 120 000 beim Bayerischen Landesentschädigungsamt eingegangenen Anträgen auch nahezu ein Viertel Aus-
landsforderungen. Etwas über 10 000 Anträge waren in Bearbeitung
genommen worden, darunter nur rund fünfzig Auslandsanträge.[25]
Auf eine besorgte Anregung von Nahum Goldmann, dem Vorsitzenden der jüdischen Claims Conference, legte das bayerische Finanzministerium Mitte 1961 die neuesten Zahlen zur Wiedergutmachung
vor: Ende 1960 waren von knapp 340 000 Anträgen inzwischen rund
zwei Drittel erledigt; aus dem Ausland kamen etwa 200 000, von denen noch über 75 000 unerledigt geblieben waren. Gesundheitsschä-
den, für die oft Renten zu genehmigen waren, bildeten davon die
größte Gruppe, während die fast 80 000 einmaligen Ausgleichszah-
lungen für Haftentschädigung weitgehend abgeschlossen waren.[26]
Über 15 Jahre nach Kriegsende blieben also immer noch viele Forderungen unerfüllt. Da die Deutsche Mark in den ersten Jahren nicht
in andere Währungen konvertierbar war, blieb auch die Auszahlung
des endlich Errungenen kompliziert und war mit weiteren Verlu-
sten verbunden.

Ob das Zögern gegenüber den Auslandsanträgen noch andere
Gründe hatte, ist schwer zu sagen. Jedenfalls erschien in der Süddeutschen Zeitung im März 1949 ein Artikel zur Wiedergutmachung, der die nationalistischen und nazistischen Elemente dieser
Verzögerungen deutlich macht. Die hier verwandte Terminologie
findet sich fatalerweise ganz ähnlich in ostdeutschen Stellungnahmen zur Wiedergutmachung.[27] So ist davon die Rede, man unter-
nehme auf Befehl der Militärregierung den Versuch, „eine Entwicklung, die sich im Rahmen eines geschichtlichen Prozesses abgespielt
habe, wieder rückgängig zu machen" – Raub und Völkermord als
simple „historische Entwicklung"? Im Resümee des Artikels heißt
es, die Auswirkungen einer solchen Rückerstattung auf die Volks-
wirtschaft seien bedenklich, da man „nach oft mehr als 15 Jahren gewisse Teile aus der Wirtschaft" löse – ihre Vereinnahmung hatte
keine solchen Bedenken bewirkt. Neunzig Prozent der Ansprüche,
so befürchtete der Verfasser dieses Artikels, kämen aus dem Ausland, aus Amerika, Palästina, Australien und Südamerika. „Wenn
dieses Gesetz konsequent durchgeführt wird, rechnet man damit,
daß ein sehr hoher Prozentsatz der bayerischen Wirtschaft in ausländische Hände übergehen wird."[28]

Ein Beamter aus dem Innenministerium empörte sich in einem Schreiben an den bayerischen Ministerpräsidenten darüber, daß dieser Artikel unwidersprochen geblieben sei: „Die Tendenz dieser Veröffentlichung besagt weiter gar nichts, als daß es dem Schreiber dieses Artikels oder dessen Informanten offenbar unangenehm ist, wenn das gestohlene Eigentum wieder in die Hände derer oder deren Erben zurückkommt, die ein Recht auf dasselbe haben. Daß diese früheren Eigentümer gezwungen wurden, um ihr Leben zu erhalten, ins Ausland zu flüchten, sofern ihnen das noch möglich war ... erscheint also dieser sogenannten Wiedergutmachungsbehörde als ein schwerer Fehler. Man erklärt, es wäre für die bayerische Wirtschaft besser, wenn alles so bliebe wie es ist."[29] Solche Artikel trugen natürlich nicht dazu bei, die in- und ausländischen Besorgnisse zu beseitigen, lieferten sie doch deutliche Beweise dafür, daß die Wiedergutmachung nur als Diktat der Besatzungsmächte empfunden wurde, dem sich die Deutschen widerwillig und mit Ausflüchten beugten.

Doch Verzögerungen kamen auch auf anderem Wege zustande. Da die Beteiligten eines Rückerstattungsverfahrens, oft bereits die Erben der ursprünglichen Besitzer, häufig über die ganze Welt verstreut waren, erschwerte das den Schriftwechsel beträchtlich. Vom Erbschein bis zur Überweisung des Verkaufserlöses mußten sich manchmal drei und mehr Behörden einschalten. Betroffene und Wiedergutmachungsanwälte drängten daher darauf, Gesetzgebung und Verwaltungspraxis zu ändern, damit „die aus rassischen oder politischen Gründen ins Ausland vertriebenen früheren deutschen Staatsangehörigen alsbald zu ihrem Rechte kommen".[30]

Bürokratische Hürden erbitterten und verstimmten. So hatte der langjährige SPD-Reichstagsabgeordnete Hans Unterleitner auf Anregung Wilhelm Hoegners Anfang 1950 von New York aus seine Ansprüche nach dem Entschädigungsgesetz fristgerecht angemeldet.[31] Erst ein Jahr später wurde der Eingang seines Antrages überhaupt bestätigt. Unterleitner war 1946 als Dolmetscher bei den Nürnberger Prozessen in Bayern gewesen, äußerte aber kein Verlangen, ganz zurückzukehren.[32] Anfang 1954 bat das Landesentschädigungsamt dann endlich Hoegner um eine Bestätigung der Haft und ihrer Dauer, um die Haftentschädigung festzusetzen, eine Erklärung, die Hoegner umgehend lieferte: „Der ehemalige Reichstagsabgeordnete und bayerische Sozialminister von 1918/19 Hans

Unterleitner wurde am 30. Juni 1933 in seiner Wohnung in München festgenommen und nach Dachau gebracht. Er wurde dort aufs schwerste mißhandelt und wäre durch eine Blutvergiftung beinahe ums Leben gekommen. Durch Vermittlung des Vorsitzenden der englischen Friedensgesellschaft Lord Cecil, an den ich mich von der Schweiz gewandt hatte, glückte es mir, die probeweise Entlassung Unterleitners aus Dachau zu erzielen. Die Entlassung fand im Herbst 1934 oder 1935 statt. Unterleitner mußte sich jeden zweiten Tag bei der Polizei melden. Er wurde zum Gespött der Nationalsozialisten im Tierpark Hellabrunn zum Laubrechen gezwungen. Unterstützung oder Arbeit hatte er nicht. Die Nationalsozialisten drohten ihm ständig, daß er wieder nach Dachau komme und daß es dann um sein Leben geschehen sei. Infolgedessen benützten wir die Weihnachtsfeiertage 1934 oder 1935 dazu, Unterleitner und seine Familie in die Schweiz zu schaffen. Er wurde von einem Schweizer Gericht wegen unerlaubter Grenzüberschreitung angeklagt, aber im Hinblick auf seine erlittenen Mißhandlungen letztlich freigesprochen."[33]

Diese Bestätigung verhalf Unterleitner zumindest zur Befriedigung seiner Haftentschädigungsansprüche, nicht jedoch zur Erledigung seiner anderen Forderungen. So monierte Unterleitner im Juli 1955 beim Landesentschädigungsamt, nachdem er nochmals seine Leidensgeschichte berichtet hatte:[34] „Es gelang mir, dem grausamen Treiben zu entkommen, jedoch es vergingen Jahre, bis ich ein einigermaßen normales Leben führen konnte. Die Angaben in meinem Antrag, daß ich vom Juli 1933 bis zum November 1939 – meiner Auswanderung in die USA – durch die Naziverbrecher meines Einkommens beraubt wurde, sind nicht schwer auf ihre Wahrheit zu prüfen. In Deutschland hat man mich mit brutaler Gewalt an der Ausübung meines Berufes gehindert, in der Emigration war keine Arbeitserlaubnis zu erhalten." Am Schluß seines Schreibens zog Unterleitner sein persönliches Fazit: „Als ich erfuhr, daß durch eine bescheidene Wiedergutmachung den Opfern der Nazibrutalität geholfen werden sollte, habe ich Zweifel gehegt, daß es wirklich aufrichtig gemeint ist. Die Behandlung, die ich nun vom Entschädigungsamt erfahre, übertrifft meine Befürchtungen ... Ich hatte erwartet, daß in meinem Falle die Tatsachen so klar sind, daß es keiner komplizierten Verhandlung bedürfte. Seit fünf Jahren warte ich nun auf eine Entscheidung."

Wilhelm Hoegner, damals wieder bayerischer Ministerpräsident, setzte sich umgehend mit dem Finanzminister in Verbindung und bat um Beschleunigung des Falls. Bereits zwei Wochen später erhielt Unterleitner 5000 DM für „Schaden an Eigentum und Vermögen"; sein Anspruch wegen „Schadens im beruflichen und wirtschaftlichen Fortkommen" sollte nun ebenfalls sofort bearbeitet werden.[35] Es war offensichtlich der persönliche Einsatz eines Ministerpräsidenten nötig, um zehn Jahre nach dem Krieg einen eindeutigen Entschädigungsfall auf den Weg zu bringen.

Hoegner machte sich, ähnlich wie der Remigrant Herbert Weichmann in Hamburg,[36] auch in anderen Fällen zum Anwalt schwebender Wiedergutmachungsforderungen. Er beschleunigte das Verfahren für ein nach Frankreich emigriertes langjähriges SPD-Mitglied, dem 1958 eine Rente zugesprochen wurde, kümmerte sich um die Ansprüche eines spätausreisenden Ungarn-Remigranten und befürwortete die Ausbildungsentschädigung eines nach Amerika emigrierten Rechtsstudenten.[37] Er kümmerte sich auch um Oskar Maria Graf, der sich seit 1950 um Entschädigung für den Verlust seiner Möbel und für seinen „Schaden im beruflichen Fortkommen" bemühte. Ende 1950 schrieb Graf an Hoegner: „Nach Ihrer Schilderung scheint es fast aussichtslos, überhaupt für die Schädigungen, die ich durch das Hitlerregime erlitten habe, irgendeine Gutmachung zu bekommen. Nun, als Emigrant hat man Geduld und Verzichten gelernt und schließlich ist man – kein Bettler!"[38] Diese Geduld brauchte er auch, denn drei Jahre später war immer noch nichts geschehen. Graf schrieb nun schon etwas verstimmt an Hoegner: „Ich hoffe ja nun doch, daß Ihre erneute Intervention die ganze Angelegenheit wegen meiner Wiedergutmachung und Entschädigung des Verdienstentgangs seit 33 bald ein Resultat für mich bringt, das mir aus meiner – Sie können das wohl am besten ermessen – finanziell drückenden Lage hilft. Ich werde im nächsten Jahr 60 Jahre alt und habe schließlich 30 Bücher geschrieben, die meine Heimat der ganzen Welt nahegebracht haben, und die Forderung, die ich stelle, ist nicht mehr wie recht und billig."

Einen Monat später überwies man Graf 3000 Mark auf ein Sperrkonto, stellte seine weiteren Wiedergutmachungsansprüche aber in Frage, obwohl sein Bruder unter Eid ausgesagt hatte, Grafs Möbel seien von der Gestapo beschlagnahmt worden; dazu der Schriftsteller aus New York: „Welche Konstruktion aber erfindet der größte

Dichter, Herr Bürokratius? Erstens: Die Wiedergutmachungsbehörde – assistiert von Finanzamt und Polizei – forscht seit langem
nach zwei sogenannten ‚Zeugen‘, die nur einen kleinen Mangel haben, sie sind längst tot. Das weiß zwar Herr Bürokratius, aber wer
kann ihn in seiner dichterischen Besessenheit hindern? Niemand.
Also die eine Behörde behauptet, meine von mir getrennt lebende,
ungefähr 1947 verstorbene Frau habe einen Teil meiner Einrich-
tungsgegenstände öffentlich versteigert, um sich schadlos zu halten.
Die zweite Version ... ist die: Eine Frau Maria Bergner, ehemalige
Logisfrau meiner jetzigen Frau, habe die Gegenstände bei einer
Firma Dellinger einlagern lassen ... Frau Bergner starb ungefähr
1938!! Wo sie begraben liegt, weiß ich nicht, sonst hätte ich dem
entsprechenden Amt geschrieben, ob's nicht vielleicht angebracht
wäre, dieses Grab auszuschaufeln und die Gebeine der Toten zu befragen ... Das ist das abstruse Bild, das nun ein imaginäres, apparat-
haftes Wesen Bürokratius weiterentwickelt, bis der Geschädigte –
also ich – aufgibt ... Manchmal kann man nicht mehr und lacht
verbittert über so eine Groteske."

Obwohl Hoegner erneut intervenierte, war ein halbes Jahr später
immer noch nichts geschehen und Graf wandte sich an Bundespräsi-
dent Theodor Heuss um Unterstützung. Seinem Brief an Hoegner
vom Juni 1954 legte er einen zur Veröffentlichung bestimmten Ge-
burtstagsgruß von Thomas Mann bei, mit der Bemerkung, dieser
besage „sicher allerhand inbezug auf die Behandlung, die mir meine
Heimat angedeihen läßt". Auf Hoegners erneute Nachfrage schrieb
Finanzminister Zietsch an Graf: „Es ist mir außerordentlich pein-
lich, daß eine mir unterstellte Behörde gerade Ihren Fall mit so
bürokratischer Langsamkeit behandelt und werde nochmals Wei-
sung geben, für eine beschleunigte Erledigung Ihres berechtigten
Anliegens Sorge zu tragen." Im August 1954 erhielt Graf dann endlich weitere 3000 DM auf sein Sperrkonto überwiesen.[39]

In einem dritten Fall half selbst der persönliche Einsatz Hoegners
nichts. Dem Rechtsanwalt Philipp Löwenfeld, dessen Rückkehr
Hoegner bereits bei seinem Antritt als Ministerpräsident gewünscht
hatte,[40] gelang es nicht, eine Ausgleichszahlung für den Unterwert-
verkauf seines Münchner Hauses zu erzielen.[41] Diese Ausgleichs-
zahlungen gehörten offenbar zu den Schwachstellen des Entschä-
digungsgesetzes, das die „Rückerstattung in Natur" begünstigte.[42]
Diese funktionierte auch meist problemlos, wie die Rückerstattung

*Der Bayer in New York. Oskar Maria Graf und Freunde
an seinem berühmten Stammtisch, 1952*

des Hauses Poschingerstr. 1 an das Ehepaar Thomas und Katia
Mann oder des Hauses Pienzenauerstr. 15 an deren ehemalige Nach-
barin Constanze Hallgarten zeigt; Frau Hallgarten verrechnete man
sogar die ursprüngliche Grundschuld gegen den Verlust der Möbel,
da sie bei ihrem Anspruch über die „volle Unterstützung der amerikanischen Behörden" verfügte und ihr Sohn Georg Wolfgang Hallgarten als Gastprofessor in Deutschland erwartet wurde, weshalb
man eine Verzögerung der Rückerstattung als „politisch unweise"
empfand.[43] Ähnlich ging das Verfahren aber auch in vielen weniger
prominenten Fällen vor sich.[44]

Löwenfeld hatte sein Haus ursprünglich ebenfalls zurückfordern
wollen, strebte dann jedoch eine Ausgleichszahlung an, um das
Geld notleidenden deutschen Freunden zur Verfügung stellen zu
können. Das Haus stand einstweilen unter Treuhandverwaltung
und der damalige Käufer bemühte sich um eine Freigabe, mit der
Begründung, der Verkauf des Jahres 1933 sei freiwillig und ohne
Zwang erfolgt, eine Auffassung, der Löwenfeld mit einer genauen
Schilderung des Entziehungsvorganges widersprach. In den Jahren

1949/50 wurde der Fall dann zum regulären Rechtsstreit. Die Verteidigung des damaligen Käufers nahm eine Anwaltskanzlei wahr, deren einer Teilhaber in enger Verbindung zu rechtsnationalen Kreisen gestanden hatte. Auf Löwenfelds diesbezüglichen Einwand hieß es im Schriftsatz der Kanzlei in bewährter Weise:[45] „Im übrigen hat der Antragsteller die Zeiten des sogenannten Dritten Reichs im Inland nicht erlebt und kann sich daher auch kein zutreffendes Urteil über den während dieser Zeit gegenüber jedermann herrschenden Zwang und Terror anmaßen." Eine mehr als entlarvende Stellungnahme!

Anfang Mai fand die Verhandlung des Kassationsgerichts in München statt. Ohne Löwenfeld zu hören, bestätigte das Gericht dem damaligen Käufer, der noch in einem Spruchkammerverfahren der ersten Jahre ganz anders eingeschätzt worden war, er sei trotz Parteimitgliedschaft ein „ausgesprochener Gegner des NS-Systems" gewesen und habe dadurch erhebliche Nachteile gehabt; das Anwesen sei zum „wertentsprechenden Preis" verkauft worden, im Einvernehmen mit „dem jüdischen Eigentümer, der sofort nach der Machtübernahme durch den Nationalsozialismus in die Schweiz emigriert war".

Hoegner schickte Löwenfeld diesen Bescheid: „Ich verspreche mir bei dieser Einstellung, bei der man alle Hoffnung fahren lassen muß, von einem Gegengutachten nichts mehr. Immerhin werde ich es beantragen, wenn Du noch Lust haben solltest, Dich mit dieser Angelegenheit in einem renazifizierten Deutschland weiter zu ärgern." Löwenfeld antwortete: „Weit davon entfernt, mich über eine solche ‚Justiz‘ zu ärgern, sehe ich sie als ein soziologisch völlig verständliches Symptom der absoluten Unbelehrbarkeit an, mit der ein großer Teil des deutschen Richtertums von jeher auf das falsche Pferd gesetzt hat. Angesichts des feigen Zurückweichens dieser Richter vor Adolf in der ersten Zeit nach dem ‚Umbruch‘ hatte ich meinen Leuten geschrieben: ‚Nie wieder Deutschland‘. Ich bin glücklich, daß es hierbei sein Bewenden hat und daß mich die moralische Haltung der Gegenpartei und der Behörden in dieser Angelegenheit meinen Entschluß keine Sekunde bedauern läßt. Den ‚Seitenhieb‘ des sogenannten Kassationshofes betreffend meine ethnische Zugehörigkeit und meine Emigration betrachte ich als einen jener Dreckspritzer, die eine nicht zu wichtige Illustration des Vorstehenden darstellen. Daß es – selbstverständlich – unnötig war, einen emigrierten Juden zu hören, bevor man mißbräuchliche Feststellungen machte, liegt auf derselben Linie. Es kommt auf ein bißchen mehr oder weniger Dreck nicht an." An die Wiedergutmachungskammer schrieb er daher: „Ich bin glücklich, daß mich die Staatsbürgerschaft eines freien Gemeinwesens ... der Verpflichtung enthebt, gegen eine solche Art von Rechtssprechung anzukämpfen."

Gerade die Emigranten, die zu ihrer alten Heimat meist aus guten Gründen in einem gebrochenen Verhältnis standen, konnten die bürokratische und unsensible Vorgehensweise der Justiz nur schwer verkraften. Ihnen ging es darum, den Respekt vor ihrer Heimat wiederzugewinnen. Daran scheiterten die meisten. Die Erbitterung gegenüber dem Staat, der eben doch in weiten Teilen der alte geblieben war – zumindest soweit es Verwaltung und Justiz betraf –, wurde von ihnen als überaus schmerzlich empfunden.

Selbst ein Musterbeispiel für erfolgreiche Integration und für erneuerte politische Teilhabe, Wilhelm Hoegner, verzweifelte immer wieder an diesem Staat, den er mitvertreten mußte. So äußerte er bereits 1947 seine Skepsis gegenüber der Nachkriegsgesellschaft in einem Gruß für Philipp Löwenfelds und seinen eigenen 60. Geburtstag – beide feierten ihn am selben Tag: „Die Welt ... ist auch durch die furchtbaren Schläge von zwei Weltkriegen nicht klüger geworden. Der einzelne müht sich vergebens ab, seinen Zeitgenossen klar zu machen, daß sie nur auf dem Wege der gegenseitigen Duldung, Gerechtigkeit und Menschlichkeit weiter kommen können. Aber das deutsche Volk war von Ausnahmen abgesehen wohl nie so dumm und bösartig wie jetzt. Das verleidet einem den Kampf, zumal man schließlich kein Gott ist, um Blitze oder Dreizack schleudern zu können."[46] Selbst eine gelungene Heimkehr und umfängliches politisches Wirken beseitigten eben nicht die Mängel einer von zwölf Jahren Nationalsozialismus zerrütteten Gesellschaft.

Perspektiven

Einiges ist zum Thema Remigration inzwischen bekannt, vieles bleibt noch zu erarbeiten. So geht es beispielsweise um die Frage, welche Bedeutung das Exil als erzwungene Lern- und Lehrzeit für die Rückkehrer erreichen konnte und welche Auswirkungen das auf ihre Nachkriegstätigkeit hatte. Dies wird kontrovers diskutiert. Für den Bereich der politischen Remigration nach Westdeutschland, der bisher am besten untersucht wurde, stehen sich hier zwei Thesen gegenüber.[1] Die eine besagt, die Remigranten hätten wesentlich zu einer Modernisierung und ‚Verwestlichung‘ der Bundesrepublik beigetragen. Für die Entwicklung der SPD als einer wichtigen politischen Kraft verweist Hartmut Mehringer dabei vor allem auf den Weg zu einer Volkspartei modernen Zuschnitts, auf die Auflösung verkrusteter Strukturen, auf das Godesberger Programm. Jan Foitzik hingegen untersucht die Stellungnahmen der Rückkehrer in der Grundgesetz-Debatte von 1948 und kommt zu dem Schluß, daß die im Parlamentarischen Rat vertretenen Remigranten, darunter Wilhelm Hoegner, Waldemar von Knoeringen, Fritz Eberhard, Fritz Baade, Ernst Reuter und Max Brauer, keineswegs ‚Modernität‘ importierten, sondern vielmehr die historische Kontinuität zur Weimarer Republik symbolisierten.

Diese Frage nach dem Beitrag der Remigranten zur Modernisierung und Entwicklung Nachkriegsdeutschlands und damit verbunden nach dem Wissenstransfer aus den Exilländern wird sicherlich noch eine wichtige Rolle in den Forschungen der nächsten Jahre spielen. Es sollten dabei nicht nur Politiker, sondern auch Wissenschaftler, Publizisten, Verwaltungsspezialisten in den Blick genommen werden. Gerade in der Zusammenschau ihrer Aktivitäten könnte sich doch ein anderes Bild ergeben, als es Foitzik zeichnet.

Dazu ein Beispiel: Der Leiter des hamburgischen Prüfungsamtes für den öffentlichen Dienst, Oberregierungsrat Th. Bonte, berichtete in einer Sitzung der Personalreferenten der Obersten Bundesbehörden im Januar 1955 in Bonn[2] über die „Möglichkeiten einer psychologischen Personalauslese aufgrund der Erfahrungen des hamburgischen Prüfungsamtes für den öffentlichen Dienst". Die Entstehung dieses Amtes, so Bonte, gehe darauf zurück, „daß der für den Fortschritt aufgeschlossene derzeitige Bürgermeister Hamburgs, Max Brauer, während seines Emigrationsaufenthaltes in den USA, wo – ähnlich wie in England – seit langem der Zugang zum öffentlichen Dienst nur über Eignungsprüfungen des Civil Service möglich sind, die Bedeutung der praktischen Psychologie für die Verwaltung kennengelernt hat". Er fuhr fort, es entbehre nicht „einer gewissen Tragik, daß auf diese Weise ursprünglich von deutschen Wissenschaftlern erarbeitetes Gedankengut... auf dem Umweg über das Ausland, wo man recht bald die ideelle, soziale und wirtschaftliche Bedeutung einer psychologischen Menschenauslese auch in der Verwaltung erkannt hatte, nach Deutschland zurückfand". Dieses neue Verfahren werde nun in Hamburg seit über sieben Jahren mit besten Ergebnissen praktiziert, und wenn auch in der Anfangszeit „trotz aller Aufgeschlossenheit" manche Behördenleiter und Betriebsräte der neuen Einrichtung noch kritisch gegenübergestanden hätten, so strahle heute der Erfolg dieser Methoden weit über Hamburgs Grenzen hinaus und habe bereits Nachahmer in zahlreichen anderen Gegenden gefunden. Brauers innovative Initiative, so ist dieses Beispiel zusammenzufassen, wurde klar als amerikanische Exilerfahrung gekennzeichnet, als solche positiv bewertet und als wegweisende Verbesserung dargestellt.

Es handelt sich hierbei also um ein Musterbeispiel von Wissenstransfer durch einen Remigranten.[3] Der Hinweis auf die deutsche Tradition dieser Neuerung deutet jedoch darauf hin, wie sich der Bezug zu Weimar auch einordnen läßt. Einerseits sollte der Verweis sicherlich den Gesprächspartnern das Mißtrauen gegen eine scheinbar ‚amerikanische' Neuerung nehmen. Andererseits ist es für den Wissenstransfer aus dem Exil auch signifikant, daß Wissen mit ins Exil ging, dort diskutiert und mit anderen Elementen angereichert wurde, um dann mit den Remigranten zurückzukehren. Wissenstransfer bedeutete insofern also nicht nur, daß spezifisch amerikanische, englische, skandinavische Erfahrungen übernommen wurden. Will man dies nur als Kontinuität zu Weimar interpretieren, so übersieht man etliche wichtige Transferprozesse und die Tatsache, daß solches Wissen vielfach während der NS-Zeit verschwunden war und nicht in der gleichen Form zurückkam, die es 1933 gehabt hatte.

Hinzu kam ein weiteres. Im Umfeld eines über längere Jahre in einem Bundesland regierenden Rückkehrers wie Max Brauer war es möglich, solche Neuerungen auch politisch durchzusetzen. Diese Bedingungen bestanden jedoch aufgrund der Wahlergebnisse andernorts nicht. Als in den sechziger Jahren weitere Remigranten in politischer Verantwortung tätig wurden, ließ sich ihr Wirken bereits nicht mehr eindeutig auf ‚Exilerfahrungen' zurückführen, hatten sie doch bereits eine ebensolange neue Sozialisation in der Bundesrepublik erlebt. Das macht die substantielle Untersuchung dieser Fragen für spätere Jahre schwieriger. Neben anderen Gründen erklärt dies auch, warum sich Remigrations-Forschung meist auf die Jahre bis etwa 1960 beschränkt.

Und wie stand es mit der DDR? Die bisherigen Untersuchungen deuten darauf hin, daß in einer kurzen Anfangsphase vor Kaltem Krieg und Staatsgründung auch die Westemigranten für den Aufbau von Politik und Gesellschaft von Bedeutung waren. Doch spätestens seit dem Ende der vierziger Jahre brach dies ab. Die Stalinisierung der SED und die Verfolgung von Westemigranten, jüdischen Intellektuellen und Kosmopoliten brachte den Einfluß westlichen Exilwissens fast zum Verschwinden. Um so wichtiger war die sowjetische Sozialisation der moskautreuen Kader, die Politik und Verwaltung fest in den Händen hielten.

Doch die Gruppe war klein und reduzierte sich durch Machtkämpfe und Parteisäuberungen immer mehr. So war man in der DDR bald gezwungen, neben in der Sowjetunion ‚umerzogenen' Kriegsgefangenen auch Mitläufer und Nutznießer des NS-Systems wieder in Amt und Würden zu bringen.[4] Gab es im Westen eine Integrationsideologie, durch die eine westdeutsche Nachkriegsgesellschaft unterschiedlichster Herkunft und Vergangenheit zusammengeschweißt wurde,[5] so entsprach dem im Osten ein ganz ähnliches Konzept. Es stand unter dem Zeichen des verordneten kommunistischen Antifaschismus, dem bald jede Vergangenheitsaufarbeitung untergeordnet wurde. Das sowjetische Vorbild war über alles hinweg dominant, der Kommunismus die Staatsideologie. Wie unter diesen Vorzeichen die Vermittlung von Exilwissen durch die kommunistischen Remigranten einzuschätzen ist, läßt sich nicht abschließend beantworten. Die wenigen, die alle Verfolgungen gut überstanden hatten – als Beispiel sei hier Hanna Wolf genannt –, konnten sicherlich im Sinne ihrer im Exil gestärkten ideologischen Überzeugung wirken.

Doch die Tätigkeit der Rückkehrer in die Politik stellt nur eine Ebene dar. Hinzu kommen die vielfältigen Aktivitäten anderer Gruppen. Für den Westen ist die Bedeutung der zeitweiligen oder ständigen Gastdozenten sowie der Rückkehrer in verschiedenen Wissenschaftszweigen, z. B. der Politikwissenschaft, unbestritten. Hierbei spielte das Exilwissen ebenso wie die Erfahrung anderer Universitätssysteme eine Rolle, wiewohl die deutschen Universitäten nach 1945 in ihrer Struktur zunächst kaum einen Wandel erfuhren. Es gibt jedoch bereits erste Untersuchungen, die die Rolle der Exilrezeption für den Aufbruch der sechziger Jahre zum Thema machen.[6] Man mag dies als die unzulässige Reduktion eines Generationenkonflikts ansehen und auf die durchaus gegenläufigen Erfahrungen der Remigranten der Frankfurter Schule verweisen, die mit der Studentenbewegung große Probleme hatten. Herbert Marcuse, Wilhelm Reich und andere Exilvertreter wurden jedoch zu zentralen Ideengebern der Studenten.

Rezeption, so ist zu resümieren, geht eben keineswegs immer nur geordnete Wege. Wissen wird häufig dort wiederentdeckt, wo es den eigenen Vorstellungen entgegenkommt, wo es zu bestimmten Zwecken instrumentalisierbar ist und der Zeitstimmung entspricht. Das gilt auch für andere Epochen und für andere Wissensrenaissancen. Das so rezipierte Wissen wird dann meist keineswegs im historisch-kritisch edierten Originalzustand eingesetzt, es wird verwandelt, umgedacht, neu zusammengesetzt. Insofern spielte Exilwissen durchaus eine wichtige Rolle für die Neuausrichtung der sechziger Jahre, auch wenn der Konflikt mit den dagebliebenen wie den zurückgekehrten ‚Vätern‘ sicherlich im Mittelpunkt stand.

Eine solche ‚Remigration der Ideen‘ fand auch in anderen Bereichen statt. Thomas Mann kehrte zwar nicht zurück und wurde in Deutschland als Person viel geschmäht, aber er war Anfang der sechziger Jahre mit Werken wie den ‚Buddenbrooks‘ der meistgelesene deutsche Autor.[7] Der als Kommunist verteufelte Bert Brecht wurde auch im Westen an allen Bühnen gespielt, ebenso Carl Zuckmayer oder Friedrich Wolf: ‚Des Teufels General‘ von Zuckmayer lief 1946 allein an den Münchner Kammerspielen knapp 160 Mal, Friedrich Wolfs ‚Professor Mamlock‘ siebzig Mal. Bereits 1947 konnte man Werke des nach New York emigrierten Malers Joseph Scharl in einer Ausstellung über ‚Extreme Malerei‘ in Augsburg sehen,[8] in späteren Jahren gab es immer wieder große Werkschauen zu emigrierten Bildenden Künstlern. Dies nimmt dem Emigrationsschicksal nichts von seiner Schwere, aber es macht deutlich, daß einige Emigranten oder Remigranten mit ihren Werken in Nachkriegsdeutschland sehr wohl rezipiert wurden.

Es gibt noch weitere Wirkungsebenen von Remigranten. So wurden sie nicht nur durch eigenes Handeln zu Übermittlern von Exilwissen, sie waren vielmehr auch wichtige Mediatoren. Rückkehrer wirkten als Korrespondenzpartner und Anlaufstationen für die Emigranten, die nicht zurückkamen, die aber sehr wohl mit Aufmerksamkeit und großem Interesse die Entwicklung in Deutschland verfolgten. Solche Kontakte führten dann beispielsweise zu Austauschprogrammen zwischen Universitäten in Deutschland und den USA, wie es William Gaede und Herbert Weichmann für die Universität Hamburg verabredeten.[9] Es kam zu Vortragsreisen und Vorträgen von Emigranten in Wirtschaftsclubs, Amerikahäusern, Universitäten, häufig ebenfalls vermittelt durch ehemalige Leidensgenossen. Es wurden Gastdozenturen angesprochen, Rückkehrangebote diskutiert, internationale Rechtsgeschäfte eingefädelt. So wurde der Emigrant und Rechtsanwalt Otto Walter, mit Herbert Weichmann aus dem Exil bekannt, für Hamburg in internationalen Rechtsgeschäften tätig.[10] Dies ging also, wie auch das Beispiel Studentenaustausch zeigt, keineswegs nur in eine Richtung. Die Arbeit mancher deutschen Wissenschaftler in Amerika wurde durch Emigranten an amerikanischen Universitäten vermittelt.

Soweit zum ersten Punkt, den Lernprozessen der Emigranten und dem Wissenstransfer. Zu nennen ist aber auch ein zweiter Bereich, der bisher noch kaum systematisch untersucht wurde: die Frage, ob Emigranten oder Remigranten in Nachkriegsdeutschland Ehrungen erfuhren, sei es als Lebende in Form von Preisen oder als Gestorbene durch Straßenbenennungen. Eine Ehrung dieser Art, so die These, deutet auf Erinnerung hin, auf eine Verankerung im kollektiven Gedächtnis.

Für die Betrachtung dieses Themas ist die kommunale Ebene zentral, geht es hier noch nicht nur um die ‚große' Politik, die gerade in Deutschland nach 1945 häufig den Charakter der symbolischen Demonstration gegenüber den Siegermächten des Zweiten Weltkrieges trägt. Hier geben vielmehr die lokalen Eliten den Ausschlag, die zu einem weit überwiegenden Teil aus Dagebliebenen bestehen. Die Berücksichtigung durch solche Gruppen kann daher viel stärker als

Zeichen dafür stehen, daß Emigranten weiterhin oder wiederum als Teil der lokalen Kultur betrachtet wurden. Exemplarisch soll dies nun am Beispiel der Stadt München betrachtet werden. Offenbar liegen für andere Städte noch keine Untersuchungen vor.[11]

Zunächst zu den Kulturpreisträgern. Unter den Münchner Dichterpreisträgern der Jahre 1945 bis 1957[12] finden sich neben konservativen bayerischen Dichtern wie Peter Dörfler, Georg Schwarz und Gustav Kölwel, neben Schriftstellern und Schriftstellerinnen wie Gertrud von Le Fort, Ernst Penzoldt und Eugen Roth, Wilhelm Hausenstein und Erich Kästner auch die vier Emigranten und Emigrantinnen Annette Kolb, Mechthild Lichnowsky, Wilhelm Herzog und Lion Feuchtwanger – immerhin vier unter 13 Dichterpreisträgern dieser Jahre. Der Preis wurde also nicht durchwegs bequemen und ‚gut münchnerischen‘ Autoren verliehen. Es ist jedoch kein Zufall, daß sich der kommunistische Bert Brecht, der immerhin in München als Dramatiker begonnen hatte, ebensowenig unter den Preisträgern findet wie Oskar Maria Graf, dem es in diesen Jahren sogar Schwierigkeiten bereitete, für seine anspruchsvolleren Bücher in Westdeutschland überhaupt Verleger zu finden: Mühsam brachte er ‚Das Leben meiner Mutter‘ unter, ansonsten wollten die Verleger nur noch seine frühen ‚Bauerngeschichten‘ drucken.[13]

Der seit 1958 vergebene kulturelle Ehrenpreis der Stadt München ging zwischen seiner Gründung und dem Jahr 1980 immerhin an sieben Emigranten, von denen vier nicht oder nicht mehr in München lebten. So erhielt den Preis 1959 der Dirigent Bruno Walter, der vor der Emigration lange als Nachbar Thomas Manns im Münchner Herzogpark gewohnt hatte, 1960 der jüdische Religionsphilosoph Martin Buber, 1963 der Bauhaus-Architekt Mies van der Rohe und 1964 die Psychologin Anna Freud.[14] Weitere drei Preisträger aus Emigrantenkreisen waren eng mit München verbunden, so der 1962 geehrte Fritz Kortner,[15] der nach Krieg und Emigration in München durch hervorragende Gastinszenierungen an den Kammerspielen Aufsehen erregt hatte. 1971 erhielt die Auszeichnung als einziger Politiker Wilhelm Hoegner,[16] 1980 der in München geborene Publizist und Historiker Golo Mann, der seit den sechziger Jahren in Icking bei München wieder einen zweiten Wohnsitz besaß.[17] Fast ein Drittel der 23 Preisträger dieser Jahre waren somit Emigranten.

Mit Preisvergaben wird nicht nur der Empfänger geehrt, auch der Verleihende setzt damit Zeichen. Der SPD-regierten Stadt München war es offensichtlich ein Anliegen, mit Hilfe der Kulturpreise die Leistungen von Emigranten anzuerkennen. Sie wurden damit Teil des kulturellen Gedächtnisses der Stadt.[18]

Die Toten können mit der Benennung einer Straße geehrt werden. In München wurden auch etwa drei Dutzend Straßen kulturell oder politisch wichtigen Persönlichkeiten des Exils gewidmet.[19] Darunter befinden sich nur drei Politiker: Wilhelm Hoegner, Waldemar von Knoeringen und der Berliner Bürgermeister Ernst Reuter, der in München seine Studienjahre verbracht hatte. Einige der Geehrten, so Max Beckmann, Max Reinhardt, Sigmund Freud, Kurt Tucholsky, Alfred Döblin und Theodor Plievier, hatten zu Lebzeiten keinen engeren Kontakt zu München. Ansonsten finden sich in Münchens Stadtplan beispielsweise die Schriftsteller Thomas und Heinrich Mann, Bert Brecht, Oskar Maria Graf, Bruno Frank, Annette Kolb, Leonhard Frank, Alfred Neumann, Regina Ullmann, die Theaterschaffenden Therese Giehse, Fritz Kortner und Kurt Horwitz, der Dirigent Bruno Walter, die Maler Paul Klee und Wassily Kandinsky, der Pazifist Ludwig Quidde sowie die Wissenschaftler Albert Einstein (Physik), Hans Nawiasky (Jura) und Alfred Marchionini (Dermatologie) neben den beiden großen Münchner jüdischen Familien Feuchtwanger und Bernheimer.

Die meisten der hier genannten Straßen liegen, wie auch die Straßen von Kurt Eisner, Karl Marx, Friedrich Engels und anderen in dem in den siebziger Jahren fertiggestellten Stadtviertel Neuperlach. Nur wenige Emigranten – darunter Sigmund Freud, Bruno Frank, Leonhard Frank, Albert Einstein sowie Alfred Marchionini – konnten sich anderswo etablieren, da die Straßenbenennung bereits in die fünfziger Jahre fiel.

In einem Münchner Neubaugebiet wurde nun in den neunziger Jahren eine Straße nach der Emigrantin und Gründerin der Internationalen Jugendbibliothek Jella Lepman benannt, weitere nach der Fürsorgerin Else Behrend-Rosenfeld und der Ärztin Rahel Straus.[20] Meist muß man auf die gute Gelegenheit warten: Straßenumbenennungen sind selten und für neue Namen braucht man meist neue Straßen. Das ‚Stadtteilparlament‘ des Münchner Stadtviertels, in dem die Jugendbibliothek liegt, hatte die Umbenennung einer Straße nach Jella Lepman abgelehnt, ob aus praktischen oder politischen Gründen ist schwer zu beantworten. Viele Benennungen unterbleiben jedoch aus Unkenntnis. Man braucht eine Lobby, die vorschlägt und politisch aktiv wird. Daher laufen Emigranten noch mehr als andere Persönlichkeiten des öffentlichen Lebens Gefahr, schlichtweg vergessen zu werden. Eine städtische Gedächtniskultur, so das Resümee, darf sich nicht nur auf die Verfolgten und Ermordeten beschränken, sie muß auch die Emigrierten als einen Teil der Geschichte der Stadt betrachten und die Erinnerung an sie bewahren.

Nun zum dritten zentralen Punkt, der in zukünftigen Remigrationsforschungen noch stärker bedacht werden sollte: zur Analyse der nationalen Komponente der Debatte. Sie durchweht das gesamte Thema, erscheint nach 1933 im Blick der Dableibenden auf die angeblichen „Vaterlandsverräter" im Exil, durchzieht die NS-Propaganda gegen die Emigranten, prägt nach 1945 die Sichtweise auf eine mögliche Rückkehr und grundiert sogar noch die Forschung, die sich mit dem (deutschen) Kulturverlust durch die Emigration beschäftigt. Es ist daher zu überlegen, ob die Frage nicht anders zu stellen ist,[21] ob statt Gewinn und Verlust nicht der Wandel stärker im Mittelpunkt stehen sollte. Es darf dabei in keiner Weise um eine Verharmlosung des persönlichen Schicksals gehen: Die Emigration war kein freiwilliger Migrationsentschluß. Doch die Anwesenheit jedes in Deutschland geborenen Wissenschaftlers oder Kulturschaffenden zu fordern, um eine positive Kultur- und Wissenschaftsbilanz vorweisen zu können, ist in einer Zeit der weltweiten Wissenskultur anachronistisch.

Bereits in den zwanziger Jahren zeigte sich die Anziehungskraft der USA auf deutsche Wissenschaftler und Künstler. Die Internationalisierung unter angloamerikanischer Führung hatte begonnen. Vor diesem Hintergrund erscheint die deutsche Abschottung gegen diese internationale Entwicklung während der NS-Zeit und in der DDR als Versuch eines nationalen Alleingangs, der jedoch nur zur Provinzialisierung führte. Nach 1945, und das könnte ein Ausgangspunkt für die weitere Remigrationsforschung sein, gelang es unter anderem mit Hilfe der deutschen Emigranten in den Exilländern wie in Deutschland, Brücken zu schlagen, Kontakte zu knüpfen, Austausch zu befördern und dadurch auch Deutschland wieder an die internationale Entwicklung anzukoppeln. Die ‚Remigration der Ideen‘ war – unter nationalen Gesichtspunkten betrachtet – dafür ebenso wichtig wie die dauerhafte Rückkehr von Menschen.[22] Das bedeutet nicht, deren Abwesenheit oder gar ihre Vertreibung zu begrüßen, es meint vielmehr, den Entschluß, nach 1945 nicht in

Deutschland leben zu wollen, zu respektieren und nicht unter nationalen Gesichtspunkten zu kritisieren. Manchmal konnten Emigranten vor allem in den USA mehr Wirksamkeit entfalten, als es ihnen in Deutschland möglich gewesen wäre: für ihr Fachgebiet, für ihr persönliches Fortkommen, für die Gesellschaft, oft sogar für Deutschland. Wichtig wäre es daher auch zu fragen, auf welchen Wegen und mit welchen Ergebnissen die Internationalisierung und ‚Verwestlichung‘ Deutschlands im Ausland wie im Inland durch Emigranten angestoßen und befördert wurde, inwiefern die Emigration also auch Teil der Entwicklung einer internationalen Wissensgesellschaft wurde.

Mit solchen Überlegungen wird die Emigrations- und Remigrationsforschung genuiner Bestandteil sozialwissenschaftlicher, kulturgeschichtlicher und wissenschaftshistorischer Untersuchungen, die auch nicht nur den Zeitraum 1933 bis 1945 oder die Zeit unmittelbar nach dem Krieg in den Blick nehmen. So könnte es dann auch möglich werden, in der Zusammenschau unterschiedlichster Faktoren die Bedeutung von Exil und Remigration für die Nachkriegsgeschichte noch klarer zu sehen und zu bewerten.

Danksagung

Meine Beschäftigung mit der Remigration datiert lange zurück. Sie begann 1982 mit einem Forschungsauftrag der DFG zum Thema ‚Remigration nach München 1945 bis 1948/49‘. Daraus erwuchsen ein Manuskript und etliche Aufsätze. 1994/95 erhielt ich von der Herbert und Elsbeth Weichmann-Stiftung ein weiteres Forschungsstipendium, um die Remigration in die Region am Beispiel von München, Hamburg und Leipzig zu erarbeiten. Dieses Manuskript steht kurz vor dem Abschluß. Beiden Institutionen sei an dieser Stelle herzlich dafür gedankt, daß sie auf mich und mein damals noch nicht im Forschungstrend liegendes Thema setzten.

Zu danken ist hier aber auch jenen, mit denen ich mich über die Remigration und ihre Besonderheiten austauschen konnte. Das war Prof. Dr. Frithjof Trapp (Hamburg), der mir in seiner „Hamburger Arbeitsstelle für deutsche Exilliteratur“ ein halbes Jahr Asyl gewährte. Das waren auch Kolleginnen und Kollegen in München, Bremen, Mainz und Leipzig, der Arbeitskreis für Geschichte der Psychoanalyse in Berlin sowie vor allem Dr. Herbert Will (München). Dr. habil. Hartmut Mehringer (München) war so liebenswürdig, das Manuskript nochmals inhaltlich zu kommentieren. Mein Dank gilt auch Karin Beth vom Verlag C.H.Beck für kundige und hilfreiche Betreuung sowie der überaus tüchtigen Claudia Haase (Bremen) für praktische Hilfe bei Manuskriptkorrektur und Registererstellung. Erich Kasberger danke ich für seine kritischen Kommentare und seine liebevolle Unterstützung.

München, im April 2001   M. K.

Anmerkungen

Einleitung

1 Zur Rückkehr aus dem Exil aus psychoanalytischer Sicht Grinberg/Grinberg, Zur Psychoanalyse, S. 75–78. Zur Rückkehr aus dem nationalsozialistischen Exil: Exilforschung. Ein internationales Jahrbuch, bes. Exil und Remigration, Jahrbuch Exilforschung 9, München 1991; Unter Vorbehalt; Krohn/von zur Mühlen (Hrsg.), Rückkehr und Aufbau; Krauss, Das „Emigrantensyndrom"; dies., Die Rückkehr der „Hitlerfrischler"; dies., Die Nachkriegsgesellschaft und die Remigranten; Hartewig, Zurückgekehrt.

2 Unter Vorbehalt, darin: René König, „Unter Vorbehalt verzeihen", S. 185.

3 Nicolaysen, Siegfried Landshut.

4 S. o. sowie die Kapitel zur Wissenschaftsemigration bei Krohn u. a. (Hrsg.), Handbuch der deutschsprachigen Emigration.

5 Ein gewisser Teil ist im Biographischen Handbuch der deutschsprachigen Emigration nach 1933 erfaßt.

6 Krohn, Einleitung, in: ders./von zur Mühlen (Hrsg.), Rückkehr und Aufbau, S. 8.

7 Krohn: Einleitung, in: ders./von zur Mühlen (Hrsg.), Rückkehr und Aufbau, S. 9.

8 Aufschlüsselung bei Scholz, Sowjetische Besatzungszone.

9 Röder, The political Exiles, S. XXXXIX.

10 Möller, Exodus.

11 Jürgens (Hrsg.), Wir waren ja eigentlich Deutsche; Kliner-Fruck, „Es ging ja ums Überleben"; Unter Vorbehalt, darin: Interviews, vor allem S. 62–74 und 140–211.

12 Benz (Hrsg.), Das Exil der kleinen Leute.

13 Versuche dazu z. B. Mehringer/Röder/Schneider, Zum Anteil; Foitzik, Die Rückkehr; Möller, Exodus; außerdem die meisten Aufsätze zum Thema, u. a. in Krohn u.a. (Hrsg.), Handbuch der deutschsprachigen Emigration.

14 Als Beispiel Urbach, Zeitgeist, für die emigrierten Historiker.

15 Zur Definition vgl. Berry, Psychology, S. 242 f.

16 Dazu z. B. IfZ NL Sattler ED 145/149, Stellungnahme Staatssekretär Sattlers zur Akademie der Schönen Künste von 1948.

17 Mertz, Und das wurde nicht ihr Staat, S. 145 ff.

18 Troller, Selbstbeschreibung, S. 230 f.; Habe, Im Jahre Null, S. 92 f.

19 Dazu s. u.

20 Krauss, Die Rückkehr der „Hitlerfrischler".

21 Hartewig, Zurückgekehrt.

22 Ausnahmen waren z. B. Otto Bernheimer in München oder Erich Warburg in Hamburg; vgl. Krauss, Jüdische Familienschicksale; Chernow, Die Warburgs.

23 Für München Akten des Direktoriums der Stadt, freundlicherweise zur Verfügung gestellt von Hans-Jochen Vogel. Direktoriums-Verwaltungsamt, Stadtdirektor Kohl an Oberbürgermeister Vogel, 29.7.1968: Hier heißt es, daß sich in den letzten Jahren fünfzig ehemalige jüdische Bürger wieder hier angesiedelt hätten.
24 Hartewig, Zurückgekehrt; Kessler, Die SED; Herf, Zweierlei Erinnerung.
25 Vgl. die Aufsätze in Krohn u.a. (Hrsg.), Handbuch der deutschsprachigen Emigration; außerdem Tagung des Einstein-Forums (Berlin) im Februar 2000 (erscheint demnächst).

Die Grenze

1 Ausführlich und mit vielen Beispielen Krauss, Grenze. Ich danke herzlich Dr. Herbert Will (München) für ungemein anregende Gespräche.
2 Grinberg/Grinberg, Zur Psychoanalyse, S. 183.
3 Zur psychischen Verarbeitung von Migration Zeul, Rückreise, S. 255. Als Beispiel Troller, Selbstbeschreibung, S. 189; vgl. Krauss, Das „Emigrantensyndrom".
4 Zit. nach Schmidt-Henkel, Grenzen in der Literatur, S. 271.
5 Pelz, Reisen, S. 211–213; dort auch weitere Literatur.
6 Spiel, Lisas Zimmer, S. 85.
7 Mahler-Werfel, Mein Leben; Lisa Fittko, Mein Weg; Feuchtwanger, Nur eine Frau.
8 Als Beispiel Stein-Pick, Meine verlorene Heimat, S. 80 f., S. 91–93.
9 Mahler-Werfel, Mein Leben, S. 275; Zuckmayer, Als wär's ein Stück von mir, S. 95 f.
10 Troller, Selbstbeschreibung, S. 74 f.
11 Römer, Wurzeln, S. 62.
12 Stein-Pick, Meine verlorene Heimat, S. 78.
13 Behrend-Rosenfeld, Ich stand nicht allein, S. 13.
14 Stein-Pick, Meine verlorene Heimat, S. 80 f.
15 Freud, Studienausgabe, Bd. II, S. 377.
16 Ausführlich zur Quellenlage mit vielen weiteren Beispielen Krauss, Grenze.
17 Vgl. z.B. Sahl, Memoiren, S. 212–215, oder Mahler-Werfel, Mein Leben, S. 303.
18 Zu den „rites de passage" van Gennep, Übergangsriten, z.B. S. 83.
19 Turner, Variations.
20 Zuckmayer, Als wär's ein Stück von mir, S. 97 f.
21 Sichtbar z.B. in den Beschreibungen von Alma Mahler-Werfel oder Stefan Heym; vgl. Krauss, Grenze.
22 Zuckmayer, Als wär's ein Stück von mir, S. 102.
23 Besonders anschaulich bei Castonier, Stürmisch bis heiter, S. 267–270.
24 Zuckmayer, Als wär's ein Stück von mir, S. 105–112.
25 Lachs, Warum schaust du zurück, S. 210 f. Vgl. auch Castonier, Stürmisch bis heiter, S. 270; Mahler-Werfel, Mein Leben, S. 275.
26 Vgl. Krauss, Die Rückkehr der „Hitlerfrischler".
27 Laiblin, Symbolik.
28 Zuckmayer, Als wär's ein Stück von mir, S. 112.

29 Lachs, Warum schaust du zurück, S. 211 f.
30 Mahler-Werfel, Mein Leben, S. 276.
31 Grinberg/Grinberg, Zur Psychoanalyse, S. 87.
32 Krauss, Grenze.
33 Vgl. auch Bach, Karussell, S. 87, über die Ankunft in Rio de Janeiro; dort auch die Beschreibung von Stefan Zweig über dieses Erlebnis.
34 Zuckmayer, Als wär's ein Stück von mir, S. 612 f.
35 Marcuse, Mein 20. Jahrhundert, S. 359.
36 Zitat nach Jürgens (Hrsg.), „Wir waren ja eigentlich Deutsche", S. 110.
37 Zitat nach Jürgens (Hrsg.), „Wir waren ja eigentlich Deutsche", S. 94.
38 Zu den psychischen Prozessen Grinberg/Grinberg, Zur Psychoanalyse, S. 205–222; Zeul, Rückreise. Zu historischen Fragen der Remigration nach Deutschland nach 1945 u. a. Krauss, Remigration.
39 Ausführlich Krauss, Grenze.
40 Zuckmayer, Als wär's ein Stück von mir, S. 519. Psychoanalytisch dazu z. B. Zeul, Rückreise.
41 Troller, Selbstbeschreibung, S. 233.
42 Laiblin, Symbolik, S. 353.

Emigration – ein Familienschicksal

1 Mehringer, Sozialdemokraten, S. 475 f.
2 Fladhammer/Wildt (Hrsg.), Max Brauer im Exil, S. 30.
3 Fladhammer/Wildt (Hrsg.), Max Brauer im Exil, S. 255 f.
4 Krohn (Hrsg.), Weichmann, S. 123.
5 Feuchtwanger, Stammbaum; Feuchtwanger (Hrsg.), The Feuchtwanger Family.
6 Alle diese Daten und Berechnungen finden sich in Feuchtwanger (Hrsg.), The Feuchtwanger Family, S. 121–130.
7 Feuchtwanger (Hrsg.), The Feuchtwanger Family, S. 130; ‚nur' zehn Prozent derjenigen, die im NS-Deutschland lebten, kamen im Holocaust um.
8 Feuchtwanger (Hrsg.), The Feuchtwanger Family, S. 125 f., sowie Biographisches Handbuch, Bd. I, S. 171 f.
9 Feuchtwanger (Hrsg.), The Feuchtwanger Family, S. 125.
10 Straus, Wir lebten in Deutschland, S. 292.
11 Straus, Wir lebten in Deutschland, S. 298 ff.
12 Biographisches Handbuch, Bd. I, S. 744; Feuchtwanger (Hrsg.), The Feuchtwanger Family, Kurzbiographien S. 61 f., 97, 104 f.; Feuchtwanger, Stammbaum, S. 21.
13 Zu Rahel Straus vgl. Schmelzkopf, Rahel Straus; sowie Krauss, „Ein voll erfülltes Frauenleben".
14 Die Dynastie Feuchtwanger: Zurück bleibt eine Straße der Erinnerung, in: Münchner Merkur 28. 9. 1991, S. 21.
15 Feuchtwanger, The Centenary of Feuchtwangers Bank.
16 Biographisches Handbuch, Bd. I, S. 172.
17 Feuchtwanger (Hrsg.), The Feuchtwanger Family; Feuchtwanger, Stammbaum, S. 27, sowie die Kurzbiographien 51–108; außerdem Biographisches Handbuch, Bd. I, S. 171 f., Bd. II, S. 293 f.

18 Vgl. z. B. die Schilderung bei Feuchtwanger, Nur eine Frau.
19 Zu Walter Feuchtwanger Biographisches Handbuch, Bd. I, S. 172.
20 Süddeutsche Zeitung vom 28. 5. 1963, S. 15.
21 Haus der Bayerischen Geschichte, Interview mit Walter Feuchtwanger vom 2. 9. 1987, Manuskriptabschrift S. 24. Gleichlautende Aussagen im Gespräch der Verf. mit Feuchtwanger vom 24. 5. 90.
22 Interview mit Feuchtwanger, S. 24.
23 Interview mit Feuchtwanger, S. 25 und 34.
24 Gespräch mit Feuchtwanger, 24. 5. 90.
25 Feuchtwanger (Hrsg.), The Feuchtwanger Family, S. 95.
26 Feuchtwanger (Hrsg.), The Feuchtwanger Family, S. 64; die beiden Emigranten hatten in London geheiratet.
27 Feuchtwanger (Hrsg.), The Feuchtwanger Family, S. 107.
28 Feuchtwanger (Hrsg.), The Feuchtwanger Family, S. 107.
29 Nach den Informationen von Walter Feuchtwanger; Gespräch 24. 5. 90.
30 Dazu Mehringer, Knoeringen, S. 432, Anm. 8, sowie Feuchtwanger, Der Militärpolitische Apparat der KPD; Feuchtwanger, Erinnerungen.
31 Mehringer, Knoeringen, S. 118.
32 Feuchtwanger (Hrsg.), The Feuchtwanger Family, S. 128.
33 Gespräch mit Elizabeth Bernheimer, 21. 4. 1990.
34 Einst größtes Kunst-Haus der Welt, in: Münchner Stadtanzeiger vom 22. 3. 1985, S. 3.
35 Gespräch mit Elizabeth Bernheimer, 21. 4. 1990.
36 Bernheimer, Chronik Bernheimer, S. 79.
37 Bernheimer, Chronik Bernheimer, S. 50.
38 Bernheimer, Chronik Bernheimer, S. 32.
39 Dazu z. B. die Aufsätze in Frauen und Exil, in: Exilforschung, Bd. 11, besonders die Aufsätze von Klapdor, Überlebensstrategie, und von Mittag, Erinnern. Wichtig die Auswahlbibliographie in diesem Band, ebd. S. 241–277. Außerdem Häntzschel, Der Exodus; Backhaus-Lautenschläger, ... Und standen ihre Frau. Zu den Folgen von Migrationen für Frauen Krauss/Sonnabend (Hrsg.), Frauen und Migration.
40 Herdan-Zuckmayer, Die Farm in den grünen Bergen, S. 12.
41 Frauen im Exil, Vorwort, S. 7 f.
42 Behrend-Rosenfeld, Ich stand nicht allein; Siegfried Rosenfeld, Tagebücher; Krauss, Jüdische Familienschicksale.
43 Bergmann/Jucovy/Kestenberg, Kinder; Eckstaedt, Nationalsozialismus.

Der Blick von außen

1 Troller, Selbstbeschreibung, S. 189.
2 So dienten beispielsweise Klaus Mann, Stefan Heym, Hans Habe in der amerikanischen, Alfred Döblin in der französischen und Peter de Mendelssohn in der englischen Armee; vgl. z. B. Zur Archäologie, hrsg. von Söllner; Zwischen Befreiung und Besatzung, hrsg. von Borsdorf/Niethammer.
3 Brecht, Gesammelte Werke, Bd. 10, S. 858: Das Gedicht ‚Rückkehr‘.
4 Das zeigen die Erinnerungen von Klaus Mann, Der Wendepunkt; von Heym, Nachruf; von Dunner, Zu Protokoll gegeben; von Troller, Selbstbeschrei-

bung; von Marcuse, Mein 20. Jahrhundert. Anschaulich auch die Zeitungsartikel von Klaus Mann aus ‚stars and stripes', einige veröffentlicht in Klaus Mann, Mit dem Blick, sowie Klaus Manns Briefwechsel, einiges veröffentlicht in Klaus Mann, Briefe und Antworten, Bd. II.

5 Dazu die Selbstaussagen in IfZ MA 1500 oder F 213/1–4, Fragebögen. Außerdem die Selbstaussagen in Kesten (Hrsg.), Ich lebe nicht in der Bundesrepublik.

6 Zu Erika Manns Vorstellungen vom Nachkriegsdeutschland u. a. Frisch, ‚Alien Homeland'.

7 Mertz, Und das wurde nicht ihr Staat.

8 IfZ F 213/3.

9 IfZ NL Hoegner ED 120/43, Brief Oskar Maria Grafs an Wilhelm Hoegner vom 2.5.1946.

10 Thomas Mann, Tagebücher 1946–1948, Eintragung vom 30.7.1946, S. 25.

11 Zu Thomas Manns eigenen Stellungnahmen vgl. seine Briefe und Tagebücher; zu Klaus Mann Der Wendepunkt, sowie ders., Briefe und Antworten.

12 Dazu Mertz, Und das wurde nicht ihr Staat, S. 123 ff.

13 Außerdem ist dies der Titel eines Buches von Klaus Mann.

14 Deutschland und die Welt (1937), in: Klaus Mann, Mit dem Blick nach Deutschland, S. 104.

15 Klaus Mann, Mit dem Blick nach Deutschland, S. 103.

16 Klaus Mann, Antworten auf Fragen nach Deutschland (1948), in: ders., Mit dem Blick nach Deutschland, S. 137.

17 Bericht Walter Feuchtwangers in einem Gespräch mit mir am 24.5.1990.

18 Thomas Mann, Tagebücher (1940–1943), S. 476.

19 Biographisches Handbuch, Bd. I, S. 614 und Bd. II/II, S. 986. Außerdem Behrend-Rosenfeld, Ich stand nicht allein.

20 Unveröffentlichte Tagebuchaufzeichnungen von Rosenfeld, S. 7.

21 Ausführlich zu diesen Fragen: Benz (Hrsg.), Die Juden in Deutschland 1933–1945; ders. (Hrsg.), Das Exil der kleinen Leute.

22 Tagebuchaufzeichnungen von Rosenfeld, Eintragung vom 16.9.1943, S. 10.

23 Tagebuchaufzeichnungen von Rosenfeld, S. 13.

24 Tagebuchaufzeichnungen von Rosenfeld, Eintragung vom 10.5.1945, S. 20.

25 Dazu Gespräche mit Peter Rosenfeld und seiner Schwester Hanna Cooper am 8./9.7.1987 in München sowie vom 30.6., 1./2.7.1989 in Manchester.

26 Dazu Gespräch mit Walter Feuchtwanger vom 25.5.1990; Brief von Frank Wallace (ehemals Wallach) aus Birmingham an mich vom 4.8.1989; Brief von Guy Lepman aus Brüssel vom 14.3.1990 sowie von Annemarie Mortara-Lepman vom 26.3.1990.

27 Klaus Mann, Wendepunkt, S. 461.

28 Klaus Mann, Wendepunkt, S. 189.

29 Heym, Nachruf, S. 362.

30 Klaus Mann, Mit dem Blick nach Deutschland, S. 117.

31 Troller, Selbstbeschreibung, S. 220.

32 Heym, Nachruf, S. 363.

33 Kästner, Notabene '45, S. 114 ff.

34 Habe, Ich stelle mich, S. 470.

35 Habe, Ich stelle mich, S. 471.

36 Klaus Mann, Briefe und Antworten, Bd.II, S.227.
37 Troller, Selbstbeschreibung, S.231.
38 IfZ NL Hoegner ED 120/43, Brief Graf an Hoegner vom 24.8.50.

Der Blick von innen

1 Vgl. z.B. Eckstaedt, Nationalsozialismus, S.301–307 oder 496.
2 Kästner, Notabene '45, S.144ff.
3 Dunner, Zu Protokoll gegeben, S.12.
4 Simmel, Antisemitismus; Richter, Bedenken, S.54–64.
5 Mitscherlich/Mitscherlich, Unfähigkeit, S.150f.
6 Benn, Gesammelte Werke, Bd.7, S.1695–1704.
7 Mitscherlich/Mitscherlich, Unfähigkeit, S.61.
8 Mitscherlich/Mitscherlich, Unfähigkeit, S.173.
9 Söllner (Hrsg.), Zur Archäologie der Demokratie; Marcuse, Feindanalysen; Spevack, Ein Emigrant.
10 Richter, Bedenken, S.182f.
11 Vgl. Freud, Totem und Tabu, S.340.
12 Grosser (Hrsg.), Die große Kontroverse.
13 Grinberg/Grinberg, Zur Psychoanalyse, S.75–78.
14 Krauss, Grenze.
15 IfZ OMGUS 10/110–3/27 (zit.: Umfrage). Inzwischen auch gedruckt bei Hermand/Lange, Thomas Mann.
16 Dazu s.u. das Kapitel Rückrufe.
17 Umfrage, S.54.
18 Umfrage, S.32 (Weber).
19 Umfrage, z.B. S.10, 57.
20 Umfrage, S.25 (Cuno).
21 Umfrage, S.28 (Wilms).
22 Umfrage, S.48 (Falckenroth).
23 Umfrage, S.29 (Krüger).
24 Umfrage, S.34 (Martin).
25 Umfrage, S.76 (Sennefelder).
26 Umfrage, S.9 (Kiaulehn).
27 Umfrage, S.34 (Weismantel).
28 Z.B. Umfrage, S.30 (Wagner).
29 Umfrage, S.16 (Panowsky).
30 Umfrage, S.70 (Meuerl).
31 Umfrage, S.73 (Rindt).
32 Mitscherlich/Mitscherlich, Unfähigkeit, S.122f., 127.
33 Umfrage, S.32 (Weber).
34 Freud, Gesammelte Werke, Bd.VII, S.186–189; Umfrage, S.57.
35 Z.B. Umfrage, S.27 (Wiebe).
36 Umfrage, S.27 (Wiebe).
37 Hermlin, Rückkehr, S.132.
38 Mann, Tagebücher 1946–1948, S.577, Brief vom 14.7.1947.
39 Habe, Ich stelle mich, S.470–474.
40 Umfrage, S.44 (Marx).

41 Umfrage, S. 79 (Weinkamm).
42 Umfrage, S. 22 (Friedmann).
43 Umfrage, S. 27 (Wiebe).
44 Mitscherlich/Mitscherlich, Unfähigkeit, S. 36.
45 Krauss, Die Region; Paul, Herr K.
46 Paul, Herr K.
47 Brandt, Aus dem Bewußtsein verdrängt, S. 139.
48 Umfrage, S. 3 (Hartmann).
49 Heym, Nachruf, S. 363.
50 Brandt, Aus dem Bewußtsein verdrängt, S. 139.

Remigration und Besatzungspolitik

1 Krauss, Eroberer.
2 Zu OMGB insgesamt Heydenreuter, Office of Military Government for Bavaria.
3 Dazu auch IfZ, Unterlagen zum ‚Biographischen Handbuch'; die Auswertung in Krauss, Eroberer, danach auch die folgenden Informationen.
4 Hartewig, Zurückgekehrt, S. 42, 67 f. zu Rudolf Bernstein.
5 Hartewig, Zurückgekehrt, S. 129.
6 Cieslok, Eine schwierige Rückkehr, S. 118 f.
7 Erler, Heeresschau; dort die komplette Liste.
8 Hartewig, Zurückgekehrt, S. 83–106.
9 Paul, Saarland.
10 Cieslok, Eine schwierige Rückkehr, S. 118 f.
11 IfZ POLAD 738/38, Schreiben Murphys vom 5. 10. 1945.
12 Foitzik, Die Malaise, S. 62–80, S. 67.
13 IfZ OMGUS 10/121–2/1 one, Brief Ernest Langendorf an H. Meyer, Kopenhagen, vom 7. 7. 1947.
14 IfZ OMGUS 10/121–2/1 one, Clark, ICD OMGUS to Branch Chiefs, 21. 7. 1947.
15 Mehringer, Knoeringen, S. 261–275.
16 Mehringer, Knoeringen, S. 269 f. und 276 f.
17 BayHStA MA 113801, Schreiben Robert A. Reese von der Civil Affairs Division (CAD) an den bayerischen Staatskommissar für Wiedergutmachung, Philipp Auerbach vom 28. 10. 1946.
18 BayHStA MArb 33, Aktenvermerk für Oberregierungsrat Nentwig vom 8. 11. 1949, 1001 sowie 1003 zur Wartezeit und 1004, Schreiben vom 10. 10. 1949 Lloyd Exchange Travel Bureau an das bayerische Landeszuzugsamt.
19 BayHStA MArb 1004, Aktenvermerk Nentwig vom 17. 8. 1949. Außerdem StaatsAHH Senatskanzlei II 526, Schreiben von Assessor Maeder i. A. von Bürgermeister Brauer an einen Hamburger Rückkehrwilligen, der in Tanger lebte, vom 7. 1. 1947.

Rückrufe

1 Herz/Lehnerer, Dokumentation.
2 Dazu z.B. Grosser, Die große Kontroverse, sowie Mertz, Und das wurde nicht ihr Staat, S. 122–131.
3 Mehringer, Knoeringen, S. 262.
4 Ruf an die Emigranten, in: Deutsche Volkszeitung vom 17. 11. 1945.
5 Unter Vorbehalt, darin: Rückrufe, S. 134 f., 212.
6 Cieslok, Eine schwierige Rückkehr.
7 Zit. nach Schulze, Deutsche Geschichtswissenschaft, S. 138.
8 Cieslok, Eine schwierige Rückkehr, S. 119.
9 Unter Vorbehalt, darin: Rückrufe, S. 135.
10 Heimann, Politische Remigranten, S. 198.
11 Scholz, Sowjetische Besatzungszone.
12 Akten zur Vorgeschichte der Bundesrepublik 1945 (1949, Bd. 2, S. 583.
13 Unter Vorbehalt, darin: Rückrufe, S. 135; Foitzik, Die Rückkehr, S. 262.
14 Freundlicherweise zur Verfügung gestellt von Florian Sattler; es handelt sich um die Hefte ab Januar 1947, in die Sattler neben seinen Terminen auch Ideen, Gesprächsinhalte, Erledigungslisten und ähnliches eintrug; inzwischen befinden sie sich im Archiv des IfZ. Außerdem zur Überarbeitung des Rückrufs IfZ NL Hoegner ED 120/364, Ministerratssitzung vom 26. 4. 1947, S. 13.
15 Zur Konferenz vgl. Steininger, Zur Geschichte, S. 423 und 441. Die Resolution wurde nicht mehr diskutiert, sondern nur noch verabschiedet.
16 Entwurf in IfZ NL Sattler ED 145/149; Hinweis auf einen „ungezeichneten Vorentwurf" vom 2. 5. 47 in Akten zur Vorgeschichte der Bundesrepublik 1945–1949, Bd. 2, S. 583.
17 Akten zur Vorgeschichte der Bundesrepublik 1945–1949, Bd. 2, S. 583; vgl. Steininger, Zur Geschichte, S. 422.
18 IfZ NL Sattler ED 145/149, Entwurf vom 27. 4. 1947.
19 Ein weiterer Beleg für Sattlers Urheberschaft: Levin von Gumppenberg an Sattler vom 12. 5. 49, BayHStA MA 113 803.
20 Tagebücher Sattler, grünes Heft mit Eintragungen über mehrere Jahre sowie Literaturlisten.
21 IfZ NL Sattler ED 145/149, Entwurf vom 14. 2. 1947.
22 IfZ NL Sattler ED 145/149, An unsere Emigranten. Ein Ruf des ‚anderen Deutschland' über die Grenzen, von Dieter Sattler, 14. Mai 1947.

Die Rückkehr einer vertriebenen Elite

1 Wehler, Deutsche Gesellschaftsgeschichte, Bd. I., S. 137 f. und 583, Anm. 21.
2 Eine Ausnahme bildet z. B. die sozialdemokratische Emigration aus dem Sudetenland; Mehringer, Sozialdemokraten; Kronawitter (Hrsg.), Ein politisches Leben.
3 Dazu demnächst der Beitrag von Häntzschel in Schulz (Hrsg.), Vertriebene Eliten.
4 Biographisches Handbuch, Bd. I, II,1 und II,2.
5 Angster, Der Zehnerkreis, sowie Krohn/von zur Mühlen (Hrsg.), Rückkehr; Mertz, Und das wurde nicht ihr Staat; Papcke, Exil.

6 Mertz, Und das wurde nicht ihr Staat, S. 252–265.
7 Jessen, Akademische Elite.
8 Zu den Naturwissenschaften z. B. Siegmund-Schultze, Mathematik; Fischer, Physik.
9 Szabo, Vertreibung, S. 233–264.
10 Jessen, Akademische Elite.
11 Szabo, Vertreibung, S. 247–250.
12 Deichmann, Biologie, S. 718.
13 Siegmund-Schulze, Mathematik, S. 773.
14 Fischer, Physik; Kröner, Medizin.
15 Horn, Erziehungswissenschaft, S. 727 f.
16 Schulze, Geschichtswissenschaft, S. 135.
17 Erichsen, Philosophie; Krohn, Wirtschaftswissenschaften.
18 Biographisches Handbuch, Bd. II.
19 Szabo, Vertreibung, S. 691.
20 Schulze, Geschichtswissenschaft, S. 134.
21 Cieslok, Eine schwierige Rückkehr, S. 121.
22 Schulze, Geschichtswissenschaft, S. 132.
23 Schmid Noerr, Die „Kritische Theorie"; Jay, Dialektische Phantasie; Wiggershaus, Die Frankfurter Schule; Kraushaar, Die Wiederkehr der Traumata.
24 Jessen, Akademische Elite, S. 315–335, hier S. 316.
25 Vgl. Jessen, Akademische Elite, S. 315.
26 Jessen, Akademische Elite, S. 326; Hartewig, Zurückgekehrt.
27 Naumann, Theater.
28 Asper, Film, S. 969.
29 Heister, Musik, S. 1039.
30 Schaber, Fotografie, 980.
31 Schätzke, Rückkehr, S. 30–33.
32 Mertens, Presse, S. 1070.
33 Mertz, Und das wurde nicht ihr Staat.
34 Biographisches Handbuch, Bd. II, S. 1203, sowie Brief von Frank Wallace (Wallach) an mich vom 4. 8. 1989.
35 Biographisches Handbuch, Bd. I, S. 670.
36 Biographisches Handbuch, Bd. I, S. 621 f.
37 Biographisches Handbuch, Bd. I, S. 138; OMGUS, Finance Division, 2/211/3–1.
38 Chernow: Die Warburgs, S. 710, 736 f.

Rückkehr in die Politik

1 Foitzik, Rückkehr aus dem Exil; Mehringer, Impulse.
2 Hartewig, Zurückgekehrt, S. 2.
3 Mehringer, Impulse; Appelius, Heine.
4 Foitzik, Rückkehr aus dem Exil.
5 Erler, Heeresschau.
6 Foitzik, Rückkehr aus dem Exil.
7 Fladhammer/Wildt (Hrsg.), Max Brauer.
8 Unter Vorbehalt, darin: Robert Görlinger, S. 194 f.

9 Adenauer, Erinnerungen, S. 26–29.
10 Biographisches Handbuch, Bd. I, S. 600; biographisch zu seinem Vater: Reuter, Schein und Wirklichkeit.
11 Heimann, Politische Remigranten.
12 Nerdinger, Die „Kunststadt" München, S. 106; Wacker, Nachlaßverwaltung.
13 Neues Hamburg 5 (1950), S. 31.
14 Mehringer, Sozialdemokratisches Exil, S. 121.
15 Fladhammer/Wildt (Hrsg.), Max Brauer, S. 333–339. Vgl. auch Max Brauer, Gründe einer Heimkehr, in: Neues Hamburg 5 (1950), S. 29–33.
16 Danyel, Die unbescholtene Macht.
17 Scholz, Sowjetische Besatzungszone, S. 1182.
18 Scholz, Sowjetische Besatzungszone, S. 1183 f.
19 Keßler, Die SED und die Juden; Hartewig, Zurückgekehrt; Malycha, Die SED.
20 Hartewig, Zurückgekehrt, S. 251.
21 Foitzik, Remigranten.
22 Mehringer, Impulse.
23 Solchany, Vom Antimodernismus; Mehringer, Widerstand und Emigration, S. 262; zu den Einzelbiographien Biographisches Handbuch, Bd. I.
24 Biographisches Handbuch, Bd. I, S. 457.
25 Biographisches Handbuch, Bd. I, S. 641; Schneider, Christliche und konservative Remigration.
26 Schneider, Christliche und konservative Emigranten.
27 Dazu demnächst Krauss, Rückkehr in die Region. München, Hamburg, Leipzig.
28 Wacker, Nachlaßverwaltung, S. 44 f.
29 Biographisches Handbuch, Bd. I, S. 42, sowie IfZ ZS 2126, Interview mit Beck.
30 Foitzik, Die Malaise, S. 75.
31 Biographisches Handbuch, Bd. I, sowie Mehringer, Knoeringen.
32 Biographisches Handbuch, Bd. I, S. 169.
33 Vgl. Kronawitter, Ein politisches Leben.
34 Bayerisches Jahrbuch 1949, S. 53–57.
35 Bayerisches Jahrbuch 1954, S. 72–75.
36 Biographisches Handbuch, Bd. I, S. 601. Er war der Sohn der Gräfin Franziska zu Reventlow.
37 Biographisches Handbuch, Bd. I, S. 176, 769 und 418.
38 Krauss, Heimkehr; Goschler, Der Fall Philipp Auerbach.
39 Biographisches Handbuch, Bd. I, S. 774.
40 Biographisches Handbuch, Bd. I, S. 362; Kessler war Aufsichtsratsvorsitzender der Siedlergenossenschaft Pentenried und stellvertretender Bürgermeister von Krailling bei München.
41 Biographisches Handbuch, Bd. I, S. 548. IfZ Nachlaß Hoegner ED 120/4, Schreiben vom 27. 4. 45.
42 Biographisches Handbuch, Bd. I, S. 461.
43 Zur Vorgeschichte Mehringer, Die KPD in Bayern.
44 Zu den folgenden Personen: Bibliographisches Handbuch, Bd. I, S. 173, 597, 821, 230, 504, 714, 656.
45 Dazu Borsdorf/Niethammer (Hrsg.), Zwischen Befreiung, S. 187 ff.

46 Z.B. gegenüber der Süddeutschen Zeitung; Wiedenhorn-Schnell, Medien, S.257.
47 Wacker, Nachlaßverwaltung, S.358, Anm.82.
48 Wacker, Nachlaßverwaltung, S.44.
49 Biographisches Handbuch, Bd.II, S.65, 215, 719, 676.
50 Dazu die Berichte Volkmar Gaberts bei Kronawitter, Ein politisches Leben.
51 Biographisches Handbuch, Bd.I, S.88, 99f., 586; außerdem Naumann, „Er hat uns noch gefehlt"; Hömig, Brüning.

Remigrantinnen

1 Zu weiteren Fragen im größeren Umfeld des Themas Krauss/Sonnabend (Hrsg.), Frauen und Migration.
2 Hiltrud Häntzschel zu: Grete Weil, Warum ich trotzdem in Deutschland lebe. Ein Brief aus dem Jahr 1947 an Margarethe Susmann, in: Süddeutsche Zeitung 16./17.7.1994, Wochenendbeilage, S.V/3/V.
3 Strasser, Ein jüdisches Mädchen, S.20.
4 Häntzschel, Remigration – kein Thema; Häntzschel, Geschlechtsspezifische Aspekte. Zum Exil der Frauen: Quack, Zuflucht.
5 Wickert, Unsere Erwählten, Bd.1, S.253–304.
6 Unter Vorbehalt, darin: Miller, „Keine Schwierigkeiten, anzuknüpfen", S.84f., 87f.
7 Häntzschel, Remigration – kein Thema, S.20.
8 Erler, Heeresschau, Auszählung nach der Liste, S.62–70.
9 Roß, Verhinderter Aufstieg, S.164.
10 Hilzinger, „Ich hatte nur zu schweigen"; Stark, Deutsche Exilantinnen im GULAG.
11 Hilzinger, „Ich hatte nur zu schweigen", S.44–46; danach auch die folgenden Zitate.
12 Zit. nach Hartewig, Zurückgekehrt, S.71; zum folgenden S.75.
13 Unter Vorbehalt, darin: Kühn, „Ein anderes Deutschland schaffen"; Biographisches Handbuch, Bd.I, S.401.
14 Weichmann, Zuflucht; Mittag, Erinnern, S.55; Kliner-Fruck, „Es ging ja ums Überleben".
15 Bloch, Aus meinem Leben; Hartewig, Zurückgekehrt, S.75.
16 Krohn (Hrsg.), Weichmann, Brief Weichmanns S.124.
17 Biographisches Handbuch, Bd.II, S.1069f.
18 Schätzke, Rückkehr, S.88–100.
19 Schätzke, Rückkehr, S.80–83.
20 Zu Hanna Wolf: Hartewig, Zurückgekehrt, S.127–131.
21 Hartewig, Zurückgekehrt, S.130.
22 Zu Jella Lepman u.a.: Krauss, Nachkriegskultur, S.171–176; Biographisches Handbuch, Bd.II., S.710; Ledig, Eine Idee.
23 Ledig, Eine Idee, S.57, Brief vom 1.1.1949.
24 Lepman, Kinderbuchbrücke, S.47f.
25 Lepman, Kinderbuchbrücke, S.49.
26 Brief von Annemarie Mortara-Lepman an mich vom 28.10.1990.
27 Brief von Guy Lepman an mich vom 14.3.1990.

28 Brief von Annemarie Mortara-Lepman an mich vom 26.3.1990.
29 Hansen-Schaberg, Rückkehr und Neuanfang.
30 Häntzschel, Remigration – kein Thema, S.21.
31 Biographisches Handbuch, Bd.II, S.230f.
32 von der Lühe, Erika Mann.
33 Vgl. z.B. Kliner-Fruck, „Es ging ja ums Überleben"; Unter Vorbehalt, darin: Liebermann, Schönfeld, Stern, Tabak, „Man muß verdrängen, um hier zu leben"; Jürgens (Hrsg.), „Wir waren ja eigentlich Deutsche".
34 Zit. nach Kliner-Fruck, „Es ging ja ums Überleben", S.229.

Jüdische Remigration und Antisemitismus

1 Fings, Rückkehr.
2 Foitzik, Die Rückkehr, S.255f.; Fings, Rückkehr, S.24f.
3 Kalbitzer, Widerstehen, S.112.
4 Brenner, Nach dem Holocaust, S.89.
5 Stadtarchiv München, Ratsprotokolle 719/(3)–5, 2. Sitzung des Personalausschusses vom 31.1.1946, S.150f.
6 Brenner, Nach dem Holocaust, S.78–87.
7 Krauss, Die Rückkehr, S.155f.
8 Hartewig, Zurückgekehrt.
9 Vgl. Brenner, Nach dem Holocaust.
10 Hoss, Kein sorgenfreies Leben, S.100ff.
11 Biographisches Handbuch, Bd.I, S.266 und Bd.II, S.76f.
12 Fings, Rückkehr als Politikum.
13 Maor, Über den Wiederaufbau, S.45f.
14 Maor, Über den Wiederaufbau.
15 Brenner, Nach dem Holocaust, S.89.
16 Brenner, Nach dem Holocaust, S.169–173.
17 Max Fürst, in: Schultz (Hrsg.), Mein Judentum, S.176–185.
18 Krauss, Das Emigrantensyndrom.
19 Hilde Domin, in: Schultz (Hrsg.), Mein Judentum, S.88–99.
20 Benz, Rückkehr auf Zeit.
21 Hans Mayer, in: Schultz (Hrsg.), Mein Judentum, S.208–228, 216.
22 Herf, Zweierlei Erinnerung; Keßler, Die SED; Hartewig, Zurückgekehrt; Kießling, Partner.
23 Keßler, Die SED, S.67.
24 Herf, Zweierlei Erinnerung, S.103.
25 Herf, Zweierlei Erinnerung, S.111.
26 Dazu s.u.
27 Zitate nach Herf, Zweierlei Erinnerung, S.112–115, 140.
28 Scholz, Sowjetische Besatzungszone und DDR, S.1185f.
29 Hartewig, Zurückgekehrt, S.321f.
30 Keßler, Die SED, S.68f.
31 Zu Goldhammer s.o.
32 Ausführlich Kießling, Partner.
33 Hartewig, Zurückgekehrt, S.317f.; Keßler, Die SED, S.79.
34 Herf, Zweierlei Erinnerung, S.153.

35 Hartewig, Zurückgekehrt, S. 334–347.
36 Brenner, Nach dem Holocaust, S. 199–203.
37 Keßler, Die SED, S. 93.

Die Begegnung mit der Bürokratie

1 IfZ NL Hoegner ED 120/43, Brief Oskar Maria Grafs an Hoegner vom 26. 12. 1950. Ausführlich Krauss, Als Emigrant.
2 Vgl. den Fall Oskar Maria Graf, IfZ NL Hoegner ED 120/43.
3 Krauss, Nachkriegskultur, S. 196–200.
4 IfZ NL Hoegner ED 120/365, Sitzung vom 22. 7. 1947, S. 11.
5 StaatsAHH Senatskanzlei II 526, Korrespondenz mit Albert Ritter 1947.
6 StaatsAHH Wohnungamt II 327 zum Fall Prof. Dr. Bruck gegen Frieling 1946/47.
7 Dazu z. B. Krauss, Deutsche sind Deutsche, oder Glensk, Die Aufnahme.
8 Haus der bayerischen Geschichte, Interview mit Rolf Kralovitz, S. 24 f.
9 Stadtarchiv München B.u.R. 2561, Briefwechsel vom April 1947.
10 StaatsAHH Senatskanzlei 1210, Schreiben vom 20. 10. 1955 und vom 4. 11. 1955.
11 Haus der bayerischen Geschichte, Interview Kralovitz, S. 26.
12 Krauss, Als Emigrant, S. 121 ff.
13 Krauss, Die Nachkriegsgesellschaft, S. 30.
14 BayHStA MA 113 803, Schreiben von Gintz vom 29. 1. 1949 (falsch datiert: 47).
15 Lehmann, Wiedereinbürgerung, S. 94 f.
16 Krauss, Als Emigrant.
17 StaatsAHH Oberfinanzpräsident 48 UA 2, Beschluß des Landgerichts Hamburg, 2. Wiedergutmachungskammer, in der Rückerstattungssache Ronau am 10. 7. 1951, S. 4.
18 StaatsAHH Oberfinanzpräsident 48 UA 2, Hanseatisches Oberlandesgericht, 5. Zivilsenat, Beschluß vom 26. 9. 1951, S. 4.
19 Ebd., S. 8.
20 Ebd., Gutachten des vereidigten und öffentlich bestellten Versteigerers Carl Schlüter vom 2. 11. 1951, AZ 2.Wik 300/51.
21 StaatsAHH Oberfinanzpräsident 48 UA 1, Gutachten des ebenfalls bei vielen Auktionen beteiligten Gerichtsvollziehers Bobsien vom 12. 4. 1951.
22 StaatsAHH Oberfinanzpräsident 48 UA 2, Landgericht Hamburg, 2. Wiedergutmachungskammer AZ 2 Wik 271/51, Beschluß vom 23. 6. 1951.
23 Ebd., Landgericht Hamburg, 2. Wiedergutmachungskammer, AZ 2 Wik 241/51, S. 8.
24 Ebd., Hanseatisches Oberlandesgericht, 5. Zivilsenat AZ 5 W 159/1951, Beschluß vom 26. 9. 1951, S. 5.
25 IfZ NL Hoegner ED 120/83, Statistik vom 23. 5. 1950, Anlage zum Schreiben Auerbachs an Hoegner vom 24. 5. 1950.
26 BayHStA MA 114 241, Bericht des Bayerischen Finanzministeriums, Staatssekretär Franz Lippert, vom 31. 5. 1961, Anlage 17.
27 Dazu s. o.
28 Süddeutsche Zeitung vom 5. 3. 1949.
29 BayHStA MA 114 264, Brief vom 30. 3. 1949.

30 BayHStA MA 114 247, Schreiben von Justizrat Pfleger an die bayerische Staatskanzlei vom 12. 5. 1953.

31 Biographisches Handbuch, Bd. I, S. 777. Die gesamte Korrespondenz in IfZ NL Hoegner ED 120/71.

32 Mehringer, Knoeringen, S. 262.

33 IfZ NL Hoegner ED 120/71, Erklärung Hoegners vom 10. 3. 1954.

34 IfZ NL Hoegner ED 120/71, Abschrift des Schreibens an das Landesentschädigungsamt vom 28. 7. 55, Beilage zum Schreiben an Hoegner vom 18. 10. 1955.

35 IfZ NL Hoegner ED 120/71, Schreiben Hoegners an Finanzminister Zietsch vom 31. 10. 1955 und von Zietsch an Unterleitner vom 17. 11. 1955.

36 StaatsAHH NL Weichmann, z. B. Nr. 75 Bd. 2.

37 IfZ NL Hoegner ED 120/83, Entschädigungssachen.

38 IfZ NL Hoegner ED 120/43, Briefwechsel Graf – Hoegner.

39 IfZ NL Hoegner ED 120/71, Brief Zietsch vom 10. 6. 1954, Graf an Hoegner vom 10. 8. 1954 und Hoegner an Graf vom 17. 8. 1954.

40 Mehringer, Knoeringen, S. 262.

41 IfZ NL Hoegner ED 120/53, Korrespondenz Hoegner-Löwenfeld.

42 Schwarz, Die Wiedergutmachung, Bd. 1. S. 34 f. Vgl. zur Wiedergutmachung insgesamt die Aufsätze bei Herbst/Goschler (Hrsg.), Wiedergutmachung.

43 BayHStA MA 114 264, das bayerische Landesamt für Wiedergutmachung an die Staatskanzlei vom 27. 12. 1948 und 114 247, Aufzeichnung vom 22. 7. 1949.

44 Dazu z. B. BayHStA MA 114 247, das Bayerische Finanzministerium an den Landtag vom 30. 9. 1957, Fall Steinberg-Heilmann.

45 Zu diesem gesamten Fall IfZ NL Hoegner ED 120/53.

46 IfZ NL Hoegner ED 120/53, Brief vom 30. 8. 1947.

Perspektiven

1 Formuliert u. a. bei Mehringer, Impulse; Foitzik, Remigranten.

2 StaatsAHH NL Brauer Nr. 13, Bd. 1.

3 Vielleicht spielten dabei auch die Kontakte Brauers zu einem zweiten Remigranten, nämlich dem Psychologieprofessor Curt Bondy eine Rolle.

4 Hartewig, Zurückgekehrt; Keßler, Die SED; Herf, Zweierlei Erinnerung; Hübner (Hrsg.), Eliten.

5 Krauss, Die Rückkehr der „Hitlerfrischler".

6 Krohn, Die Entdeckung des anderen Deutschland; Winckler, Mythen der Exilforschung.

7 Thränhardt, Geschichte der Bundesrepublik, S. 131 f.; Foitzik, Remigranten, S. 90.

8 Diese Angaben in Prinz (Hrsg.), Trümmerzeit.

9 Krauss, Die Region, S. 35.

10 StaatsAHH NL Weichmann, Nr. 78, Briefwechsel Weichmann-Walter.

11 Für Hamburg habe ich eine ähnliche Untersuchung angelegt, wurde aber nicht im gleichen Maße fündig wie in München. Vgl. auch Reichel, Das Gedächtnis der Stadt.

12 Dazu Hollweck (Hrsg.), Unser München, S. 404 ff.

13 Zu Graf und seinen Problemen mit dem Münchner Dichterpreis Krauss, Heimkehr.

14 Biographisches Handbuch, Bd. II, S. 1205 f. (Bruno Walter), S. 163 ff. (Martin Buber), S. 817 f. (Mies van der Rohe), S. 326 (Anna Freud).
15 Biographisches Handbuch Bd. II, S. 652 f.
16 Biographisches Handbuch, Bd. I, S. 306.
17 Biographisches Handbuch, Bd. II, S. 769.
18 Für Hamburg: Reichel, Das Gedächtnis der Stadt, darin Aufsätze zum kommunalen Erinnern an die NS-Zeit.
19 Vgl. Münchens Straßennamen.
20 Zu Jella Lepman: Krauss, Nachkriegskultur, S. 172–176, 333–337. Lepman, Die Kinderbuchbrücke; Behrend-Rosenfeld, Ich stand nicht allein; Krauss, „Ein voll erfülltes Frauenleben". Straus, Wir lebten in Deutschland. Die Vorschläge dieser Benennungen konnte ich einbringen, da ich über alle drei Frauen gearbeitet hatte.
21 Winckler, Wirkungsgeschichte, S. 1150 f.
22 Zu diesen Fragen am Beispiel der Wissenschaften Fischer, Die Emigration; ebenso Mehringer, Das Biographische Handbuch.

Bibliographie

Zitierte ungedruckte Quellen

Bayerisches Hauptstaatsarchiv München (BayHStA)
    Staatskanzlei (MA)
    Ministerium für Arbeit und Soziales (Marb)
Staatsarchiv Hamburg (StaatsA HH)
    Senatskanzlei
    Oberfinanzpräsident
    Nachlaß (NL) Herbert Weichmann
    Nachlaß (NL) Max Brauer
Institut für Zeitgeschichte München (IfZ)
    Akten der Militärregierung der US-Zone (OMGUS)
    Zeugenschrifttum ZS, MA 1500, F 213/1–4
    Nachlaß (NL) Wilhelm Hoegner
    Nachlaß (NL) Dieter Sattler
Stadtarchiv München
    Ratsprotokolle
    Bürgermeister und Rat (B.u.R.)
Haus der Bayerischen Geschichte (Augsburg)
    Zeitzeugenprojekt (Interviews mit Umschrift)

Verwendete Literatur

Abusch, Alexander: Mit offenem Visier. Memoiren, Berlin 1986
Adenauer, Konrad: Erinnerungen 1945–1953, Stuttgart 1965
Akten zur Vorgeschichte der Bundesrepublik 1945–1949, Bd. 2, München 1979
Alter, Peter: Out of the Third Reich, London 1998
Angster, Julia: Der Zehnerkreis. Remigranten in der westdeutschen Arbeiterbewegung der 1950er Jahre, in: Exil 18 (1998), S. 26–47
Appelius, Stefan: Heine. Die SPD und der lange Weg zur Macht, Essen 1999
Asper, Helmut C.: Film, in: Krohn u. a. (Hrsg.), Handbuch, S. 957–970
Bach, Susanne: Karussell. Von München nach München, Nürnberg 1991
Backhaus-Lautenschläger, Christine: ... Und standen ihre Frau. Das Schicksal deutschsprachiger Emigrantinnen in den USA nach 1933, Pfaffenweiler 1991
Bayerisches Jahrbuch 1949, München 1950
Bayerisches Jahrbuch 1954, München 1955
Behrend-Rosenfeld, Else: The Four Lives of Elsbeth Rosenfeld as told by her to the BBC, with a Foreword by James Parkes, London 1965
–: Ich stand nicht allein. Leben einer Jüdin in Deutschland 1933–1945, mit einem Nachwort von Marita Krauss, München 1988
Benn, Gottfried: Gesammelte Werke, Bd. 7, Wiesbaden 1968

Benz, Wolfgang (Hrsg.): Das Exil der kleinen Leute. Alltagserfahrung deutscher Juden in der Emigration, München 1991

–: (Hrsg.): Die Juden in Deutschland 1933–1945. Leben unter nationalsozialistischer Herrschaft, München ²1989

–: Rückkehr auf Zeit. Erfahrungen deutsch-jüdischer Emigranten mit Einladungen in ihre ehemaligen Heimatstädte, in: Exil und Remigration, Jahrbuch Exilforschung 9, München 1991, S. 196–207

Bergmann, Martin S./Jucovy, Milton E./Kestenberg, Judith: Die Kinder der Opfer/Kinder der Täter. Psychoanalyse und Holocaust, Frankfurt a. M. 1995

Bernheimer, Ernst: Familien- und Geschäftschronik der Firma L.Bernheimer, München ²1950

Bernheimer, Otto: Erinnerungen eines alten Münchners, München 1957

Berry, John W.: Psychology of Acculturation. Understanding Individuals moving between Cultures, in: Richard W. Brislin (Hrsg.), Applied Cross-Cultural Psychology (Cross-Cultural Research and Methodology Series, Vol. 14), Newbury Park u. a. 1990, S. 232–253

Biographisches Handbuch der deutschsprachigen Emigration nach 1933, hrsg. vom Institut für Zeitgeschichte, München/Research Foundation for Jewish Immigration, New York, unter der Leitung von Werner Röder/Herbert A. Strauss, Bd. I, München 1980, Bd. II,1, Bd. II,2, München 1983 (zit. als: Biographisches Handbuch)

Bloch, Karola: Aus meinem Leben, Pfullingen 1981

Borsdorf, Ulrich/Niethammer, Lutz (Hrsg.): Zwischen Befreiung und Besatzung. Analysen des US-Geheimdienstes über Positionen und Strukturen deutscher Politik 1945, Wuppertal 1976

Brandt, Willy: Aus dem Bewußtsein verdrängt. Vom deutschen Umgang mit Widerstandskämpfern und Emigranten, in: Tribüne 23 (1984), Heft 91, S. 130–141

–: Erinnerungen, Berlin 1989

–: Berliner Ausgabe, Bd.2: Zwei Vaterländer. Deutsch-Norweger im schwedischen Exil – Rückkehr nach Deutschland 1940–1947, bearb. von Einhart Lorenz, Berlin 2000; Bd.4: Auf dem Weg nach vorn. Willy Brandt und die SPD 1947–1972, bearb. von Daniela Münkel, Bonn 2000

Brauer, Max: Gründe einer Heimkehr, in: Neues Hamburg 5 (1950), S. 29–33

Brecht, Bertolt: Gesammelte Werke in 20 Bänden, Bd. 10, Frankfurt a. M. 1967

Brenner, Michael: Nach dem Holocaust. Juden in Deutschland 1945–1950, München 1995

Briegel, Manfred/Frühwald, Wolfgang (Hrsg.): Die Erfahrung der Fremde. Kolloquium des Schwerpunktprogramms „Exilforschung" der Deutschen Forschungsgemeinschaft, Weinheim u. a. 1988

Brumlik, Micha u. a. (Hrsg.): Jüdisches in Deutschland seit 1945, Frankfurt a. M. 1986

Bungert, Heike: Das Nationalkomitee und der Westen. Die Reaktionen der Westalliierten auf das NKFD und die Freien Deutschen Bewegungen 1943–1948, Stuttgart 1997

Castonier, Elisabeth: Stürmisch bis heiter. Memoiren einer Außenseiterin, Frankfurt a. M. 1989

Chernow, Ron: Die Warburgs. Odyssee einer Familie, Berlin 1994

Cieslok, Ulrike: Eine schwierige Rückkehr. Emigranten an nordrhein-westfälischen Hochschulen, in: Exil und Remigration, Jahrbuch Exilforschung 9, München 1991, S.115–127

Danyel, Jürgen: Die unbescholtene Macht. Zum antifaschistischen Selbstverständnis der ostdeutschen Eliten, in: Peter Hübner (Hrsg.), Eliten im Sozialismus. Beiträge zur Sozialgeschichte der DDR, Köln u.a. 1999, S.68–85

Deichmann, Ute: Biologie, in: Krohn u.a. (Hrsg.), Handbuch der deutschsprachigen Emigration, S.704–720

Deutsches Exilarchiv 1933–1945. Katalog der Bücher und Broschüren, hrsg. von Klaus-Dieter Lehmann (Sonderveröffentlichungen der Deutschen Bibliothek 16), Stuttgart 1989

Domin, Hilde, in: Schultz (Hrsg.), Mein Judentum, S.88–99

Dunner, Joseph: Zu Protokoll gegeben. Mein Leben als Deutscher und Jude, München 1971

Dwars, Jens-Fietje: Abgrund des Widerspruchs. Das Leben des Johannes R. Becher, Berlin 1998

Eckstaedt, Anita: Nationalsozialismus in der zweiten Generation. Zur Psychoanalyse von Hörigkeitsverhältnissen, Frankfurt a.M. 1989

Embacher, Helga: „Was, Sie san wieder da? Und mir ham glaubt, Sie san verbrennt wurn." Zur Rückkehr von Vertriebenen in Österreich, in: Ashkenas 5 (1995), H.1, S.79–105

Erichsen, Nikolaus: Philosophie, in: Krohn u.a. (Hrsg.), Handbuch der deutschsprachigen Emigration, S.791–804

Erker, Paul: Zeitgeschichte als Sozialgeschichte. Forschungsstand und Forschungsdefizite, in: Geschichte und Gesellschaft 19 (1993), S.202–238

Erler, Peter: Heeresschau und Einsatzplanung. Ein Dokument zur Kaderpolitik der KPD aus dem Jahre 1944, in: Klaus Schroeder (Hrsg.), Geschichte der Transformation des SED-Staates. Beiträge und Analysen, Berlin 1994, S.52–70

Exil. Forschung, Erkenntnisse, Ergebnisse. Zeitschrift für deutsche Exilliteratur, hrsg. von Editha Koch, Red. Fritjof Trapp, Marita Krauss

Exilforschung. Ein internationales Jahrbuch, hrsg. von Claus Dieter Krohn/Erwin Rothermund/Lutz Winckler/Wulf Koepke, Bd.1–18, München 1983–2000 (zit. als: Jahrbuch Exilforschung)

Feuchtwanger, Felix: Stammbaum der Familie Feuchtwanger 1786–1910, München 1911

Feuchtwanger, Franz: Der Militärpolitische Apparat der KPD in den Jahren 1928–1935. Erinnerungen, in: Internationale Wissenschaftliche Korrespondenz 17 (1981), S.485–532

–: Erinnerungen, in: Biographische Quellen zur Zeitgeschichte (demnächst)

Feuchtwanger, Jacob Löw: The Centenary of Feuchtwangers Bank. A Chapter of the History of German Jewish Banking, Tel Aviv 1957

Feuchtwanger, Marta: Nur eine Frau. Jahre, Tage, Stunden, München/Wien 1983

Feuchtwanger, Olympia-Martin (Hrsg.): The Feuchtwanger Family. The Descendants of Seligmann Feuchtwanger, Tel Aviv 1952

Fings, Karola: Rückkehr als Politikum – Remigration aus Israel, in: Unter Vorbehalt, S.22–32

Fischer, Klaus: Die Emigration von Wissenschaftlern nach 1933. Möglichkeiten und Grenzen einer Bilanzierung, in: Vierteljahreshefte für Zeitgeschichte 39 (1991), S. 535–549

–: Physik, in: Krohn u. a. (Hrsg.), Handbuch der deutschsprachigen Emigration, S. 824–836

Fittko, Lisa: Mein Weg über die Pyrenäen. Erinnerungen 1940/41, München 1989

Fladhammer, Christa/Wildt, Michael (Hrsg.): Max Brauer im Exil. Briefe und Reden aus den Jahren 1933–1946, Hamburg 1994

Foitzik, Jan: Die Malaise des Widerstandes, in: Tribüne 24 (1985), S. 62–80

–: Die Rückkehr aus dem Exil und das politisch kulturelle Umfeld der Reintegration sozialdemokratischer Emigranten in Westdeutschland, in: Briegel/Frühwald (Hrsg.), Die Erfahrung der Fremde, S. 255–270

–: Remigranten in den parlamentarischen Körperschaften Westdeutschlands. Eine Bestandsaufnahme, in: Krohn/von zur Mühlen (Hrsg.), Rückkehr und Aufbruch, S. 71–90

Frei, Norbert: Vergangenheitspolitik. Die Anfänge der Bundesrepublik und die NS-Vergangenheit, München 1996

Freud, Sigmund: Gesammelte Werke, Studienausgabe, Bd. I–XX, Frankfurt a. M. [12]1994

Frisch, Shelly: „Alien Homeland": Erika Mann and the Adenauer Era, in: German Review, Vol. LXIII, Nr. 4 (1988), S. 172–182

Fürst, Max, in: Schultz (Hrsg.), Mein Judentum, S. 176–185

Gennep, Arnold van: Übergangsriten (Les rites de passage. 1909), Frankfurt a. M. u. a. 1986

Glensk, Evelyn: Die Aufnahme.und Eingliederung der Vertriebenen und Flüchtlinge in Hamburg 1945–1953, Hamburg 1994

Golczewski, Frank: Kölner Universitätslehrer und der Nationalsozialismus, Köln u. a. 1988

Goschler, Constantin: Der Fall Philipp Auerbach. Wiedergutmachung in Bayern, in: Ludolf Herbst/Constantin Goschler (Hrsg.), Wiedergutmachung in der Bundesrepublik Deutschland, München 1989, S. 77–98.

Gossel, Daniel A.: Die Hamburger Presse nach dem zweiten Weltkrieg, Hamburg 1993

Grinberg, Leon/Grinberg, Rebeca: Zur Psychoanalyse der Migration und des Exils, München 1991

Grosser, Johannes F. (Hrsg.): Die große Kontroverse. Ein Briefwechsel um Deutschland, Hamburg 1963

Habe, Hans: Ich stelle mich. Erinnerungen, München 1954

–: Im Jahre Null. Ein Beitrag zur Geschichte der deutschen Presse, München 1966

Häntzschel, Hiltrud: Der Exodus der Wissenschaftlerinnen. „Jüdische" Studentinnen der Münchner Universität und was aus ihnen wurde, in: Exil 2 (1992), S. 43–52

–: Geschlechtsspezifische Aspekte, in: Krohn u. a. (Hrsg.), Handbuch der deutschsprachigen Emigration, S. 101–117

–: Remigration – kein Thema. Das Verschwinden der weiblichen Elite nach 1933 und die Folgen für Gesellschaft, Wissenschaft und Literatur in Nachkriegsdeutschland, in: Exil 18 (1998), S. 17–25

–: Die Konkurrenz um die „wahre deutsche Kultur". Vertriebene kulturelle Eliten aus dem nationalsozialistischen Deutschland, in: Günther Schulz (Hrsg.), Vertriebene Eliten, München (2001)

Hansen-Schaberg, Inge: Rückkehr und Neuanfang, in: Jahrbuch für Historische Bildungsforschung Bd. 1 (1993), S. 319–338

Hartewig, Karin: Zurückgekehrt. Die Geschichte der jüdischen Kommunisten in der DDR, Köln u. a. 2000

Heimann, Siegfried: Politische Remigranten in Berlin, in: Krohn/von zur Mühlen (Hrsg.), Rückkehr und Aufbruch, S. 189–210

Heister, Hanns-Werner: Musik, in: Krohn u. a. (Hrsg.), Handbuch der deutschsprachigen Emigration, S. 1032–1049

Herbst, Ludolf/Goschler, Constantin (Hrsg.): Wiedergutmachung in der Bundesrepublik Deutschland (Schriftenreihe des Instituts für Zeitgeschichte, Sondernummer), München 1989

Herdan-Zuckmayer, Alice: Die Farm in den grünen Bergen, Frankfurt a. M./ Hamburg 1956, S. 12

Herf, Jeffrey: Zweierlei Erinnerung. Die NS-Vergangenheit im geteilten Deutschland, Berlin 1998

Hermlin, Stefan: Rückkehr, in: Der Freibeuter (1983), S. 127–140

Herz, Rudolf/Lehnerer, Thomas: Schild an der Feldherrnhalle, Dokumentation, München 1990

Heydenreuter, Reinhard: Office of Military Government for Bavaria, in: OMGUS-Handbuch, hrsg. von Christoph Weisz, München 1994, S. 145–315

Heym, Stefan: Nachruf, Berlin 1990

Hilger, Andreas: Deutsche Kriegsgefangene in der Sowjetunion 1941–1956. Kriegsgefangenenpolitik, Lageralltag und Erinnerung, Essen 2000

Hilzinger, Sonja: „Ich hatte nur zu schweigen". Strategien des Bewältigens und des Verdrängens der Erfahrung Exil in der Sowjetunion am Beispiel autobiographischer Texte, in: Frauen und Exil, Jahrbuch Exilforschung 11, München 1993, S. 31–52

Hömig, Herbert: Brüning. Kanzler in der Krise der Republik. Eine Weimarer Biografie, Paderborn 2000

Hollweck, Ludwig (Hrsg.): Unser München. Ein Lesebuch zur Geschichte der Stadt im 20. Jahrhundert, München 1980

Horn, Klaus-Peter: Erziehungswissenschaft, in: Krohn u. a. (Hrsg.), Handbuch der deutschsprachigen Emigration, S. 721–736

Hoss, Christiane: Kein sorgenfreies Leben. Erfahrungen mit dem neuen Deutschland, in: Leben im Wartesaal. Exil in Schanghai 1938–1947, hrsg. vom Jüdischen Museum im Stadtmuseum Berlin, Berlin 1997, S. 100 ff.

Jay, Martin: Dialektische Phantasie. Die Geschichte der Frankfurter Schule und des Instituts für Sozialforschung 1923–1950, Frankfurt a. M. 1976

Jessen, Ralph: Akademische Elite und kommunistische Diktatur. Die ostdeutsche Hochschullehrerschaft in der Ulbricht-Ära, Göttingen 1999

Jürgens, Franz J. (Hrsg.): „Wir waren ja eigentlich Deutsche". Juden berichten von Emigration und Rückkehr, Berlin 1997

Kästner, Erich: Notabene '45, Frankfurt a. M. 1961

Kalbitzer, Helmut: Widerstehen oder Mitmachen. Eigensinnige Ansichten und sehr persönliche Erinnerungen, Hamburg 1987

Kannonier, Waltraud: Zwischen Flucht und Selbstbehauptung. Frauen-Leben im Exil, Linz 1989

Keßler, Mario: Die SED und die Juden – zwischen Repression und Toleranz. Politische Entwicklungen bis 1967, Berlin 1995

Kessler, Ralf/Peter, Hartmut Rüdiger: Antifaschisten in der SBZ. Zwischen elitärem Selbstverständnis und politischer Instrumentalisierung, in: Vierteljahreshefte für Zeitgeschichte 43 (1995), S. 611–633

Kesten, Hermann (Hrsg.): Ich lebe nicht in der Bundesrepublik, München 1964

Kießling, Wolfgang: Partner im „Narrenparadies". Der Freundeskreis um Noel Field und Paul Merker, Berlin 1995

Klapdor, Heike: Überlebensstrategie statt Lebensentwurf, in: Frauen und Exil, Jahrbuch Exilforschung.11, München 1993, S. 12–30

Kliner-Fruck, Martina, „Es ging ja um ums Überleben". Jüdische Frauen zwischen Nazi-Deutschland, Emigration nach Palästina und ihrer Rückkehr, Frankfurt a. M. 1995

Koebner, Thomas: Das „andere Deutschland". Zur Nationalcharakteristik im Exil. In: Briegel/Frühwald (Hrsg.), Die Erfahrung der Fremde, S. 217–238

Koebner, Thomas/Rotermund, Erwin (Hrsg.), Rückkehr aus dem Exil. Emigranten aus dem Dritten Reich in Deutschland nach 1945. Essays zu Ehren von Ernst Loewy, Marburg 1990

König, René: Leben im Widerspruch. Versuch einer intellektuellen Autobiographie, Frankfurt a. M./Berlin 1984

Kraushaar, Wolfgang: Die Wiederkehr der Traumata im Versuch sie zu bearbeiten. Die Remigration von Horkheimer und Adorno und ihr Verhältnis zur Studentenbewegung, in: Exil und Remigration, Jahrbuch Exilforschung 9, München 1991, S. 46–67

Krauss, Marita: „Deutsche sind Deutsche, gleichgültig aus welchem Teil Deutschlands sie stammen". Flüchtlinge und Vertriebene im Trümmermünchen, in: Prinz (Hrsg.), Trümmerzeit, S. 320–329

–: Nachkriegskultur in München. Münchner städtische Kulturpolitik 1945–1954, München 1985

–: „Die Kontingentierung von Adoptiv- und Pflegekindern ... unterliegt nicht mehr der Beschwerdestelle". Bürokratie der Mangelverwaltung, in: Friedrich Prinz/Marita Krauss (Hrsg.), Trümmerleben. Texte, Dokumente, Bilder aus den Münchner Nachkriegsjahren, München 1985, S. 121–138

–: Heimkehr der Verfemten? Emigranten, Verfolgte und München nach 1945, MS. masch. München 1990

–: Das „Emigrantensyndrom". Emigranten aus Hitlerdeutschland und ihre mühsame Annäherung an die ehemalige Heimat, in: Georg Jenal (Hrsg.), Gegenwart in Vergangenheit. Beiträge zur Kultur und Geschichte der Neueren und Neuesten Zeit, Festgabe für Friedrich Prinz zu seinem 65. Geburtstag, München 1993, S. 319–334

–: Eroberer oder Rückkehrer? Deutsche Emigranten in der amerikanischen Armee, in: Exil 13 (1993), S. 70–85

–: Jüdische Familienschicksale zwischen nationalsozialistischer Machtübernahme und Nachkriegszeit. Das Beispiel der Familien Bernheimer, Feuchtwanger und Rosenfeld, in: Exil 16 (1996), S. 31–45

–: „Ein voll erfülltes Frauenleben". Die Ärztin, Mutter und Zionistin Rahel

Straus (1880–1963), in: Hiltrud Häntzschel/Hadumod Bußmann (Hrsg.), Bedrohlich gescheit. Ein Jahrhundert Frauen und Wissenschaft in Bayern, München 1997, S. 143–146

–: Die Nachkriegsgesellschaft und die Remigranten. Überlegungen zu einer Wirkungsgeschichte, in: Maximilian Lanzinner/Michael Henker (Hrsg.), Landesgeschichte und Zeitgeschichte. Forschungsperspektiven zur Geschichte Bayerns nach 1945, Augsburg 1997, S. 29–40

–: Die Region als erste Wirkungsstätte von Remigranten, in: Krohn/von zur Mühlen (Hrsg.), Rückkehr und Aufbau, S. 23–38

–: Die Rückkehr der „Hitlerfrischler". Die Rezeption von Exil und Remigration in Deutschland als Spiegel der gesellschaftlichen Entwicklung nach 1945, in: Geschichte in Wissenschaft und Unterricht 48 (1997), S. 151–160

–: „Als Emigrant hat man Geduld gelernt". Bürokratie und Remigration nach 1945, in: Exil 17 (1997), S. 89–105

–: Grenze und Grenzwahrnehmung bei Emigranten der NS-Zeit, in: Andreas Gestrich/Marita Krauss (Hrsg.), Migration und Grenze, Stuttgart 1998, S. 61–82

–: Projektion statt Erinnerung. Der Umgang mit Emigranten und die deutsche Gesellschaft nach 1945, in: Exil 18 (1998), S. 5–16

–: Remigration in die Bundesrepublik, in: Krohn u. a. (Hrsg.), Handbuch der deutschsprachigen Emigration, S. 1161–1171

–: Die Rückkehr einer vertriebenen Elite. Remigranten in Deutschland nach 1945, in: Günther Schulz (Hrsg.), Vertriebene Eliten im 20. Jahrhundert (Deutsche Führungsschichten in der Neuzeit, Bd. 24), München (2001)

Krauss, Marita/Sonnabend, Holger (Hrsg.): Frauen und Migration, Stuttgart 2001

Kritzer, Peter: Wilhelm Hoegner. Politische Biographie eines bayerischen Sozialdemokraten, München 1979

Krohn, Claus-Dieter: Die Entdeckung des ‚anderen Deutschland' in der intellektuellen Protestbewegung der 1960er Jahre in der Bundesrepublik und den Vereinigten Staaten, in: Kulturtransfer im Exil, Jahrbuch Exilforschung 13, München 1995, S. 16–51

–: (Hrsg.): Herbert Weichmann (1896–1983). Preußischer Beamter, Exilant, Hamburger Bürgermeister, Hamburg 1996

Krohn, Claus-Dieter/von zur Mühlen, Patrick (Hrsg.): Rückkehr und Aufbau, Marburg 1997

–: Einleitung in: ders./von zur Mühlen (Hrsg.), Rückkehr und Aufbau, S. 7–23

Krohn, Claus-Dieter/von zur Mühlen, Patrick/Paul, Gerhard/Winckler, Lutz (Hrsg.): Handbuch der deutschsprachigen Emigration 1933–1945, Darmstadt 1998

–: Wirtschaftswissenschaften, in: ders. u. a. (Hrsg.), Handbuch der deutschsprachigen Emigration, S. 904–922

Kronawitter, Hildegard: Ein politisches Leben. Gespräche mit Volkmar Gabert, München 1996

Kröner, Hans-Peter: Medizin, in: Krohn u. a. (Hrsg.), Handbuch der deutschsprachigen Emigration, S. 782–791

Kuczynski, Jürgen: Ein linientreuer Dissident. Memoiren 1945–1989, Berlin 1992

Lachs, Minna: Warum schaust du zurück. Erinnerungen 1907–1941, Wien 1986

Laiblin, Wilhelm: Symbolik der Wandlung im Märchen, in: ders. (Hrsg.), Märchenforschung und Tiefenpsychologie, Darmstadt ⁵1995, S. 345–374

Laqueur, Walter: Geboren in Deutschland. Der Exodus der jüdischen Jugend nach 1933, Berlin/München 2000

Ledig, Eva-Maria: Eine Idee für die Kinder. Die Internationale Jugendbibliothek in München, München 1988

Lehmann, Hans Georg: In Acht und Bann. Politische Emigration, Ausbürgerung und Wiedergutmachung am Beispiel Willy Brandts, München 1976

–: Wiedereinbürgerung, Rehabilitation und Wiedergutmachung nach 1945. Zur Staatsangehörigkeit ausgebürgerter Emigranten und Remigranten, in: Exil und Remigration, Jahrbuch Exilforschung 9, München 1991, S. 90–103

Lepman, Jella: Die Kinderbuchbrücke, Frankfurt a. M. 1964

Liepmann, Ruth: Vielleicht ist Glück nicht nur Zufall. Erzählte Erinnerungen, Köln 1993

Lorenz, Einhart: Nachwirkungen des Exils: Skandinavien, in: Exil 17 (1997), S. 86–98

Lühe, Irmela von der: Erika Mann. Eine Biographie, Frankfurt a. M. 1993

Lukes, Igor: Der Fall Slansky. Eine Exilorganisation und das Ende des tschechoslowakischen Kommunistenführers, in: Vierteljahreshefte für Zeitgeschichte 47 (1999), S. 459–501

Mahler-Werfel, Alma: Mein Leben, Frankfurt a. M. 1963

Malycha, Andreas: Die SED. Geschichte ihrer Stalinisierung 1946–1953, Paderborn 2000

Mann, Klaus: Der Wendepunkt, München 1952

–: Briefe und Antworten, hrsg. von Martin Gregor-Dellin, Bd. II (1937–1949), München 1975

–: Mit dem Blick nach Deutschland. Der Schriftsteller und das politische Engagement, München 1985

Mann, Thomas: Tagebücher 1940–1943 und 1946–1948, hrsg. von Inge Jens, Frankfurt a. M. 1982 u. 1989

Mantzke, Martin: Emigranten und Emigration als Politikum in der BRD der sechziger Jahre, in: Exil 3 (1983), S. 24–30

Maor, Harry: Über den Wiederaufbau der jüdischen Gemeinden in Deutschland seit 1945, Mainz 1961

Marcuse, Herbert: Feindanalysen. Über die Deutschen, hrsg. von Peter Erwin Jansen, Lüneburg 1998

Marcuse, Ludwig: Mein 20. Jahrhundert, München 1960

Mayer, Hans, in: Schultz (Hrsg.), Mein Judentum, S. 208–228

Mehringer, Hartmut/Röder, Werner/Schneider, Marc Dieter: Zum Anteil ehemaliger Emigranten am politischen Leben der Bundesrepublik Deutschland, der Deutschen Demokratischen Republik und der Republik Österreich, in: Wolfgang Frühwald/Wolfgang Schieder (Hrsg.), Leben im Exil. Probleme der Integration deutscher Flüchtlinge im Ausland 1933–1945, Hamburg 1981, S. 207–223

Mehringer, Hartmut: Die KPD in Bayern 1919–1945. Vorgeschichte, Verfolgung und Widerstand, in: Bayern in der NS-Zeit, Bd. V. Die Parteien KPD, SPD, BVP in Verfolgung und Widerstand, hrsg. von Martin Broszat/Hartmut Mehringer, München/Wien 1983, S. 1–286

–: Das Biographische Handbuch der deutschsprachigen Emigration nach 1933, das biographische Lexikon Österreicher im Exil und neuere Fragen zur Wissenschaftsemigration, in: Friedrich Stadler (Hrsg.), Vertriebene Vernunft. Emigration und Exil österreichischer Wissenschaft, Wien/München 1988, S. 1046–1052

–: Waldemar von Knoeringen. Eine politische Biographie. Der Weg vom revolutionären Sozialismus zur sozialen Demokratie, München u. a. 1989

–: Sozialdemokratisches Exil und Nachkriegs-Sozialdemokratie. Lernprozesse auf dem Weg zum Godesberger Programm, in: „Ohne Erinnerung keine Zukunft!" Zur Aufarbeitung von Vergangenheit in einigen europäischen Gesellschaften unserer Tage, hrsg. von Clemens Burrichter/Günter Schödl, Köln 1992, S. 109–123

–: Widerstand und Emigration. Das NS-Regime und seine Gegner, München 1997

–: Impulse sozialdemokratischer Remigranten auf die Modernisierung der SPD, in: Krohn/von zur Mühlen (Hrsg.), Rückkehr und Aufbau, S. 91–110

–: Sozialdemokraten, in: Krohn u. a. (Hrsg.), Handbuch der deutschsprachigen Emigration, S. 475–493

Mertens, Lothar: Presse und Publizistik, in: Krohn u. a. (Hrsg.), Handbuch der deutschsprachigen Emigration, S. 1062–1072

Mertz, Peter: Und das wurde nicht ihr Staat. Erfahrungen emigrierter Schriftsteller mit Westdeutschland, München 1985

Mitscherlich, Alexander/Mitscherlich, Margarete: Die Unfähigkeit zu trauern. Grundlagen kollektiven Verhaltens, München 1977

Mittag, Gabriele: Erinnern, Schreiben, Überliefern. Über autobiographisches Schreiben deutscher und deutsch-jüdischer Frauen, in: Frauen und Exil, Jahrbuch Exilforschung 11, München 1993, S. 53–67

Möller, Horst: Exodus der Kultur. Schriftsteller, Wissenschaftler und Künstler in der Emigration nach 1933, München 1984

Münchner Stadtadreßbuch 1990

Naumann, Klaus: „Er hat uns noch gefehlt" – die gescheiterte Remigration des Reichskanzlers a. D. Dr. Heinrich Brüning, in: Unter Vorbehalt, S. 51–60

Naumann, Uwe: Theater, in: Krohn u. a. (Hrsg.), Handbuch der deutschsprachigen Emigration, S. 1112–1122

Nerdinger, Winfried: Die „Kunststadt" München, in: Christoph Stölzl (Hrsg.), Die zwanziger Jahre in München, München 1979, S. 93–111

Nicolaysen, Rainer: Siegfried Landshut (1897–1968), in: Hamburgische Lebensbilder, Hamburg 1994, S. 75–115

Papcke, Sven: Exil und Remigration als öffentliches Ärgernis. Zur Soziologie eines Tabus, in: Exil und Remigration, Jahrbuch Exilforschung 9, München 1991, S. 9–24

–: Exil der Soziologie/Soziologie des Exils, in: Rückblick und Perspektiven, Jahrbuch Exilforschung 14, München 1996, S. 62–74

Paul, Gerhard: „Herr K. ist nur Politiker und als solcher aus Amerika zurückgekommen." Die gelungene Remigration des Dr. Rudolf Katz, in: Gerhard Paul/Miriam Gilles-Carlebach (Hrsg.), Menora und Hakenkreuz. Zur Geschichte der Juden aus Schleswig-Holstein, Lübeck und Altona, Neumünster 1998

–: Das Saarland, in: Krohn u. a. (Hrsg.), Handbuch der deutschsprachigen Emigration, S. 1171–1180

Pelz, Annegret: Reisen durch die eigene Fremde. Reiseliteratur von Frauen als autogeographische Schriften, Köln u. a. 1993

Prinz, Friedrich (Hrsg.): Trümmerzeit in München. Kultur und Gesellschaft einer deutschen Großstadt im Aufbruch 1945–1948/49, München 1984

Quack, Sybille: Zuflucht Amerika. Zur Sozialgeschichte deutsch-jüdischer Frauen in den USA, Bonn 1995

Reichel, Peter (Hrsg.): Das Gedächtnis der Stadt. Hamburg im Umgang mit seiner nationalsozialistischen Vergangenheit, Hamburg 1997

Reinprecht, Christoph: Zurückgekehrt. Identität und Bruch in der Biographie österreichischer Juden, Wien 1992

Reuter, Edzard: Schein und Wirklichkeit. Erinnerungen, Berlin 1998

Reventlow, Rolf: Erinnerungen, in: Biographische Quellen zur Zeitgeschichte (demnächst)

Richter, Horst-Eberhard: Bedenken gegen Anpassung. Psychoanalyse und Politik. Hamburg 1995

Röder, Werner: Die deutschen sozialistischen Exilgruppen in Großbritannien. Ein Beitrag zur Geschichte des Widerstandes gegen den Nationalsozialismus, Hannover 1968

–: The political Exiles: their Policies and their Contribution to Post-War Reconstruction, in: Biographisches Handbuch, Bd. II, S. XXVII–XL

Römer, Gernot: „Wir haben hier Wurzeln geschlagen". Von Memmingen nach Rio de Janeiro, in: Benz (Hrsg.), Das Exil der kleinen Leute, S. 61–67

Rosenfeld, Siegfried: Tagebuchaufzeichnungen 1942–1944 (masch. Manuskript)

Roß, Sabine: Verhinderter Aufstieg? Frauen in lokalen Führungspositionen des DDR-Staatsapparats der achtziger Jahre, in: Peter Hübner (Hrsg.), Eliten im Sozialismus. Beiträge zur Sozialgeschichte der DDR, Köln 1999, S. 147–166

Sahl, Hans: Memoiren eines Moralisten, Frankfurt a. M. 1990

Schaber, Irme: Fotografie, in: Krohn u. a. (Hrsg.), Handbuch der deutschsprachigen Emigration, S. 970–983

Schaefer, Kurt: Albert Oesers Briefwechsel mit Emigranten 1945–1951, in: Archiv für Frankfurter Geschichte und Kunst, 59 (1985), S. 539–577

Schätzke, Andreas: Rückkehr aus dem Exil. Bildende Künstler und Architekten in der SBZ und frühen DDR, Berlin 1999

Schmelzkopf, Christiane: Rahel Straus, in: Juden in Karlsruhe. Beiträge zur Geschichte bis zur nationalsozialistischen Machtergreifung, hrsg. von Heinz Schmitt, Karlsruhe 1988, S. 471–480

Schmid Noerr, Gunzelin: Die „Kritische Theorie", in: Krohn u. a. (Hrsg.), Handbuch der deutschsprachigen Emigration, S. 806–813

Schmidt-Henkel, Gerhard: Grenzen in der Literatur. Methoden und Motive der Dissimilation und Assimilation, in: Wolfgang Haubrichs/Reinhard Schneider (Hrsg.), Grenzen und Grenzregionen – Frontières et régions frontières – Borders and Border Regions, Saarbrücken 1994, S. 267–282

Schneider, Marc Dieter: Gilbert Grandval. Frankreichs Prokonsul an der Saar 1945–1955, in: Vom „Erbfeind" zum „Erneuerer". Aspekte und Motive der französischen Deutschlandpolitk nach dem Zweiten Weltkrieg, hrsg. von Stefan Martens (Beihefte der Francia, 27), Sigmaringen 1993

–: Christliche und konservative Emigranten. Das Beispiel Johannes Schauff, in: Krohn/von zur Mühlen (Hrsg.), Rückkehr und Aufbau, S. 157–187

Scholz, Michael F.: Herbert Wehner in Schweden 1941–1946. Legende und Wirklichkeit, München 1995

–: Sowjetische Besatzungszone und DDR, in: Krohn u. a. (Hrsg.), Handbuch der deutschsprachigen Emigration, S. 1180–1188

–: Skandinavische Erfahrungen erwünscht? Nachexil und Remigration. Die ehemaligen KPD-Emigranten in Skandinavien und ihr weiteres Schicksal in der SBZ/DDR, Stuttgart 2000

Schultz, Hans-Jürgen (Hrsg.): Mein Judentum, München ²1987

Schulze, Winfried: Deutsche Geschichtswissenschaft nach 1945, München 1993

Schwarz, Walter: Die Wiedergutmachung des nationalsozialistischen Unrechts durch die Bundesrepublik Deutschland, hrsg. vom Bundesministerium der Finanzen, Bd. 1–6, München 1974–1985

Siegmund-Schultze, Reinhard: Mathematik, in: Krohn u. a. (Hrsg), Handbuch der deutschsprachigen Emigration, S. 769–781

Simmel, Erich: Antisemitismus, Frankfurt a. M. 1993.

Söllner, Alfons (Hrsg.): Zur Archäologie der Demokratie in Deutschland. Analysen politischer Emigranten im amerikanischen Geheimdienst, Bd. 1: 1943–1945, Frankfurt a. M. 1982

Solchany, Jean: Vom Antimodernismus zum Antitotalitarismus. Konservative Interpretationen des Nationalsozialismus in Deutschland 1945–1949, in: Vierteljahreshefte für Zeitgeschichte 44 (1996), S. 373–394

Spevack, Edmund: Ein Emigrant in amerikanischen Diensten. Zur Rolle des Politikwissenschaftlers Hans Simons in Deutschland nach 1945, in: Krohn/von zur Mühlen (Hrsg.), Rückkehr und Aufbau, S. 321–338.

Spiel, Hilde: Lisas Zimmer „The darkened Room", Hamburg 1990

Stark, Meinhard: Deutsche Exilantinnen im GULAG. Alltag des Überlebens, in: Sprache – Identität – Kultur. Frauen im Exil, Jahrbuch Exilforschung 17, München 1999, S. 53–68

Steininger, Rolf: Zur Geschichte der Münchener Ministerpräsidentenkonferenz, in: Vierteljahreshefte für Zeitgeschichte 23 (1975), S. 375–453

Stein-Pick, Charlotte: Meine verlorene Heimat, Bamberg 1992

Strasser, Marguerite: Ein jüdisches Mädchen erlebt die NS-Herrschaft in München, in: Verdunkeltes München, Geschichtswettbewerb 1985/86, hrsg. von der Landeshauptstadt München, Red. Marita Krauss, Buchendorf 1987, S. 14–20

Straus, Rahel: Wir lebten in Deutschland, Stuttgart 1961

Szabo, Anikó: Vertreibung, Rückkehr, Wiedergutmachung. Göttinger Hochschullehrer im Schatten des Nationalsozialismus, Göttingen 2000

Thränhardt, Dietrich: Geschichte der Bundesrepublik Deutschland, Frankfurt a. M. 1986

Trapp, Frithjof u. a. (Hrsg.): Handbuch des deutschsprachigen Exiltheaters 1933–1945, 3 Bde, München 1999

Troller, Georg Stefan: Selbstbeschreibung, Hamburg ²1988

Turner, Victor: Variations on a Theme of Liminality, in: ders., Blazing the Trail. Way Marks in the Exploration of Symbols, Arizona 1992, S. 48–65

Unter Vorbehalt. Rückkehr aus der Emigration nach 1945, hrsg. vom Verein El-De-Haus Köln, bearb. von Wolfgang Blaschke u. a., Köln 1997

Urbach, Karina: Zeitgeist als Ortsgeist. Die Emigration als Schlüsselerlebnis deutscher Historiker, in: Hermann Hiery (Hrsg.), Der Zeitgeist und die Historie (Bayreuther Historische Kolloquien, Band 15), Dettelbach 2001

Wacker, Hans H.: Nachlaßverwaltung oder demokratische Erneuerung? Münchner Kommunalpolitik nach 1945, in: Prinz (Hrsg.), Trümmerzeit, S.39–59

Webster, Roland: Jüdische Rückkehrer in die BRD nach 1945. Ihre Motive, ihre Erfahrungen, in: Ashkenas 5 (1995), S.47–77

Wehler, Hans-Ulrich: Deutsche Gesellschaftsgeschichte, Bd.I., München 1987

Weichmann, Elsbeth: Zuflucht. Jahres des Exils, Hamburg 1983

Wickert, Christl: Unsere Erwählten. Sozialdemokratische Frauen im Deutschen Reichstag und im Preußischen Landtag 1919–1933, Bd.1, Göttingen 1986

Wiedenhorn-Schnell, Dagmar: Medien an der Longe. Die deutsche Lizenzpresse in München 1945–1949, in: Prinz (Hrsg.), Trümmerzeit, S.252–260

Wiggershaus, Rolf: Die Frankfurter Schule. Geschichte, theoretische Entwicklung, politische Bedeutung. München 1986

Zeul, Mechthild: Rückreise in die Vergangenheit. Zur Psychoanalyse spanischer Arbeitsmigrantinnen, in: Helga Haase (Hrsg.), Ethnopsychoanalyse, Stuttgart 1996, S.219–255

Zuckmayer, Carl: Als wär's ein Stück von mir, Stuttgart u.a. 1966

Personenregister

Bildnachweis

Augsburg, Haus der Bayerischen Geschichte, Bildarchiv 69

Berlin, Bundesarchiv 13

Frankfurt a. M., Deutsche Presseagentur GmbH (dpa Archiv) 128

Hamburg, Forschungsstelle für die Geschichte des Nationalsozialismus 101; Staatsarchiv 34

Manchester, Ursula Rosenfeld 41

Marbach, Schiller-Nationalmuseum und Deutsches Literaturachiv 10 (Gabriele Du Vinage)

München, Bayerische Staatsbibliothek (Nachlaß Oskar Maria Graf) 151; Bilderdienst Süddeutscher Verlag GmbH 86 (UPI/United Press), 97 (UPI/United Press), 99 (dpd), 102 (Ursula Röhnert), 116 (DENA-Bild), 122 (Fred Lindinger); Internationale Jugendbibliothek 120; Literaturarchiv Monacensia 63; Stefan Moses 89; Münchner Stadtbibliothek, Monacensia 44

Buchanzeigen

Zeitgeschichte

Hans Mommsen
Alternative zu Hitler
Studien zur Geschichte des deutschen Widerstandes
2000. 424 Seiten. Paperback
Beck'sche Reihe Band 1373

Christoph Studt (Hrsg.)
Das Dritte Reich
Ein Lesebuch zur deutschen Geschichte 1933 - 1945
4. Auflage. 1998. 350 Seiten mit 6 Abbildungen. Paperback
Beck'sche Reihe Band 1257

Norbert Frei/Dirk van Laak/Michael Stolleis (Hrsg.)
Geschichte vor Gericht
Historiker, Richter und die Suche nach Gerechtigkeit
2000. 187 Seiten. Paperback
Beck'sche Reihe Band 1355

Peter Reichel
Vergangenheitsbewältigung in Deutschland
Die Auseinandersetzung mit der NS-Diktatur von 1945 bis heute
2001. 252 Seiten. Paperback
Beck'sche Reihe Band 1416

Michael Brenner
Nach dem Holocaust
Juden in Deutschland 1945 - 1950
1995. 254 Seiten mit 16 Abbildungen und 1 Karte. Paperback
Beck'sche Reihe Band 1139

Gerhard A. Ritter
Über Deutschland
Die Bundesrepublik in der deutschen Geschichte
2., durchgesehene Auflage. 2000. 304 Seiten. Paperback
Beck'sche Reihe Band 1389

Verlag C. H. Beck München

Erinnerungen und Zeugnisse

Saul Friedländer
Wenn die Erinnerung kommt
Aus dem Französischen von Helgard Oestreich
2. Auflage. 1998. 192 Seiten. Paperback
Beck'sche Reihe Band 1253

Peter Gay
Meine deutsche Frage
Eine Jugend in Berlin 1933-1939
Aus dem Englischen von Ulrich Enderwitz, Monika Noll und Rolf Schubert
3. Auflage. 2000. 230 Seiten mit 13 Abbildungen. Paperback
Beck'sche Reihe Band 1310

Christabel Bielenberg
Als ich Deutsche war
Eine Engländerin erzählt
Autorisierte deutsche Fassung von Christian Spiel
7. Auflage. 2000. 320 Seiten. Paperback
Beck'sche Reihe Band 326

Dietrich Bonhoeffer/Maria von Wedemeyer
Brautbriefe Zelle 92
1943-1945
Herausgegeben von Ruth-Alice von Bismarck und Ulrich Kabitz.
Mit einem Nachwort von Eberhard Bethge
2. Auflage. 2000. XIV, 308 Seiten mit 30 Abbildungen. Paperback
Beck'sche Reihe Band 1312

Barbara Bronnen (Hrsg.)
Geschichten vom Überleben
Frauentagebücher aus der NS-Zeit
Unveränderter Nachdruck der 1998 erschienenen 1. Auflage 1999. 251 Seiten.
Paperback
Beck'sche Reihe Band 1264

Verlag C.H. Beck München